现代渠道与管网高效输水新材料及新技术

邢义川　李远华　何武全
刘群昌　曲　强　高　峰　著

黄河水利出版社

内 容 提 要

本书是在国家高技术研究发展计划(863计划)"现代渠道、管网高效输水技术及新产品"课题研究成果的基础上,经过总结、提炼、深化后编撰而成的。全书共10章,涉及渠道防渗新材料新技术、渠道新型抗冻胀结构形式与新材料、渠灌区渠道和管网相结合的输水新技术三方面研究,主要包括纳米微粉对混凝土抗渗抗冻性能影响的试验研究、特殊土渠道防渗技术、渠道防渗抗冻胀新材料及新型结构形式、渠道防渗防冻胀技术、渠道量水新技术、渠灌区管网输水系统水力计算及模拟仿真技术、渠灌区管道输水系统防淤堵技术等。

本书可供广大水利科技、给水排水、灌区管理人员和大中专院校相关专业师生阅读参考。

图书在版编目(CIP)数据

现代渠道与管网高效输水新材料及新技术/邢义川等著.—郑州:黄河水利出版社,2006.4
ISBN 7-80734-055-X

Ⅰ.现…　Ⅱ.邢…　Ⅲ.①灌溉渠道-渠道防渗-材料-新技术　②灌溉渠道-防冻-材料-新技术③灌溉渠道-给水管道-管网-新技术　Ⅳ.S274

中国版本图书馆 CIP 数据核字(2006)第 015257 号

出　版　社:黄河水利出版社
　　　　地址:河南省郑州市金水路 11 号　　　邮政编码:450003
发行单位:黄河水利出版社
　　　　发行部电话:0371-66026940　　　传真:0371-66022620
　　　　E-mail:yrcp@public.zz.ha.cn
承印单位:河南省第二新华印刷厂
开本:787 mm×1 092 mm　1/16
印张:12
字数:277 千字　　　　　　　　　　印数:1—2 000
版次:2006 年 4 月第 1 版　　　　　　印次:2006 年 4 月第 1 次印刷

书号:ISBN 7-80734-055-X/S·78　　　　　　定价:30.00 元

序

  随着全球淡水资源危机的加剧,合理利用水资源问题引起了联合国等国际组织、许多国家政府和众多科技工作者愈来愈多的关注,提出并采用了多种对策措施。在解决用水供需矛盾的综合措施中,除了蓄水、引水、调水等开源措施外,更重要的是改进和加强水资源管理,大力推行节约用水,提高水的利用率,防止水的污染等。美国、日本、俄罗斯等国家针对农业灌溉用水浪费严重,特别是土渠输水渗漏损失大的问题,在渠道防渗和管道输水工程技术等方面进行了许多研究,取得了显著的经济、社会效益。渠道防渗和管道输水技术已成为许多发达国家进行灌区技术改造的一个方向性措施。

  我国对农业节水也非常重视。《中国节水技术政策大纲》指出,农业是我国第一用水大户,发展高效节水型农业是国家的基本战略,农业用水输配水过程中的水量损失所占比重很大,提高输水效率是农业节水的主要内容。目前,我国渠系水利用系数平均仅为 0.5 左右,也就是说,约一半的灌溉水在输送过程中就损失掉了。虽然国外在高效输水方面进行了大量的研究和开发工作,新技术、新材料得到广泛应用,但许多东西不完全适合我国国情。过去几十年,我国在这方面也做了不少研究,取得了大量成果,但仍存在诸多亟待解决的问题,如渠道防渗材料的适用性、耐久性等,难以满足我国特殊地域与环境的需要,尤其在渠道的防渗抗冻胀技术与材料方面发展滞后,新材料的集成应用不足,现有技术综合性能差,材料造价高,设备性价比差,渠灌区管网量配水、调压、防淤堵及运行管理等技术水平低等。这些问题在一定程度上制约了我国农业节水的发展。

  鉴于以上原因,科技部"十五"期间在国家高技术研究发展计划(863 计划)中设立了"现代渠道、管网高效输水技术及新产品"课题。课题针对目前我国灌区输配水工程技术单一、系统性差、输水效率低等问题,重点对渠道防渗新材料和新技术、新型渠道抗冻胀结构形式与新材料、渠灌区渠道和管网相结合的输水新技术等内容,从技术、材料、结构形式、设备等方面进行了综合、系统的研究,取得了大量成果。其中特殊土的渠道防渗技术、渠道防渗抗冻胀技术、渠道与管网连接技术、管网防淤堵技术、管网水力计算模拟仿真技术等成果具有创新意义,不仅能大大提高我国防渗渠道和管网工程建设的技术水平,并且对提高工程质量、降低工程造价、加快工程建设速度,以及加快渠道防渗和管网工程发展具有重要的意义。部分成果已被编入《渠道防渗工程技术规范》(SL 18—2004)中。研究成果先后在河北、陕西、广西、北京、宁夏、内蒙古、云南和贵州等省(市、区)的工程中进行了应用,取得了显著的经济效益和社会效益。

目前,我国正在实施大中型灌区续建配套与节水改造工程,小型灌区续建配套与节水改造工程规划业已编制,正在进行试点,渠道防渗和管道输水是这些项目中的重点。因此,本课题的研究成果具有广阔的推广应用前景。

中国灌区协会会长
教授级高级工程师

2005 年 6 月

前　言

渠道防渗和管道输水是我国目前应用最广泛的节水工程技术措施,它可以极大地减少农业灌溉用水的浪费,节水潜力巨大。农业是我国的用水大户,据统计,1999年我国农业年用水总量为3 860亿 m^3,约占全国用水总量的69%,其中农田灌溉用水量为3 560亿 m^3,占农业总用水量的92%,占全国总用水量的64%。我国灌溉用水浪费现象十分严重,输水渠道渗漏损失是灌溉用水浪费的主要方面,目前,我国渠系水利用系数平均仅为0.5左右,也就是说,约一半的灌溉水在渠道输送过程中就损失掉了,我国每年由灌溉输水渠道损失的水量占总用水量的1/3,占农业总用水量的45%,灌溉用水浪费相当惊人。由此可见,渠道防渗和管道输水技术是节约用水、实现节水型农业的关键技术措施。

本课题针对渠道防渗新材料新技术、渠道新型抗冻胀结构形式与新材料、渠灌区渠道和管网相结合的输水新技术中存在的关键技术问题开展研究,研究开发成本低、质量好的渠道防渗和管道输水新材料与新技术。在渠道防渗新材料及新技术方面,通过改性、复合等技术,研制出了纳米基混凝土改性剂,使混凝土的抗渗性提高30%以上,抗冻性提高50%以上,并显著改善混凝土耐久性;研制的新型土壤添加剂是利用工业废液加工而成的,防渗效果好,原料来源容易,生产成本较低,不扰动渠床土,施工简易,可大大加快我国渠道防渗建设速度,促进节水产业化发展,并给工业废液的利用找到了一条出路;针对混凝土衬砌防渗渠道接缝渗漏严重及施工复杂等问题,研制开发了氯化聚乙烯(CPE)止水带和止水管,止水效果好,施工简单,造价低;特殊土渠道防渗技术方面研究了特殊土对渠基的危害机理,提出了特殊土渠道防渗工程设计方法和设计参数及防止危害的技术措施。在渠道新型抗冻胀结构形式与新材料方面,提出了刚柔相济、适应冻胀变形性能好的新型渠道连锁板衬砌结构形式,并进行了现场观测试验;研制开发了具有防渗、保温双重功能的新型卷材(SDM),与传统材料(塑膜和聚苯乙烯泡沫板)相比,其防渗、保温效果好,运输、施工方便,工程综合造价低,还可与无纺布复合,使其具有防渗、保温和平面导水等综合功能;针对目前我国U形渠槽预制构件机只能生产0.5 m长的预制渠槽、生产效率低、渠道接缝多、防渗效果差、施工速度慢、不利于机械化施工等问题,研制了新型的能制成1 m长混凝土U形槽或1 m^2 平板构件的U形渠槽预制机。渠灌区渠道和管网相结合的输水新技术方面,进行了渠灌区管网输水系统水力计算及模拟仿真技术研究,研制开发了多功能分水调节设施、多功能调压与分水控制装置和XN-1型出水口及保护防冲设施,并在管道输水系统防淤堵技术和渠道与管网连接技术方面进行了大量的研究。同时,积极进行研究成果的产业化及推广应用。在渠道防渗抗冻胀新技术与新材料方面,与西安市三联防水材料有限公司合作,建成了新型防渗保温复合材料、氯化聚乙烯止水带和止水管生产线并开始生产,先后在河北、陕西、广西、北京、云南和贵州等省(市、区)的工程中进行了应用;在渠灌区管道输水灌溉技术研究方面,将渠灌区管道防淤堵技术和渠道与管网连接技术在宝鸡峡灌区节水灌溉示范工程中进行了示范推广应用。研究成果的推广应用,产生了显著的经济效益、社会效益和生态效益。

本课题取得的特殊土渠道防渗技术、渠道防渗防冻胀技术、渠道与管网连接技术、管网防淤堵技术和水力计算及模拟仿真技术等科技成果,不仅可以提高防渗渠道和管网工程建设的技术水平,并且对工程质量的提高、工程造价的降低、工程建设速度的加快,以及渠道防渗和管网工程的发展具有重要意义。该研究成果已应用于节水农业工程,取得了显著的经济效益、社会效益和生态效益,同时,该成果还可应用于交通、工民建等行业,市场前景广阔。

通过本课题的研究,在渠道防渗新材料新技术、渠道新型抗冻胀结构形式与新材料、渠灌区渠道和管网相结合的输水新技术方面取得系统成果,对我国渠道防渗技术和管道输水灌溉技术的进一步发展提供了技术保证,对相关研发工作的开展以及本学科及相关学科发展具有重要的作用和影响,对我国渠道防渗及管道输水灌溉技术的发展和进一步推广应用具有重要的意义。

由于水平有限,书中难免有不妥之处,恳请读者批评指正。

作 者

2005 年 6 月

本课题承担单位及人员

课 题 名 称　现代渠道、管网高效输水技术及新产品
　　　　　　　　（2001AA242071）

所属主题/重大专项　现代农业技术

所 属 领 域　生物及现代农业技术

依 托 单 位　西北农林科技大学

参 加 单 位　中国灌溉排水发展中心
　　　　　　　　中国水利水电科学研究院
　　　　　　　　水利部农田灌溉研究所
　　　　　　　　西安三联防水材料有限公司
　　　　　　　　北京工业大学
　　　　　　　　扬州大学

课题负责人　邢义川　李远华

主要完成人　邢义川　李远华　何武全　刘群昌　曲　强
　　　　　　　　高　峰　张英普　丁昆仑　杜应吉　周遂宝
　　　　　　　　李书民　刘文朝　韩苏建　张爱军　骆亚生
　　　　　　　　蔡明科　吉庆丰　王玉宝　李国富　王韶华
　　　　　　　　刘丽艳　党　平　成兴广　刘祥臻　倪文进
　　　　　　　　张玉欣　姚常平

报告执笔人　邢义川　何武全

参加统稿人　蔡明科　王玉宝

国家高技术研究发展计划(863计划)课题
现代渠道、管网高效输水技术及新产品
研究内容一览表

序号	名　称	完成单位	负责人
01	利用纳米技术改进混凝土防渗材料性能的试验研究	西北农林科技大学	杜应吉
02	特殊土渠道防渗技术研究	西北农林科技大学	邢义川 张爱军
03	新型防渗抗冻胀结构研究	中国水利水电科学研究院	刘文朝
04	渠灌区管网输水系统水力计算及模拟仿真技术研究	中国水利水电科学研究院 北京工业大学	刘群昌 王韶华
05	渠灌区管道输水系统防水击技术研究	中国水利水电科学研究院	丁昆仑
06	渠灌区管道防淤堵技术研究	西北农林科技大学	张英普
07	渠道与管网连接技术研究	水利部农田灌溉研究所 扬州大学	高　峰 吉庆丰
08	新型土壤添加剂的研究	中国灌溉排水发展中心 西安三联防水材料有限公司	曲　强 姚常平
09	新型复合土工膜料的研究	中国灌溉排水发展中心 西安三联防水材料有限公司	张玉欣 周遂宝
10	新型填缝止水材料的研究	中国灌溉排水发展中心 西安三联防水材料有限公司	倪文进 周遂宝
11	渠道防渗防冻胀技术研究	河北大学 中国灌溉排水发展中心 河北省石津灌区管理局	李书民 党　平
12	中、小型渠道防渗施工机械的完善、配套与定型	中国灌溉排水发展中心	曲　强 刘丽艳

目　录

第一章　渠道防渗与管道输水技术发展概况

第一节　渠道防渗技术发展概况

一、渠道防渗的重要性

渠道防渗是目前应用最广泛的节水灌溉工程技术措施,它可以极大地减少农业灌溉用水的浪费,节水潜力巨大。农业是我国的用水大户,据统计,1999 年我国农业用水总量为 3 860 亿 m^3,约占全国总用水量的 69%,其中农田灌溉用水量为 3 560 亿 m^3,占农业总用水量的 92%,占全国总用水量的 64%。同时,农田灌溉用水浪费现象十分严重,灌溉水的利用率仅为 43%,输水渠道渗漏是灌溉用水浪费的主要方面。目前,我国已衬砌防渗的渠道仅占渠道总长的 1/4~1/3,没有防渗措施的渠道仍占很大比例,渠系水的利用系数平均仅为 0.5 左右,远低于发达国家的水平,如美国为 0.78,日本为 0.61,苏联为 0.6~0.7,也就是说,50% 以上的灌溉水在渠道输水过程中就损失掉了,每年由灌溉渠道损失的水量高达 1 734.62 亿 m^3,为我国总用水量的 1/3,为农业总用水量的 45%,灌溉用水浪费相当惊人。采用渠道防渗技术,可以减少渗漏损失的 70%~90%,极大地提高灌溉渠系水的利用系数,如按我国渠系水的有效利用系数提高 0.1 计算,则每年可节约用水量 344.5 亿 m^3,由此可见,渠道防渗的节水效益十分显著。

渠道采取防渗措施后,可以提高灌溉水的利用率,缓解农业用水供需矛盾,节约的水可扩大灌溉面积,进一步促进农业生产的发展;可以减少渠道占地面积,防止渠道冲刷、淤积及坍塌,节约运行管理费用,有利于灌区的管理;可以降低地下水位,防止土壤盐碱化及沼泽化,有利于生态环境和农业现代化建设。渠道防渗是节约用水、实现节水型农业的重要内容。因此,进一步研究推广渠道防渗技术,对缓解我国水资源供需矛盾和国民经济持续稳定发展具有重要的意义。

二、渠道防渗技术发展概况

(一)国外渠道防渗技术概况

世界各国,如美国、日本、印度、苏联、巴基斯坦、伊朗、加拿大等,由于渠道渗漏损失的水量很大,均非常重视并积极研究推广渠道防渗工程技术。

在渠道防渗材料方面,发达国家多采用砌石、混凝土、塑膜等。美国认为混凝土防渗具有防渗性能好、能适应高流速、占地少、清淤及管理费用低和寿命长等优点,故目前多采用此种材料,塑膜等新型材料目前正在研究推广中,膜料防渗多采用砂砾料作为保护层,或下层为土料,表面为砂砾料,在无砂砾料地区,亦有采用现浇或喷射混凝土作为保护层的。日本渠道防渗采用的材料有硬质类(包括混凝土、钢筋混凝土、钢丝网喷射混凝土、沥青混凝土、砂浆、沥青砂浆、水泥加固土、砌石等)、薄膜类(包括塑料薄膜、沥青膜、合成橡胶膜、膨润土膜)和土料类等。为了提高软弱基础渠道的承载力,多采用钢板桩、混凝土桩或木桩加固。近年来,随着日本经济的高度发展,在改造旧渠道或新建渠道中多采用钢筋混凝土材料,从而提高了衬砌渠道的坚固耐久性,减少了维修费用,保证了行水安全。

在渠道防渗的断面结构形式方面,混凝土防渗多采用梯形、矩形、U 形或弧形坡脚梯形断面等。美国混凝土防渗多采用梯形或弧形坡脚梯形断面,压实土及膜料防渗多采用梯形断面,膜料防渗层的结构为复合形式,即膜料上有不同材料(多为砂砾石)的保护层,当采用混凝土作保护层时,膜料与混凝土的层间一般夹一层土工织物;日本目前防渗渠道的断面结构形式有明渠及暗管两大类,不同材料明渠防渗的断面结构形式有梯形、矩形和U 形三种;暗渠、暗管的断面结构形式有圆形、方形和马蹄形三种。

在渠道防渗工程的冻害防治方面,美国采用的防冻措施是在有冻害地区采用压实土防渗,不采用冻胀敏感的混凝土材料;渠基设排水设施;无冬灌习惯,且在冻结前一个月渠道停止输水。日本北部有严重的冻害问题,对渠道冻害机理和防治措施的研究较多,采用防冻胀方法有回避法(埋设法、置槽法、梯形法)、置换法(一般置换法、特殊置换法)和隔热法(一般隔热法、特殊隔热法、完全隔热法)三类。发达国家近年来采用"抵抗"冻胀的新技术措施,将混凝土改为钢筋混凝土,同时将防渗层下的土层用砂砾料换填,在砂砾料和混凝土防渗层之间铺一层塑膜,防止混凝土向底层基土中渗浆。采用这种防冻害措施,效果好,但投资过大。

在渠道防渗工程施工技术方面,机械化程度较高,施工质量好,进度快。美国混凝土现浇法施工,多采用全断面(小型渠道)或半断面(大型渠道)系列机械一次浇筑成渠,压实土防渗采用碾压机,塑膜防渗采用铺膜机等;日本目前普遍采用的是 L 形预制混凝土矩形防渗渠道,边坡预制件在工厂机械化生产,底部为现浇混凝土,施工速度快,质量高。

(二)国内渠道防渗技术概况

我国很早就有采用黏土、灰土、三合土夯实,黏土锤打,砌砖,砌石等进行渠道防渗的记载,20 世纪 50 年代甘肃及新疆就开始因地制宜地采用卵石防渗渠道,并试验采用沥青混凝土作防渗渠道,60 年代陕西、山西、河北、河南等省开展了混凝土防渗的试验研究和推广工作,1976 年在水利部的组织和领导下,全国 26 个省(市、区)开展了渠道防渗科技协作攻关活动,成立了全国渠道防渗科技协调组和全国渠道防渗科技情报网,有组织地进行了大量的试验研究工作,有力地促进了渠道防渗技术的发展,大大推动了防渗工程建设。

在渠道防渗材料方面,研究证明灰土除有气硬性外,还有一定的水硬性,为了提高灰土早期强度及减少缩裂缝,应在灰土中分别掺入砂、砾石、炭渣等。为了提高水泥土的抗冻及抗裂性,应选用砂粒含量为 70%、黏粒含量为 3%~10%的土料,密度应在 1.8 g/cm³以上,适当提高水泥的掺量,施工中应严格控制含水量,加强早期养护。为了提高砌石防渗的效果,除保证施工质量外,应在砌体下设不同材料的防渗层,或采用灌浆及表面作防渗处理等方法。对于混凝土防渗,在性能满足工程要求的前提下,成功地采用细砂、页岩及泥岩拌制混凝土,并利用外加剂改善混凝土性能,减少水泥用量,降低工程造价。20 世纪 80 年代以来,经过室内外试验,成功地采用和推广了薄膜等新型防渗材料和新型复合材料防渗结构形式,取得了显著的经济和社会效益。

在渠道防渗断面形式方面,70年代中期以来,研究并推广了小型U形断面刚性材料防渗渠道,对大中型渠道,也研究提出了弧形坡脚梯形断面和弧形底梯形断面渠道。这种渠道将逐渐代替我国沿用已久的梯形断面渠道,具有重要的意义。

在渠道防冻胀技术措施方面,我国经过多年的研究实践,提出了"允许一定冻胀位移量"的设计标准,采用"适应削减冻胀"的防冻害原则和技术措施,大大降低了工程造价。目前对影响冻害的因素,例如土质、水分气温、渠道走向、断面形状、地下水位等,已研究和掌握了它们影响冻害的规律,并从定性的认识发展到定量的研究成果。

在施工技术方面,小型U形衬砌渠道,我国研制了系列的渠道基槽开挖机、混凝土现浇衬砌机和混凝土构件成型机等施工机械,施工速度快,施工质量高,并已得到大面积推广应用。大、中型渠道衬砌,研究开发了混凝土滑模施工技术和喷射混凝土防渗技术,但缺乏机械化和自动化程度高的衬砌机械,施工技术也亟待提高。

三、渠道防渗新材料与新技术

(一)渠道防渗新材料

渠道防渗常用土料、水泥土、面料、膜料、混凝土和沥青混凝土等材料建立渠道防渗层,以达到防渗目的。选用防渗材料时,应根据渠道大小、防渗效果和使用年限等工程要求,结合当地的地形、土质、气候、地下水位等工程环境条件和社会经济情况,并注意施工简易、造价低廉、便于管理维修等因素,按照因地制宜、就地取材的原则,合理确定。经过多年的研究和实践证明,渠道防渗采用单一的防渗材料和结构形式很难达到理想的防渗、抗冻和耐久性效果,并且投资较大。20世纪80年代以后,随着世界各国淡水资源的紧缺,渠道防渗技术引起普遍重视并得到迅速发展,在防渗新材料、防渗断面及结构形式等方面取得了许多研究成果。

1. 膜料防渗

膜料防渗是用不透水的土工织物(即土工膜)来减小或防止渠道渗漏损失的技术措施。土工膜是一种薄型、连续、柔软的防渗材料,具有防渗性能好、适应变形能力强、施工方便、工期短和造价低等优点。但是,土工膜较薄,在施工、运行期易被刺穿,使得防渗能力大大降低,国外20世纪30年代开始研究膜料防渗技术,随后开始广泛推广应用。我国于60年代中期将膜料用于渠道防渗,并针对其抗穿刺能力差、与土的摩擦系数小、易老化等缺点,进行了大量试验研究,不断改进材料性能,在衬砌结构形式、垫层和保护层设置以及铺膜接头处理等方面取得了一些好经验,使膜料在渠道防渗工程中得到广泛应用。目前应用的有PE、PVC及其改性膜和PVC复合防渗布及沥青玻璃丝布油毡等。

2. 土工合成材料黏土垫(GCL)

土工合成材料黏土垫(Geosynthetic Clay Liner,简称GCL),是一种新型的复合土工合成材料,它是在压实性黏土衬垫(Compacted Clay Liner,简称CCL)的基础上发展而来的。GCL最早应用于工程是在1986年,用于美国的一座垃圾填埋场衬垫系统中。大约在同一时期,德国也研究应用了另一种GCL产品,并成功地应用于渠道防渗、运河衬垫系统、垃圾填埋场衬垫系统等,均取得较好的防渗漏效果。

GCL 的结构组成是通过两层土工合成材料之间夹封膨润土末(或膨润土粒),通过针刺、缝合或黏合而成,也有的 GCL 产品只有一层土工膜,其上有用黏合剂黏合的一层薄薄的膨润土。GCL 是利用膨润土的膨胀性防渗、利用土工织物来承载和护面的结构形式,它与土工膜同属土工合成材料,在渠道防渗应用中除具有土工膜的所有优点外,还具有以下优点:①柔性好,抗张应变的能力强,在张应变达 20% 的情况下,其渗透率不增大;②自愈合功能强,由于膨润土具有遇水膨胀性,它会在土工织物刺破处自动愈合,同时上下层土工织物在针刺或缝合纤维的作用下约束了膨润土的迁移,进一步提高了其自愈合能力;③抗干湿循环和抗冻融循环的能力强,GCL 受热后会出现干缩现象,但复水后出现的裂缝会自动闭合,且渗透系数不变,经冻融试验,其抗冻能力也较强;④比土工膜搭接方便,安装简单,施工速度快。

3. 土壤固化剂

土壤固化剂是 20 世纪发展起来的新型材料,将其加入土壤中,可增强土体憎水性或降低土体水的冰点,阻止或减弱土体冻结时的水分迁移,从而减轻或消除冻胀,提高了土体的抗渗抗冻性能。土壤固化剂应用于渠道防渗工程上,具有可就地取材、工程造价低、施工简单方便、防渗抗冻效果较好等优点,近年来在国内外得到广泛的研究和应用。

土壤固化剂按照其固化土壤的原理可分为电离子类土壤固化剂和水化类土壤固化剂。电离子类土壤固化剂是由多种强离子化学剂组成的水溶性材料,其与土壤混合后,通过电离子交换,改变了土壤中水分子和土颗粒电离子特性,破坏了孔隙毛细结构,在压力作用下,孔隙中游离的水分子、气分子被挤出,使土颗粒黏结,从而提高土体的抗压强度和抗渗、抗冻性能,这类固化剂适用于颗粒较细的壤性土。水化类土壤固化剂多为固体粉末水物质,加入土体后经过压实,固化剂与土壤中水分子发生水化作用,实现水硬性反应,提高了土体的强度和抗渗、抗冻性能。这类土壤固化剂适用于砂石类土壤。

固化土的物理力学性能随土壤性能、固化剂类别及掺量、含水量、施工条件等有所不同,一般强度为 1~10 MPa,渗透系数为 $1 \times 10^{-6} \sim 1 \times 10^{-8}$ cm/s。固化剂用于渠道防渗,其抗压强度和抗渗性较好,但抗冻性较低,直接用于北方地区,其耐久性较差。为了提高其抗冻性和耐久性,我国已开始研究固化土复合防渗结构,它是利用土壤固化剂对渠基土进行处理,达到阻隔渠道内渗水、地面降水、地下水毛细管水等补给,并形成具有一定厚度的保温体,减弱基土的冻胀,再利用混凝土等刚性材料作为保护层,组成防渗、耐冲、抗冻胀、耐久性好的复合防渗衬砌结构。

4. 聚氨基甲酸酯/土工织物复合材料

聚氨基甲酸酯/土工织物复合材料是美国 IPC 公司(Innovative Process Corporation)研制的防渗新材料,它由两层土工织物内嵌柔性固体材料聚氨基甲酸酯橡胶制成。土工织物为聚丙烯或聚酯土工织物,聚氨基甲酸酯橡胶由异氰酸盐和多元醇液体在 0~48.8 ℃的温度下按一定的配比混合而成。该复合材料与土工膜的主要区别是:它由几种材料现场制作而成,混合后的聚氨基甲酸酯最初为液态,能将土工织物锚固到混凝土衬砌板或其他下部垫层上,两小时内,聚氨基甲酸酯由液态转化为柔性固态,并根据渠道断面轮廓来调节自己的形状,而且搭接部分黏附能力极强。它与土工膜相比,除具有柔性好、防渗效果强等优点外,还具有以下优点:①较强的抗刺穿能力;②能与下部接触面黏附成一个整体,抗冲刷能力强;③能根据渠道断面自动调节自己的形状;④施工方便,速度快。

(二)防渗渠道的断面形式

防渗渠道分为明渠和无压暗渠两种形式。明渠防渗的断面形式分为矩形、梯形(包括弧形底梯形、弧形坡脚梯形)、U 形和复合形;无压暗渠的断面形式分为城门洞形、箱形、正反拱形和圆形。

梯形断面施工简便,边坡稳定,在地形、地质无特殊问题的地区可普遍采用。弧形底梯形、弧形坡脚梯形、U 形断面等渠道,由于适应冻胀变形的能力强,能在一定程度上减轻冻胀变形的不均匀性,在北方地区得到了推广应用。根据甘肃省靖会电灌总干渠试验段的观测,弧形底部因不均匀冻胀变形造成的折角变形平均为 0.18°,梯形平底折角变形平均为 4.5°,弧形底断面可大大减轻冻胀开裂及消融时的滑塌破坏;弧形坡脚梯形在甘肃武威西营总干渠和山东省打渔张五干渠上的应用试验证明,其适应冻胀变形的能力优于梯形渠。U 形渠从 1975 年开始在陕西省大量应用,目前在全国 10 多个省(市)的中、小流量的渠道上得到普遍的使用。

暗渠具有占地少、在城镇区安全性能高、水流不易污染等优点,在冻土地区,暗渠可避免冻胀破坏。因此,在土地资源紧缺地区和冻胀地区应用较多。

(三)防治冻害的技术措施

防渗工程是否产生冻胀破坏,其破坏程度如何,取决于土冻结时水分迁移和冻胀作用,而这些作用又与当时当地的土质、土的含水量、负温度及工程结构等因素有关。若采取措施消除或改善其中一个因素,就有可能防止防渗工程的冻胀破坏。但是,渠道防渗工程多处于黏、粉质土壤上,渠水易于补给基土,衬砌体重量轻、抗冻胀能力弱,某些渠段无法避免自然和人为的不利条件,易于遭受冻害。实际上,采取单一措施防治冻胀是难以做到的。实践证明,防治衬砌工程的冻害,要针对产生冻胀的因素,根据工程具体条件采取综合措施,即从渠系规划布置、渠床处理、排水、保温、衬砌的结构形式、材料、施工质量和管理维修等方面着手,全面考虑,采用适宜的防冻害措施。我国在防治渠道衬砌冻胀破坏的实践中,提出了"允许一定冻胀位移量"的新观点和采用"适应削减冻胀"的防冻害原则及技术措施,总结了一些防渗、防冻胀较好的断面和结构形式。断面形式如弧形坡脚梯形、弧形底梯形和 U 形等。结构形式方面对刚性衬砌要求合理分缝,适应冻胀变形,采用柔性结构或柔性膜料防渗加刚性保护层复合衬砌形式,可有效防止渗漏,减轻冻害。

四、我国渠道防渗技术发展中存在的问题与研究方向

(一)我国渠道防渗技术发展中存在的问题

我国在渠道防渗技术方面已做了大量的工作,取得了显著的成果,但目前已经防渗衬砌的渠道所占比例很小,与发达国家相比,还存在很大的差距:一是防渗衬砌标准低,已经防渗衬砌的渠道损坏严重。我国渠道防渗衬砌与发达国家相比标准较低,在渠道防冻胀技术措施方面,采用"适应削减冻胀"的防冻害原则,虽然降低了工程造价,但工程老化损坏严重。据调查,黄河上中游大型灌区干支渠道及建筑物老化损坏率为 30%～40%,其中,冻胀破坏占 30%～50%;针对渠井双灌区,美国在 Ohio 州的 The Great Plains 灌区进行了渠道防渗衬砌对灌区地下水的影响研究,以确定灌区的渠道防渗衬砌规模和标

准，我国近年来也开始了这方面的研究。二是在防渗抗冻新材料、新技术的研究开发及推广应用方面还做得很不够。近年来，发达国家在渠道防渗新材料、新技术的研究及应用方面取得了显著的成果，美国、德国研制了土工合成材料黏土垫 GCL、聚氨基甲酸酯/土工织物复合材料等防渗新材料，并成功地应用于渠道防渗、运河衬垫系统、垃圾填埋场衬垫系统等，均取得较好的防渗漏效果。我国过去多采用灰土及三合土夯实、砌石和混凝土防渗，近年来采用和推广了薄膜等新型防渗材料和新型复合材料防渗结构形式，取得了较好的防渗效果，但与发达国家相比还存在很大的差距。三是施工机械化程度还很低，与发达国家相比差距较大。发达国家在渠道防渗工程施工技术方面，机械化程度较高，施工质量好，进度快。我国小型 U 形混凝土衬砌渠道已逐渐向半机械化和机械化施工方面发展，但大中型渠道衬砌目前仍以人工施工为主，与发达国家差距较大。

(二)我国渠道防渗技术研究方向

1.以提高渠道防渗、防冻和耐久性为重点，积极开展渠道改性防渗材料、新材料及应用技术研究

(1)改性混凝土防渗材料性能的研究。混凝土防渗是目前广泛采用的一种渠道防渗工程技术措施，具有防渗效果好、抗冲刷能力强等优点，但其抗冻性能不甚理想。国内外建筑业已开始利用纳米技术改进混凝土的性能研究，并应用于高速公路路面及路缘石施工中，结果表明可显著提高混凝土的耐久性，抗冻性能提高 20 倍。应积极开展利用纳米技术改进混凝土的防渗抗冻和耐久性的研究。

(2)新型固化土材料的研究。土壤固化剂是一种新型固化土防渗材料，具有其他传统防渗材料所不具备的一些特点，其作用对象是各类土壤，材料来源丰富，应用范围广，并且有很好的防渗效果，渗透系数一般为 $1 \times 10^{-6} \sim 1 \times 10^{-8}$ cm/s，国外目前已广泛应用到各类工程中，我国从 20 世纪 80 年代开始引进这项技术，20 世纪 90 年代初应用于渠道防渗工程中，取得了较好的防渗效果。但土壤固化剂用于渠道防渗其抗冻性和耐久性较差，急需开展抗冻性和耐久性能好的新型土壤固化剂、固化土复合材料和复合结构形式等研究。

(3)新型复合土工膜的研究。我国从 20 世纪 60 年代以来开始采用塑膜做防渗材料，取得了较为理想的防渗效果，一般可减少渗漏量的 90% 以上，且塑膜埋入地下避免了紫外线照射和光的照射，延长了使用寿命，一般使用年限可达 20~30 年。近年来又研制出复合防渗膜料，但价格较高，渠道防渗应用较少。美国、德国已开始研究应用一种新型复合土工合成防渗材料 GCL，它是一种利用膨润土的遇水膨胀性防渗、利用土工织物来承载和护面的结构，防渗性能强，抗刺穿。研究具有 GCL 性能的低成本新型复合土工膜是我们今后研究的方向。

(4)特殊土渠道防渗技术研究。我国特殊土(如膨胀土、盐渍土及湿陷性黄土等)地区分布广泛，特殊土基对渠道工程的危害十分严重，我国在这方面也进行了大量的研究工作，针对不同的特殊土，提出了如浸水预沉法、化学添加剂处理法、置换法、固化法等技术措施，但均存在施工复杂、成本高等问题。因此，研究特殊土对渠基的危害机理，提出相应的防治危害的工程技术措施和适合我国国情的、经济合理的特殊土渠道防渗工程设计标准和设计方法具有重要的意义。

2．以防治冻害为中心，开展渠道新型防冻胀结构形式与新材料的研究

(1)建立渠道冻胀指标及分区信息系统。关于土壤的冻胀性分类问题，美国、苏联和我国等，在20世纪70~80年代均已提出了分类等级，并各有衡量标准，我国在90年代初编制的《渠道防渗工程抗冻胀设计规范》中，也规定了地基土的冻胀性工程分类标准。但就不同地区从冻胀特征指标进行分区并建立相应的信息系统，尚未见到有关正式成果。同时，由于冻土是个复杂介质，其分类标准划分内容仍需进一步研究。

(2)防冻胀最佳结构形式研究。渠道防冻胀的结构形式问题，我国从20世纪60年代至今进行了大量的研究，先后提出了肋梁板、楔形板、中部加厚板、空心板，以及板与膜料、保温材料、换填材料复合等多种形式，在防治冻害方面取得了许多成果和经验。发达国家如日本现在多采用钢筋混凝土矩形渠槽加换填材料复合形式，美国、苏联则多采用混凝土或钢筋混凝土大型平板形式，防冻胀效果好，但投资过大，不适于我国当前的经济条件，研究适合我国国情、经济实用的防冻胀最佳结构形式是今后的发展方向。

(3)新型保温复合材料及应用技术研究。在渠道保温材料方面，我国以往采用珍珠岩、膨胀蛭石、岩棉等，加入水泥、石膏等胶结材料制成各种形式的保温制品，近年来国内外应用高分子聚合物来制造保温材料，如聚苯乙烯泡沫塑料板等，取得了较好的效果，但造价较高。今后应通过改善聚苯板成分、结构和工艺，研制渠道防冻胀专用和经济实用的新型复合聚苯板。

3．以提高渠道防渗工程质量和施工速度为目的，加大渠道防渗工程施工机械的研究

渠道防渗抗冻新材料与新技术的推广应用是与施工技术和施工机械的研制及应用分不开的。国外发达国家都非常重视研究开发机械化、自动化程度高的渠道衬砌机械，如美国的混凝土现浇施工机械、碾压机、铺膜机等，日本的L形混凝土构件预制机械。我国小型U形混凝土衬砌机械化程度较高，大、中型渠道目前仍以人工施工为主，施工速度慢，工程质量难以保证，与发达国家相比差距较大，应加大研究力度，特别是大、中型渠道施工机械的研究。

第二节　管道输水技术发展概况

一、管道输水技术的特点

管道输水灌溉是以管道代替明渠输水灌溉的一种工程形式，通过一定的压力，将灌溉水由分水设施输送到田间进行灌溉。管道输水比渠道输水有明显的优点：管道输水减少了输水过程中的渗漏与蒸发损失，提高了水的利用效率，一般比土渠输水节水30%~40%；以管道代替渠道，管道埋入地下，一般可节地约2%；管道输水比渠道输水快，供水及时，可缩短轮灌周期，从而及时有效地满足作物的需水要求，达到节水增产的目的；管道输水管理方便，节省管理用工，同时管道埋入地下，可防止冻胀破坏，交通和耕作也更便利；管道输水适应地形能力强，使原来渠道难以灌溉的耕地实现灌溉，扩大灌溉面积。

我国渠灌区大多数兴建于20世纪50~60年代，大多数工程经多年运行，年久失修，工程老化严重，同时，由于受到当时历史条件的限制，有不少工程当时只有骨干工程，缺乏

田间配套工程,工程设施不全,经多年运行仍没有完全配套。目前,全国有 0.13 亿 hm² 灌溉面积工程不配套,影响灌溉效益的发挥。我国大中型灌区续建配套与节水改造工程正在进行,小型灌区续建配套与节水改造工程也正在进行规划。根据我们在平原井灌区推广低压管道输水技术的经验和近年渠灌区管灌试点取得的科技成果,在渠灌区推广管道输水,是必要的也是可能的。渠灌区管道输水,不但具有节水、减少土渠占有耕地面积、便于管理等井灌区管灌的一系列优点,而且由于管道埋在地下,避免了渠道混凝土衬砌冻胀问题,并减少了地面桥涵等建筑物。

二、管道输水技术发展概况

(一)国外管道输水技术发展概况

管道输水灌溉具有成本低、节水明显、管理方便等特点,是世界上应用较为普遍的节水灌溉技术之一,已成为许多发达国家进行灌区技术改造的一个方向性技术措施。在国外一些国家,从 20 世纪 50 年代以来,管道输水技术就得到广泛的应用,特别是 70 年代以来,随着塑料管道的广泛应用,更加速了管道输水技术的推广,相应的制管新技术、水力学理论和结构设计方法日渐成熟,施工安装和运行管理都有成熟的经验。如美国早在 20 世纪 20 年代就开始发展管道输水灌溉,到 1984 年管道输水灌溉面积已占全美国地面灌溉面积的 46.9%,加州圣华金河谷灌区,支渠以下输水系统在 1996 年就全部实现管道化。美国管道灌溉系统中,地下部分多采用素混凝土管,地面采用柔性聚乙烯或铝管闸管系统。苏联在 1985 年以后,明确规定新建灌区都要实现管道化输水,一般从架空的 U 形渠槽的斗渠,通过虹吸管或管式放水口引水,引入地埋低压管网系统。地埋管道管材主要有钢筋混凝土管、石棉水泥管、塑料管及涂塑钢管等;毛渠采用移动式的薄壁钢管、铝合金管或尼龙布涂橡胶的软管作为输水管道。日本从 20 世纪 60 年代开始发展管道输水灌溉,旧灌区、干渠仍为明渠,支渠以下改为地下管道,采用明渠与管道相结合的形式。而新建灌溉系统大都实现了管道化输水,并于 1973 年制定了输水管道的设计标准,1977 年10 月对该设计标准进行了修订。以色列目前已基本实现了管道化输水灌溉,全国主要水系连接成统一管网,每年从北部太巴列湖抽水 3.2 亿 m³,通过直径为 2.7 m 的压力管道,以 20 m³/s 的流量输送到以色列的南部,并把地表水、地下水和回归水互相连通,综合调节用水,并由国家统一管理。利比亚的"大人工河"工程将南部撒哈拉沙漠中的地下水通过管道输送到北部沿海地区,并连成全国统一的地下管道供水管网,输水干线长 4 500 km,工程总调水量为每年 25 亿 m³,工程从挖沟、管道预制及运输、吊装铺设、回填,一个工作面只有十几个人,前面开沟,后面回填恢复成原来平地,全部是机械化流水作业,该工程是目前世界上规模最大的管道输水工程。国外研究开发的用于农田管道输水的高分子材料管材主要有硬聚氯乙烯管(最大口径可达 800 mm)、聚乙烯管(最大口径可达 3 000 mm)、玻璃钢复合管(最大口径可达 3 000 mm)及强化塑料管,管材、管件生产有统一的标准。目前,国外管道输水灌溉的研究主要在运行管理模式和自动控制方面,如日本低压管道管网的自动或半自动控制设备较完善,自动化程度较高。1983 年匈牙利在萨尔万斯灌区安装了一种新型低压管道系统,简称"warnow - 83"系统,该系统包含抽水泵站、地下EDD 输水管网、薄膜阀、地下或地面的灌水软管装置、计算机控制室等部分,这种全自动控制的低压管道灌溉系统的最大特点是节能、节省劳力和投资。

（二）国内管道输水技术发展概况

我国管道输水灌溉应用时间较早，但集中连片应用是在 20 世纪 50 年代以后，如河南温县在 70 年代就有 6 600 多 hm² 井灌区实现了管道输水灌溉。到了 80 年代以后，我国北方地区连年干旱，水资源日益紧缺，适应节水灌溉的管道输水灌溉技术得到迅速发展，到 2000 年底，全国管道输水面积达 400 万 hm²，但主要应用在井灌区。渠灌区从 20 世纪 80 年代开始进行了大量的试验示范研究，在管网设计、分水量水、防淤堵等方面取得了许多成功的经验。在管材应用方面，我国已研制出多种材料的管道，如薄壁 PVC 塑料管、双壁波纹管、石棉水泥管、混凝土管等。

三、管道输水技术研究方向

我国管道输水灌溉技术在井灌区小流量情况下比较成熟，渠灌区管道输水灌溉方面尚无系统的规划设计标准或规范，管材方面缺少成本低、施工方便的大口径管道等，这些都是急需开展的研究工作。

(1)管道输水灌溉田间配套技术研究。针对目前管道输水灌溉在田间大多仍沿用传统的沟畦灌水方式，进行管道输水灌溉田间配水技术及配套设备的开发研究。

(2)渠灌区管道输水灌溉模式研究。渠灌区管灌控制灌溉面积较大，所需管径大，管网级数多，地形复杂，管道压力分布复杂。因此，在渠灌区发展管道输水灌溉要比井灌区难度大，技术复杂得多，应研究渠灌区管道输水灌溉优化设计理论及设计方法、分水与量水技术、配水管网的配水方式以及配水管网布设形式，研究适应不同条件下的管道输水灌溉模式。

(3)渠灌区管道输水系统防淤堵技术研究。管道淤堵是多泥沙河流灌区发展管道输水灌溉需要解决的关键技术问题之一，随着我国节水灌溉事业的不断发展和逐步深入，以及管道输水灌溉技术在渠灌区的推广应用，管道输水灌溉中的防淤堵技术愈来愈被人们所重视，其问题的解决愈加显得紧迫。急需开展多泥沙水源渠灌区管道输水系统的水沙运行规律和泥沙淤积机理研究，提出渠灌区管道输水系统的防淤堵技术措施。

(4)低成本大口径低压管材管件的研究开发。管材及其配套管件是管道输水系统的重要组成部分，其投资占总投资的 70％～80％，渠灌区发展管道输水系统，必须有适合于农村的低成本大口径优质管材和管件，并经济合理地选用管材管件。因此，应加大适应于渠灌区管道输水专用的低成本大口径低压管材管件的研究力度。

第二章 纳米微粉对混凝土抗渗抗冻性能影响的试验研究

第一节 纳米材料与纳米技术

一、纳米材料

当某些材料粒子达到纳米(毫微米,10^{-9} m)级附近时,就会形成既不同于大尺寸宏观物体,又不同于微观粒子的原子、分子的性质,这种具有奇异特性的介观结构材料称为纳米材料。它具有匪夷所思的巨大比表面积(>200 m^2/g),因而有极高的表面化学活性等优良性质,这对于提高水泥的水化速度和强度发展程度非常有益。另外,它还有小尺寸效应和宏观量子隧道效应。

纳米微粉从广义上来说是属于准零维纳米材料范畴,尺寸的范围在 $1\sim100$ nm。描述它的基本理论是久保(Kubo)理论:

$$\delta = \frac{4}{3}\frac{E_F}{N} \propto V^{-1} \tag{2-1}$$

$$E_F = \frac{n^2}{2m}(3\pi^2 n_1)^{2/3} \tag{2-2}$$

式中　δ——能级间隔;
　　　　N——单个微粒的总导电电子数;
　　　　V——单个微粒的体积;
　　　　E_F——费米能级;
　　　　n——能级数;
　　　　m——电子质量;
　　　　n_1——电子密度。

从以上久保理论的公式可以看出,随着材料微粒体积的减小,即材料微粒粒径的减小,其能级间隔增大。

量子尺寸效应:当粒子尺寸下降到某一值时,金属费米能级附近的电子能级由准连续变为离散能级的现象和纳米半导体微粒存在不连续的最高被占据分子轨道和最低未被占据的分子轨道能级,能隙变宽的现象,称为量子尺寸效应。

当超细微粒的尺寸与光波波长、德布罗意波长以及超导态的相干长度或透射深度等物理特征尺寸相当或更小时,晶体周期性的边界条件将被破坏;非晶态纳米微粒的颗粒表面附近原子密度减少,导致声、光、电、磁、热、力学等特性呈现新的小尺寸效应。

宏观量子隧道效应:微观粒子具有贯穿势垒的能力称为隧道效应。近年来,人们发现一些宏观量,例如微颗粒的磁化强度、量子相干器件中的磁通量等亦具有隧道效应,称为宏观量子隧道效应。

由于纳米材料是一种具有极小粒径的亚稳态物质,微粒表面原子比例高,比表面积大,因而能表现出一种独特的体积效应与表面效应,其电子运动状态也与普通材料不同,呈现出一定的量子尺寸效应和宏观量子隧道效应。

纳米微粉的制备方法有物理方法、真空冷凝法、物理粉碎法和机械球磨法;化学方法有气相沉积法、沉淀法、水热合成法、溶胶凝胶法和微乳液法等。限于试验及制备条件,本试验研究仅利用商品纳米微粉进行试验研究。

二、国内外研究近况

近年来,国外对纳米技术和材料的研究极为活跃,已有相当数量的研究成果用于国民经济的诸多领域。与许多宏观材料相比,纳米材料有许多奇异的特征。如铜是良好的导体,但铜纳米材料却不导电;二氧化硅是绝缘体,但二氧化硅纳米粒子却能显示出导电性;陶瓷硬而脆,但陶瓷纳米粒子却具有韧性。研究表明,在陶瓷基体中加入一些纳米级陶瓷粒子,可将材料的强度和韧性提高2~5倍,耐温性也有明显的提高。此外,添加纳米材料后,许多传统材料的性能会产生巨大改变。如传统的化纤产品制成的衣服因摩擦会产生静电,加入少量纳米材料,可以克服这一缺点;洗衣机、电冰箱和冰柜等电器采用纳米材料后,既可以抗菌除菌,还可以除臭;化妆品加入纳米材料,可以具备防紫外线的功能;传统的外墙涂料耐洗刷性差,易剥落,加入纳米材料后,各项技术指标均可大大提高。美国IBM公司已经成功研制成世界上第一个在室温下工作的直径只有4~5个原子大的晶体管;美国超微型项目组已经研制成一种超微型火箭,纳米卫星、迷你飞机、机器昆虫等也在开发之中。同时,自从碳纳米管问世以来,利用碳纳米管的特性,通过改变其直径和转向的方法,可制成导体、半导体或绝缘体,为21世纪提供了一种新型材料。以色列的科学家则从材料的原子和分子结构入手,开发出一种全新的"结构刻痕"技术,为高密度、长期数据存储开辟了一条道路。

在建筑材料领域,已出现纳米涂料、纳米塑胶跑道及纳米级防水微粉等。但在混凝土研究领域却鲜见纳米材料应用的实例,在节水工程混凝土防渗材料方面的应用更未有所见。目前,仅在个别研究机构和高校(如浙江大学、哈尔滨工业大学等)进行零星的、探索性的试验研究。究其原因主要是对纳米微粉有神秘感,认为其属于高档材料,价格昂贵,用于混凝土这样的普通材料,其成本高。但是笔者认为,如果将微量纳米微粉作为改善混凝土性能(尤其是混凝土的抗冻性和抗渗性等)的"味精",和其他改性材料复合掺加后,混凝土的相关性能得到与其成本相适应的改善,那么这种尝试是值得的。事实上,其施工成本是可以控制的,因为市场上纳米微粉的价格随着大规模的工业化生产是完全可以接受的,其在混凝土中的掺量非常小,而从本试验研究的结果来看,其改性效果是明显的。

第二节　混凝土耐久性改性机理

一、混凝土耐久性的内涵

混凝土的耐久性是指混凝土材料和混凝土结构正常使用过程中,在外界环境因素

(水、空气、盐、碱、酸、电流、光、CO_2 等)和混凝土内部缺陷(裂缝、孔隙等)长期、共同和持续作用下,其材料和结构的原设计功能不致显著降低的性质,或者说是在设计使用年限内抵抗外界环境因素或混凝土内部缺陷所产生的侵蚀破坏作用的能力。一般包括混凝土材料耐久性和混凝土结构耐久性两个方面。

从目前的研究来看,影响混凝土耐久性的因素主要有:反复交替的冻融作用;硫酸盐、氯盐、酸、碱等侵蚀性化学物质的存在;机械磨耗、水流冲刷及气蚀等造成的磨损;钢筋的锈蚀;碱骨料的反应(指混凝土中碱含量超标,暴露在水或潮湿环境使用时,其中的碱与碱活性骨料间发生反应,引起膨胀);延迟性钙矾石的形成(指早期湿热养护的预制构件及大断面高水泥用量的现浇混凝土产生膨胀和开裂);CO_2 引起的碳化现象等。

从工程实践看,混凝土的耐久性问题常常是几种因素综合作用的结果。对于不同的工程有不同的耐久性问题,但各因素对混凝土总体耐久性的重要性和权重不同。

对混凝土耐久性的研究主要集中于材料和结构两个层次。结构层次的研究主要目的在于解决新建结构的耐久性设计和已建结构的耐久性评估问题。由于影响结构耐久性的因素比较复杂,相应的评估混凝土结构耐久性失效的准则比较多,评价结构耐久性的方法也很多。在实际工程中对同一种类型的结构或构件的制作精度远小于试验试件的精度,不可避免地会出现同一类构件使用年限存在差异的现象,如何反映特定环境下同一类构件或结构的使用年限,如何反映特定环境下同一类构件或结构使用年限的总体状况,是宏观上把握结构或构件使用年限的一个重要方面。

材料层次的研究已有一些成果,由于力学、物理、化学等众多因素影响,混凝土的材料耐久性十分复杂,但是,一般认为钢筋锈蚀、碱骨料反应、化学侵蚀、冻融、碳化等是影响混凝土耐久性的主要原因。

我国西北部地区气候以干旱少雨为主,季节温差和早晚温差大,紫外线辐射较沿海地区高,不少地区土壤的碱、盐含量高。一些重要设施如民航机场、高等级公路、铁路桥梁、大型渡槽以及重要工业与民用建筑都直接建在盐渍土及严寒地区,甚至盐湖地区。因此,以冻融和盐渍土的化学腐蚀为主的耐久性破坏更为常见。

二、水泥石的微观结构

普通水泥的颗粒粒径通常在 $7\sim200\ \mu m$,但其主要的(占 70%)水化产物是水化硅酸钙凝胶($C-S-H$ 凝胶),其尺寸大致在纳米级范围内。经测试,该凝胶的比表面积为 180 m^2/g,由此可推算得到凝胶的平均粒径为 10 nm,即水泥凝结硬化后的浆体实际上就是以水化硅酸钙为主凝聚而成的初级纳米材料,只是这类所谓的纳米材料其细观结构是粗糙的。

对于普通水泥硬化浆体,其总孔隙率一般为 15%～30%。这可分为纳米尺度($9\sim10$ nm)的水化硅酸钙凝胶孔;由存在于水泥水化产物之间的气泡、裂缝所组成的毛细孔,尺寸大约在 100 nm 至几个毫米之间。而且,其纳米级的水化硅酸钙凝胶之间化学作用较弱,较少有通过第三者化学键合而形成较好的网络状结构。可加入纳米微粉以改善水化产物的键合和网络状结构。

众所周知,按现代混凝土理论,混凝土原材料除水泥、粗骨料、细骨料和拌和用水这四种组分外,还根据工程需要,加入混凝土的第五组分——混凝土的外加剂(如减水剂、加气剂等)、混凝土的第六组分——混凝土掺合料(如硅粉、磨细矿渣、粉煤灰等)和其他一些材料。而加入外加剂、超细矿粉和聚合物等虽能使直径大于 400 nm 的大孔比例降低,但小于 150 nm 的小孔含量却增加;加入纳米微粉后可有效地减少水泥硬化浆体中 5~150 nm 的微孔,使选用的纳米微粉能与纳米级水化产物大量地键合,并以纳米微粉为晶核,在其表面形成水化硅酸钙凝胶相,把松散的水化硅酸钙凝胶变成以纳米微粉为核心的网络状结构;适当地增加纳米晶体的含量,以提高水泥石的晶胶比,减少水泥石的徐变度,从而获得具有较高耐久性的混凝土。

三、混凝土耐久性改性机理

按照水泥化学的理论和材料微观分析结论,水泥的主要化学组分有硅酸二钙(C_2S)、硅酸三钙(C_3S)、铝酸三钙(C_3A)和铁铝酸四钙(C_4AF)等。加水拌和后生成的主要水化产物有水化硅酸钙($C-S-H$ 凝胶)、水化铁酸钙、水化铝酸钙、水化硫铝酸钙(AFt 和 AFm)和 $Ca(OH)_2$ 等。在这些水化产物中水化硅酸钙($C-S-H$ 凝胶)占有 70% 左右,它的生成要消耗大量的硅元素。

从上面水泥石微观结构的分析可知,影响混凝土耐久性(尤其是混凝土的抗渗性和抗冻性)的深层原因是水泥石中存在大量的孔隙,其中包括 400 nm 以上的大孔,150~400 nm 的小孔和小于 150 nm 的微孔等。如何选用适当材料对这些孔隙进行封堵,是提高混凝土耐久性的关键技术。

通过以上分析,可以得出一个思路:对于大于 400 nm 的大孔可利用混凝土掺合料来进行封堵,150~400 nm 的小孔通过混凝土外加剂来进行封堵,而对于小于 150 nm 的微孔可尝试利用纳米微粉的高化学活性和微粒性等性质对其进行封堵。这里指的封堵,不仅指物理意义上的单纯封堵,而且也包括这些材料和水泥中的某些组分发生化学反应,生成附加水化产物而形成事实上的封堵,这就是笔者提出的"梯级封堵"理论。

众所周知,混凝土是一种多相复合材料,其性能取决于水泥石、骨料及其两者间界面结合的性能,无论是从复合材料的角度还是试验事实都表明,水泥石与骨料的结合区是界面的薄弱环节。改善这一区域的组成、结构与性能是改善和提高混凝土耐久性能的重要途径。在这方面,目前国内外的研究主要有:掺入具有火山灰特性的掺合料进行改性,如硅粉、粉煤灰和矿渣等;加入纤维材料进行改性,如钢纤维、碳纤维和聚合物纤维等;掺入粉末矿物与纤维或聚合物进行复合改性。其中粉体掺合物是最常用的。硅粉是其中活性最好的一种,但其火山灰反应在有些情况下甚至是惰性的。因此应研究使用改性材料对其进行活性激发。

事实上,分析混凝土的强度和耐久性发展机理可知,混凝土虽然是再普通不过的建筑材料,但其内部的结构和材料搭配却是相当完美的。按粒径大小,混凝土原材料有粗骨料、细骨料、水泥、掺合料、外加剂等,下一级材料填充和封堵上一级材料的孔隙,若加入纳米微粒,则这个有机体系会更加完美。

第三节　纳米微粉对混凝土物理力学性能
影响的试验研究

一、试验研究方法和思路

通过上面分析,尝试对混凝土掺合料(如工业废渣、粉煤灰等)进行纳米化可行性研究或利用市场上出售的纳米微粉作为混凝土外加剂的"味精",使其对混凝土耐久性的改善进一步提高。选择纳米微粉的原则是尽量与水泥中的主要成分接近或有可相容性,以期生成对水泥石有益的水化产物,封堵其内部小于 150 nm 的微孔,改善混凝土的耐久性。

经过改性机理理论分析和原材料筛选、试验,初选纳米基混凝土改性剂配比,进行宏观物理力学性能和系列耐久性试验研究,并根据试验条件做细观结构分析和微观作用机理分析。在不显著提高混凝土的设计强度等级和施工成本的前提下,探索改进北方地区和盐碱化地区混凝土防渗工程中常见的混凝土冻害破坏、SO_4^{2-} 离子侵蚀破坏、水工混凝土结构的抗冲耐磨性能,尤其是混凝土的抗渗性能等耐久性问题的途径和方法。主要研究内容如下:

(1)宏观物理力学性能试验和耐久性研究。进行掺加纳米微粉的混凝土(砂浆)试件和普通混凝土(砂浆)试件的对比试验:抗压和抗折强度、弹性模量以及抗冻、抗渗、抗化学侵蚀等试验研究,揭示纳米材料对混凝土宏观性能的影响和改善状况。

(2)细观结构分析和微观机理分析。通过对水泥石的孔结构细观分析和进行掺加纳米微粉和普通混凝土(砂浆)扫描电子显微镜(SEM)、能谱分析(EPAX)等的微观分析研究,初步揭示纳米材料对混凝土耐久性改善程度的作用机理和形貌特征。

(3)改性效果评价。通过比较掺加纳米微粉的改性混凝土和普通混凝土的施工性、耐久性、经济性等指标,评估用纳米微粉改善防渗工程混凝土综合性能的实际效果。

二、试验设计

(一)试验设计原则及测试项目

按照选用试验原材料的高效性、微量性和经济性,着重改善混凝土的抗渗性和抗冻性的原则,设计试验配比,按照水泥净浆、砂浆、混凝土的由简单到复杂的顺序来组织试验,重点应放在砂浆试验上,因为砂浆可基本反映相同水灰比的混凝土的有关性质,且试验条件较易控制。试验前应将纳米微粉和其他材料预先混合。

试验测试项目有:抗压强度、抗折强度、抗拉强度、弹性模量;渗透系数、抗渗等级;抗冻等级、强度损失、质量损失;硫酸盐侵蚀的失重率等;孔径及比表面积;混凝土微观形貌及其特征;超声波试验等。

(二)试验研究步骤

通过分析大量的国内外相关动态和资料分析,初步筛选估计对混凝土性能有所改善的材料,进行系列单组分、多组分试验,利用"组合发明"的研究思路,充分吸收前人的研究成果,采用理论分析和试验研究相结合的技术路线,宏观试验和微观机理分析相结合的研

究方法,形成初步的新型混凝土改性剂,具体试验目标如下:

(1)掺 SS1、工业废渣、木钙、MC2R、SP1 等材料,进行不同水灰比、不同用量下的砂浆(混凝土)的抗压强度、抗折强度、凝结时间、安定性及拌和性能的研究,分析其对砂浆(混凝土)强度的改善性和改善程度。

(2)在前期试验的基础上,进行配比设计和经济性比较,初步筛选出新型改性剂的配比。

(3)进行砂浆(混凝土)的抗渗、抗冻、抗硫酸盐侵蚀等混凝土耐久性指标的对比试验,观察是否有较大的改性作用,若得到证实,则可以基本确定初选改性剂配比。

(4)对成型净浆试件进行微观分析,分析其孔隙率、形貌特征。

(5)形成新型混凝土改性剂。

(三)试验设计概况

本试验主要是为了在不显著提高混凝土(砂浆)设计强度和成本的基础上,研究将纳米微粉应用于混凝土的性能改善上,从而研制出新型的纳米基混凝土改性剂。

主要的研究方法是同等条件对比试验法,即在混凝土(砂浆)配合比、水灰比、试验温湿度等相同条件下,比较普通混凝土(砂浆)和掺加纳米基混凝土改性剂的混凝土(砂浆)的耐久性指标,如:抗压强度、抗折强度、抗拉强度、弹性模量;渗透系数、抗渗等级;抗冻等级、强度损失、质量损失;孔径及比表面积;混凝土微观形貌及其特征;超声波试验等,探索混凝土(砂浆)耐久性的改善程度。

试验研究中材料的掺配采用如下两种方法:

(1)等量取代法(内掺法)。在混凝土(砂浆)中,外加材料的取代对象主要是水泥(因为水泥在混凝土原材料中是成本最高的),所谓等量取代法,就是用外加材料等量取代减少的水泥重量,即保持混凝土的胶凝材料总量不变。可用公式表示为:

$$c = c' + F \qquad\qquad (2-3)$$

式中 c——原水泥掺量;

c'——后加水泥掺量;

F——外加材料。

(2)超量取代法(外掺法)。即保持水泥用量不变,外加材料按掺量掺加。用公式表示就是:

$$c < c' + F \qquad\qquad (2-4)$$

这种情况下,混凝土的胶凝材料总量略有增加。

(四)各原材料和相关配比的因素水平

按照正交设计方法,为了整体掌握试验研究的各种工况,需定出各试验因素及其因素水平。具体设计如下:

材料掺加法　　内掺法、外掺法

试件品种　　　水泥净浆、砂浆、混凝土

强度因素　　　抗压强度、抗折强度、劈裂抗拉强度

耐久性因素　　抗渗性、抗冻性、弹性模量等

测试项目因素　安定性、凝结时间、抗压强度、抗折强度、抗拉强度、弹性模量;渗透系数、抗渗等级;抗冻等级、强度损失、质量损失;孔径及比表面积;混凝

土微观形貌及其特征;超声波试验等

外掺材料因素　　纳米微粉、工业废渣、木质素磺酸钙、微沫剂、膨润土等

外界环境因素　　温度、湿度

各因素水平可确定如下:

配比水平　　　　混凝土强度等级用 C15,C25,C35

砂浆强度等级用 M15,M7.5

抗渗性水平　　　水压按《混凝土试验规范》进行施加

抗冻性　　　　　其正负温度及交替时间按《混凝土试验规范》进行施加

质量损失　　　　<5%

强度损失　　　　<25%

硫酸盐侵蚀浓度　0,10%

温湿度　　　　　$(20\pm3)℃$

相对湿度>90%

纳米微粉掺量　　0,0.1%,0.3%,0.5%,0.6%,1%,3%,5%

工业废渣掺量　　0,5%,10%

木质素磺酸钙掺量　0,0.2%

微沫剂掺量　　　0,0.25%

砂浆(混凝土)养护龄期　3 d,7 d,28 d,280 d

三、原材料试验

(一)水泥

(1)砂浆试验采用"秦岭"牌 32.5 普通硅酸盐水泥,并对水泥的细度、胶砂强度、标准稠度用水量、凝结时间、安定性进行试验;对水泥样品进行化学分析和矿物组成分析,见表 2-1、表 2-2。

表 2-1　"秦岭"水泥的化学成分

成分	SiO_2	CaO	Fe_2O_3	Al_2O_3	MgO	SO_3	K_2O	Na_2O	Loss
含量(%)	16.6	65.6	3.67	7.89	1.53	2.83	0.816	0.272	0.792

表 2-2　"秦岭"水泥的物理力学指标

细度 (%)	密度 (g/cm^3)	抗压强度(MPa)		抗折强度(MPa)	
		3 d	28 d	3 d	28 d
9.6	3.01	25.4	39.7	5.1	8.4

"秦岭"水泥的标准稠度用水量 27.5%,初凝时间为 1.5 h,终凝时间为 2.3 h,采用试饼法进行安定性检验,未出现龟裂、松脆、弯曲和崩溃等不安定现象,故水泥的体积安定性是合格的。

(2)混凝土试验采用歧山水泥厂生产的"天柱"牌 32.5 普通硅酸盐水泥,其标准稠度

用水量、安定性、凝结时间、细度、胶砂强度、水泥矿物成分、粒径和松散密度试验均符合要求,见表2-3、表2-4。

表2-3 "天柱"水泥的化学成分

成分	SiO_2	CaO	Fe_2O_3	Al_2O_3	MgO	SO_3	K_2O	Na_2O	Loss
含量(%)	21.6	62.12	5.75	5.02	2.19	1.72	0.50	0.18	1.18

表2-4 "天柱"水泥的物理力学指标

细度 (%)	密度 (g/cm^3)	抗压强度(MPa)		抗折强度(MPa)	
		3 d	28 d	3 d	28 d
8.2	3.1	23.6	35.8	4.5	7.4

"天柱"水泥的标准稠度用水量28.3%,初凝时间为1.36 h,终凝时间为2.6 h,采用试饼法进行安定性检验,未出现龟裂、松脆、弯曲和崩溃等不安定现象,故水泥的体积安定性是合格的。

(二)细骨料

(1)混凝土试验采用渭河中砂,细度模数为2.0,其松散密度为1.41 g/cm^3,视密度为2.65 g/cm^3,含水率为1.2%,含泥量为1.1%。

(2)砂浆试验采用福建平潭的老标准砂,细度模数为1.67,其含水率为0.4%,视密度为2.60 g/cm^3,砂的孔隙率为45.8%,粒径0.25~0.65 mm,松散密度约为1.50 kg/m^3。

(三)磨细工业废渣

采用某厂生产的磨细工业废渣,其产品中SiO_2的含量一般大于85%(见表2-5),比表面积在20 m^2/g以上。其泌水率、火山灰活性、干缩率等指标均符合一般混凝土配制技术要求。

表2-5 磨细废渣的化学成分

成分	SiO_2	CaO	Fe_2O_3	Al_2O_3	MgO	SO_3	K_2O	Na_2O	Loss
含量(%)	97.23	0.079	0.269	0.233	0.51	0.246	1.029	0.192	0.212

其掺量为水泥用量的4.2%~9.7%。它在改性剂中的作用是调节混凝土(砂浆)的黏结性能、封堵大孔和节约成本等。

(四)纳米微粉

采用与混凝土掺合料有可比性、代表性的商品纳米微粉。综合考虑纳米材料的用途、价格及其与混凝土掺合料的可比性。选用以下纳米材料产品:

(1)纳米微粉(SS1、SP1)。纳米微粉的主要成分是SiO_2,约占其质量的85%以上。采用某纳米材料有限公司生产的产品,可配制成纳米微粉的悬浮液,其化学成分和物理性能如表2-6所示。

表 2-6　纳米微粉的化学成分和物理指标

原材料	成分 SiO₂(%)	平均粒径(nm)	比表面积(m²/g)	密度(g/cm³)	堆积密度(g/cm³)
纳米微粉	99.9	15	160	2.12	0.22

使用纳米微粉材料是为了利用其巨大的比表面积和与混凝土常用的掺合料——磨细工业废渣的化学成分相似性以及极高的化学活性,有利于水化硅酸钙($C-S-H$ 凝胶)的形成,来提高水泥水化速度和强度,以期改善混凝土(砂浆)的耐久性。

纳米微粉为非晶体结构。其大部分颗粒粒径小于 15 nm,最小的为 3 nm,平均粒径为 10 nm 左右。

(2)纳米铝粉或纳米铝粉悬浮液(MC2R)。据文献资料,纳米铝粉或纳米铝粉悬浮液是陶瓷增韧的主要成分。从水泥的水化理论看,Al_2O_3 是生成水化铝酸钙和水化硫铝酸钙(AFt)等水化产物的主要成分。而适量的钙矾石生成有利于防止混凝土(砂浆)产生裂缝,起到类似膨胀剂的作用。故掺加纳米铝粉或纳米铝粉悬浮液可提高混凝土(砂浆)的密实度、耐老化性能,提高混凝土(砂浆)的抗拉强度,进而增强其抗冲耐磨性能、抗化学侵蚀性能等,至于实际效果如何,有待试验结果验证。

纳米微粉(包括 SS1、SP1 和 MC2R)的掺量一般为水泥用量的 0.1%～1.0%,其在混凝土(砂浆)中可发挥其微粒性和高活化性等优异性能,封堵小孔和微孔,提高其强度和耐久性(尤其是混凝土的抗渗和抗冻性能等)。

(五)混凝土(砂浆)外加剂

根据试验及性能需要,可加入微量混凝土抗裂防渗剂、减水剂(MG)、补强剂、微沫剂等,以期与纳米微粉共同作用,形成一种高性能的混凝土改性剂。但它仅起辅助作用,主要是为了改善混凝土的和易性,提高施工性能。

主要采用咸阳混凝土外加剂厂生产的混凝土系列外加剂,其掺量根据试验情况确定。微沫剂采用山西万荣外加剂厂生产的混凝土微沫剂。其掺量为 0.02%～0.03%。

(六)其他材料

如粉煤灰、矿渣、膨润土等。

(七)拌和用水

混凝土和砂浆的拌和用水均使用自来水。

四、试验设备

该试验研究所需的主要设备有:万能试验机、混凝土冻融试验机、混凝土抗渗仪和砂浆抗渗仪、比表面积及孔径分析仪以及微观分析仪器(SEM、DTA、EPAX、X 衍射仪)等。

五、纳米微粉对混凝土物理力学性能的影响

(一)安定性试验研究

水泥体积安定性是指水泥在凝结硬化过程中体积变化的均匀性。水泥中如果含有较多的 f-CaO 和 f-MgO 或 SO₃,这些成分和水泥中的 Ca(OH)₂ 等发生化学反应,生成极具膨胀性的钙矾石和软弱无力的 Mg(OH)₂ 等,从而造成水泥石局部结构的破坏,就能使

体积发生不均匀的变化,即造成水泥体积安定性不合格。

检验水泥安定性的方法是雷氏沸煮法。测试方法有两种:试饼法和雷氏夹法。本试验采用试饼法。按表 2-7 配比成型水泥净浆试饼,将制好的净浆取出一部分分成两等份,使之呈球形,放在预先准备好的玻璃板上,轻轻振动玻璃板并用湿布擦过的小刀由边缘向中央抹动,做成直径 70~80 mm、中心厚约 10 mm、边缘渐薄、表面光滑的试饼,接着将试饼放入湿气养护箱内养护(24±2) h,然后放在雷氏沸煮箱内沸煮 3 h±5 min。待沸煮后冷却,拿出试件进行观察,看有无弯曲、松脆、龟裂、崩溃等现象。

表 2-7　水泥净浆配比　　　　　　　　　　　　　　　（单位:g）

编号	水泥	纳米微粉掺量	水
A	500	0	140
J1	495	5(1%)	140
J2	485	15(3%)	140
J3	485	15	150

经观察,该改性试饼无弯曲、松脆、龟裂、崩溃等不安定现象。由此可以得出,掺加纳米微粉的水泥净浆(J)的安定性和普通净浆(A)相比,并没有改变其安定性。

在试验过程中还可以看到,掺加纳米微粉试件的黏聚性、保水性得到明显改善。究其原因,可认为是掺加纳米微粉后水泥石中的 f-CaO 和 f-MgO 的含量变化不大甚至减少,且掺加材料可以增加水泥石的黏度,提高了其抗压强度和抗弯能力。

(二)凝结时间试验

水泥的凝结时间是水泥物理力学性质的重要方面。初凝时间是指从加水到水泥净浆开始失去塑性的时间;终凝时间是指从加水到完全失去塑性的时间。对于普通硅酸盐水泥,其初凝时间应大于 45 min,终凝时间应小于 10 h。采用水泥标准稠度测定仪进行水泥凝结时间测定。试验结果见表 2-8、图 2-1。

表 2-8　水泥净浆凝结时间试验结果

项目	普通净浆	改性净浆		
	A	J1	J2	J3
初凝时间(h)	1.87	1.47	0.63	0.85
终凝时间(h)	3.63	3.20	1.93	2.68

由于纳米微粉的微粒性和高活性,使得水泥石中的反应面积和反应途径增大,表面效应增强,因此砂浆(混凝土)试件内部的水化反应较不掺纳米微粉的砂浆(混凝土)试件要快和发展充分。根据图 2-1,纳米微粉的掺量也不能超过一定的限度,由于纳米微粉要消耗大量的水化水和对水泥粒子的水化过程形成阻碍,因而纳米微粉掺量过大反而使水泥凝结时间变长。

从表 2-8、图 2-1 可以看出,随着纳米基改性剂掺量的增大,水泥净浆的初凝时间和终凝时间在改性剂掺量0～3%范围内呈现逐步缩短之势,在3%掺量时较普通净浆初凝时间大约缩短了66%,终凝时间则缩短了47%,其提高砂浆(混凝土)凝结硬化性能的作用非常明显;但当其掺量超过3%后,水泥石的凝结时间开始缓慢增加,但仍小于普通试件。

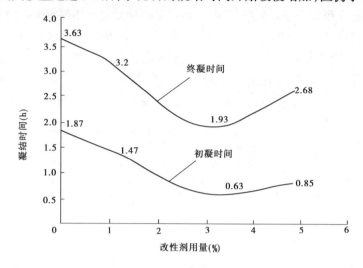

图2-1 水泥净浆凝结时间试验结果

(三)抗压强度和抗折强度试验

1.初选配比砂浆抗压、抗折强度试验

对于砂浆和混凝土,水灰比的大小决定了其强度,故保持加水量不变,变化水灰比,为了拌和方便,则相应地变化灰砂比,以使砂浆稠度尽量接近,即当砂浆的水灰比增大时,其灰砂比应减小。估计砂浆稠度为6～8 cm。砂按干重计。设砂浆拌和物的表观密度为2 000 kg/m³,基准砂浆设计配比如表2-9所示。

表2-9 基准砂浆设计配比

编号	水灰比	灰砂比	净浆或砂浆配比					
			水泥		砂		水	
			每方量 (kg/m³)	拌和量 (g)	每方量 (kg/m³)	拌和量 (g)	每方量 (kg/m³)	拌和量 (g)
2A1	0.38	0.60	663	671	1 085	1 099	252	255
2A2	0.48	0.43	525	532	1 223	1 238	252	255
2A3	0.58	0.33	434	439	1 315	1 331	252	255

各配比成型3组4 cm×4 cm×16 cm试件,分别测3 d、7 d和28 d抗压、抗折强度等。

(1)对于掺加改性材料的砂浆配比(用内掺法)见表2-10～表2-16。

表 2-10　单掺纳米微粉的砂浆配比　　　　　　　　　　　（单位:kg/m³）

编号	组合	水灰比	水泥	砂	SS1	水	备注
1A1	砂浆 + SS1，SS1 掺量为水泥用量的 0.1%	0.38	670.3	1 099	0.67	255	1A3 成型 3 组，测 3 d、7 d 和 28 d 抗压、抗折强度等。其他做 7 d、28 d 强度试验
1A2		0.48	531.5	1 238	0.53	255	
1A3		0.58	438.6	1 331	0.44	255	
A1	砂浆 + SS1，SS1 掺量为水泥用量的 0.3%	0.38	669.0	1 099	2.01	255	A3 成型 3 组，测 3 d、7 d 和 28 d 抗压、抗折强度等。其他做 7 d、28 d 强度试验
A2		0.48	530.4	1 238	1.60	255	
A3		0.58	437.7	1 331	1.32	255	
1A4	砂浆 + SS1，SS1 掺量为水泥用量的 0.6%	0.38	667.0	1 099	4.03	255	1A6 成型 3 组，测 3 d、7 d 和 28 d 抗压、抗折强度等。其他做 7 d、28 d 强度试验
1A5		0.48	528.8	1 238	3.20	255	
1A6		0.58	436.4	1 331	2.63	255	
2B1	砂浆 + SS1，SS1 掺量为水泥用量的 1%	0.38	664.3	1 099	6.7	255	2B3 成型 3 组，测 3 d、7 d 和 28 d 抗压、抗折强度等。其他做 7 d、28 d 强度试验
2B2		0.48	526.7	1 238	5.3	255	
2B3		0.58	434.6	1 331	4.4	255	
2C1	砂浆 + SS1，SS1 掺量为水泥用量的 3%	0.38	650.9	1 099	20.1	255	2C3 成型 3 组，测 3 d、7 d 和 28 d 抗压、抗折强度等。其他做 7 d、28 d 强度试验
2C2		0.48	516.0	1 238	16.0	255	
2C3		0.58	425.8	1 331	13.2	255	
2D1	砂浆 + SS1，SS1 掺量为水泥用量的 5%	0.38	637.4	1 099	33.6	255	2D3 成型 3 组，测 3 d、7 d 和 28 d 抗压、抗折强度等。其他做 7 d、28 d 强度试验
2D2		0.48	505.4	1 238	26.6	255	
2D3		0.58	417.1	1 331	21.9	255	

表 2-11 单掺工业废渣的砂浆配比 　　　　　　　（单位 kg/m³）

编号	组合	水灰比	水泥	砂	废渣	水	备注
2E1		0.38	664.3	1 099	6.7	255	2E3 成型 3 组，测 3 d、7 d 和 28 d 抗压、抗折强度等。其他做 7 d、28 d 强度试验
2E2	砂浆 + 废渣，废渣掺量为水泥用量的 1%	0.48	526.7	1 238	5.3	255	
2E3		0.58	434.6	1 331	4.4	255	
2F1		0.38	650.9	1 099	20.1	255	2F3 成型 3 组，测 3 d、7 d 和 28 d 抗压、抗折强度等。其他做 7 d、28 d 强度试验
2F2	砂浆 + 废渣，废渣掺量为水泥用量的 3%	0.48	516.0	1 238	16.0	255	
2F3		0.58	425.8	1 331	13.2	255	
2G1		0.38	637.4	1 099	33.6	255	2G3 成型 3 组，测 3 d、7 d 和 28 d 抗压、抗折强度等。其他做 7 d、28 d 强度试验
2G2	砂浆 + 废渣，废渣掺量为水泥用量的 5%	0.48	505.4	1 238	26.6	255	
2G3		0.58	417.1	1 331	21.9	255	
2T1		0.38	710.1	911	78.9	300	考虑到工业废渣的需水量大，故适当放大水量，但保持水灰比不变。2T3 成型 3 组，测 3 d、7 d 和 28 d 抗压、抗折强度等。其他做 7 d、28 d 强度试验
2T2	砂浆 + 废渣，废渣掺量为水泥用量的 10%	0.48	562.5	1 075	62.5	300	
2T3		0.58	465.5	1 183	51.7	300	

表 2-12 单掺 MC2R 的砂浆配比 　　　　　　　（单位:kg/m³）

编号	组合	水灰比	水泥	砂	MC2R	水	备注
2L1		0.38	664.3	1 099	6.7	255	2L3 成型 3 组，测 3 d、7 d 和 28 d 抗压、抗折强度等。其他做 7 d、28 d 强度试验
2L2	砂浆 + MC2R，MC2R 掺量为水泥用量的 1%	0.48	526.7	1 238	5.3	255	
2L3		0.58	434.6	1 331	4.4	255	

编号	组合	水灰比	水泥	砂	MC2R	水	备注
2H1	砂浆 + MC2R, MC2R 掺量为水泥用量的 3%	0.38	650.9	1 099	20.1	255	2H3 成型 3 组, 测 3 d、7 d 和 28 d 抗压、抗折强度等。其他做 7 d、28 d 强度试验
2H2		0.48	516.0	1 238	16.0	255	
2H3		0.58	425.8	1 331	13.2	255	
2M1	砂浆 + MC2R, MC2R 掺量为水泥用量的 5%	0.38	637.4	1 099	33.6	255	2M3 成型 3 组, 测 3 d、7 d 和 28 d 抗压、抗折强度等。其他做 7 d、28 d 强度试验
2M2		0.48	505.4	1 238	26.6	255	
2M3		0.58	417.1	1 331	21.9	255	

表 2-13　掺加 SS1 和 MC2R 的砂浆配比　　　　　　　　（单位：kg/m³）

编号	组合	水灰比	水泥	砂	SS1	MC2R	水
2I1	砂浆 + SS1 + MC2R, MC2R 总掺量为 3%, 取 SS1 的取代量为水泥用量的 2%, MC2R 的掺量为 1%	0.38	650.9	1 099	13.4	6.7	255
2I2		0.48	516.0	1 238	10.6	5.3	255
2I3		0.58	425.8	1 331	8.8	4.4	255

注：2I3 成型 3 组, 测 3 d、7 d 和 28 d 抗压、抗折强度等。其他做 7 d、28 d 强度试验。

表 2-14　掺加废渣和 SS1 的砂浆配比　　　　　　　　（单位：kg/m³）

编号	组合	水灰比	水泥	砂	废渣	SS1	水	备注
2N1	砂浆 + 废渣 + SS1, 废渣和 SS1 等量取代水泥的 10%, 而 SS1 等量取代废渣的 3%	0.38	710.1	911	76.5	2.4	300	2N3 成型 3 组, 测 3 d、7 d 和 28 d 抗压、抗折强度等。其他做 7 d、28 d 强度试验
2N2		0.48	562.5	1 075	60.6	1.9	300	
2N3		0.58	465.5	1 183	50.2	1.6	300	
2P1	砂浆 + 废渣 + SS1, 废渣和 SS1 等量取代水泥的 10%, 而 SS1 等量取代废渣的 10%	0.38	710.1	911	71.0	7.9	300	2P3 成型 3 组, 测 3 d、7 d 和 28 d 抗压、抗折强度等。其他做 7 d、28 d 强度试验
2P2		0.48	562.5	1 075	56.2	6.3	300	
2P3		0.58	465.5	1 183	46.5	5.2	300	
2O1	砂浆 + 废渣 + SS1, 废渣和 SS1 等量取代水泥的 10%, 而 SS1 等量取代废渣的 20%	0.38	710.1	911	63.3	15.6	300	2O3 成型 3 组, 测 3 d、7 d 和 28 d 抗压、抗折强度等。其他做 7 d、28 d 强度试验
2O2		0.48	562.5	1 075	50.0	12.5	300	
2O3		0.58	465.5	1 183	41.4	10.3	300	

表 2-15　掺加工业废渣、SS1 和 MC2R 的砂浆配比　（单位:kg/m³）

编号	组合	水灰比	水泥	砂	废渣	SS1	MC2R	水
2S1	砂浆＋废渣＋SS1, 总掺量为 10%,废渣掺量占总掺量的 90%,SS1 掺量占 7%,MC2R 掺量占 3%	0.38	710.1	911	71.0	5.5	2.4	300
2S2		0.48	562.5	1 075	56.3	4.4	1.8	300
2S3		0.58	465.5	1 183	46.6	3.6	1.5	300

注:2S3 成型 3 组,测 3 d、7 d 和 28 d 抗压、抗折强度等。其他做 7 d、28 d 强度试验。

表 2-16　单掺 SP1 的砂浆配比　（单位:kg/m³）

编号	组合	水灰比	水泥	砂	SP1	水
2X1	砂浆＋SP1, SP1 掺量为水泥用量的 3%	0.38	650.9	1 099	20.1	255
2X2		0.48	516.0	1 238	16.0	255
2X3		0.58	425.8	1 331	13.2	255

注:2X3 成型 3 组,测 3 d、7 d 和 28 d 抗压、抗折强度等。其他做 7 d、28 d 强度试验。

除以上配比外,还成型了纳米微粉掺量为 0.1%、0.3%、0.5%、0.6% 的砂浆试件(外掺法),其配比类似。

根据砂浆 3 d、7 d 的抗压、抗折强度试验结果,单掺 SS1 或 SS1＋废渣的抗压、抗折均有 20% 左右的提高,且水灰比在 0.48(约 C25)时强度提高最大。

(2)掺 SS1 的砂浆配比(外掺法)见表 2-17。

表 2-17　掺 SS1 的砂浆配比(外掺法)　（单位:kg/m³）

编号	组合	水灰比	水泥	砂	SS1	水	备注
1B1	砂浆＋SS1, SS1 掺量为水泥用量的 0.3%	0.38	789	911	2.4	300	1B2 成型 3 组,测 3 d、7 d 和 28 d 抗压、抗折强度等。其他做 7 d、28 d 强度试验
1B2		0.48	625	1 075	1.9	300	
1B3		0.58	517	1 183	1.6	300	
1B4	砂浆＋SS1, SS1 掺量为水泥用量的 0.6%	0.38	789	911	4.7	300	1B5 和 1B8 成型 3 组,测 3 d、7 d 和 28 d 抗压、抗折强度等。其他做 7 d、28 d 强度试验
1B5		0.48	625	1 075	3.8	300	
1B6		0.58	517	1 183	3.1	300	
1B7	砂浆＋SS1, SS1 掺量为水泥用量的 1%	0.38	789	911	7.9	300	
1B8		0.48	625	1 075	6.3	300	
1B9		0.58	517	1 183	5.2	300	

（3）掺 SS1 和废渣的砂浆配比（外掺法）见表 2-18。

表 2-18　掺 SS1 和废渣的砂浆配比　　　　　　　　　　（单位：kg/m³）

编号	组合	水灰比	水泥	砂	废渣	SS1	水	备注
1C1	砂浆＋SS1＋废渣，废渣和 SS1 等量取代水泥的 10%，而 SS1 等量取代废渣的 3%	0.38	789	911	76.5	2.4	300	1C2 成型 3 组，测 3 d、7 d 和 28 d 抗压、抗折强度等。其他做 7 d、28 d 强度试验
1C2		0.48	625	1 075	60.6	1.9	300	
1C3		0.58	517	1 183	50.2	1.6	300	
1C4	砂浆＋SS1＋废渣，废渣和 SS1 等量取代水泥的 10%，而 SS1 等量取代废渣的 6%	0.38	789	911	74.2	4.7	300	1C5 成型 3 组，测 3 d、7 d 和 28 d 抗压、抗折强度等。其他做 7 d、28 d 强度试验
1C5		0.48	625	1 075	58.7	3.8	300	
1C6		0.58	517	1 183	48.6	3.1	300	
1C7	砂浆＋SS1＋废渣，废渣和 SS1 等量取代水泥的 10%，而 SS1 等量取代废渣的 10%	0.38	789	911	71.0	7.9	300	1C8 成型 3 组，测 3 d、7 d 和 28 d 抗压、抗折强度等。其他做 7 d、28 d 强度试验
1C8		0.48	625	1 075	56.2	6.3	300	
1C9		0.58	517	1 183	46.5	5.2	300	

（4）掺加外加剂（减水剂）的砂浆配比。为了研究掺加 SS1 和减水剂的强度改善情况，选定咸阳建材化工厂生产的木钙，掺量为水泥用量的 0.3%，预计减水率 10%，据此计算的砂浆配比见表 2-19。

表 2-19　掺加 SS1 和木钙的砂浆配比　　　　　　　　　　（单位：kg/m³）

编号	组合	水灰比	水泥	砂	SS1	木钙	水
D1	砂浆＋SS1＋木钙，SS1 掺量为 0	0.38	789	911	0	2.4	270
D2		0.48	625	1 075	0	1.9	270
D3		0.58	517	1 183	0	1.6	270
1D1	砂浆＋SS1＋木钙，SS1 掺量为水泥用量的 0.3%	0.38	789	911	2.4	2.4	270
1D2		0.48	625	1 075	1.9	1.9	270
1D3		0.58	517	1 183	1.6	1.6	270
1D4	砂浆＋SS1＋木钙，SS1 掺量为水泥用量的 0.6%	0.38	789	911	4.7	2.4	270
1D5		0.48	625	1 075	3.8	1.9	270
1D6		0.58	517	1 183	3.1	1.6	270
1D7	砂浆＋SS1＋木钙，SS1 掺量为水泥用量的 1%	0.38	789	911	7.9	2.4	270
1D8		0.48	625	1 075	6.3	1.9	270
1D9		0.58	517	1 183	5.2	1.6	270

表 2-19 中 0.48 的水灰比需成型 3 d、7 d、28 d 试件,其余成型 7 d、28 d 试件。

(5)掺加外加剂(木钙)、SS1 和废渣的砂浆配比见表 2-20。

表 2-20 掺加木钙、SS1 和废渣的砂浆配比 (单位:kg/m³)

编号	组合	水灰比	水泥	砂	废渣	SS1	木钙	水
E1	砂浆+SS1+废渣+木钙,SS1 掺量为 0	0.38	789	911	78.9	0	2.4	270
E2		0.48	625	1 075	62.5	0	1.9	270
E3		0.58	517	1 183	51.7	0	1.6	270
1E1	砂浆+SS1+废渣+木钙,掺加废渣+SS1 为水泥用量的 10%,SS1 掺量为 0.3%	0.38	789	911	76.5	2.4	2.4	270
1E2		0.48	625	1 075	60.6	1.9	1.9	270
1E3		0.58	517	1 183	50.1	1.6	1.6	270
1E4	砂浆+SS1+废渣+木钙,SS1 掺量为水泥用量的 0.6%	0.38	789	911	74.2	4.7	2.4	270
1E5		0.48	625	1 075	58.7	3.8	1.9	270
1E6		0.58	517	1 183	48.6	3.1	1.6	270
1E7	砂浆+SS1+废渣+木钙,SS1 掺量为水泥用量的 1%	0.38	789	911	71.0	7.9	2.4	270
1E8		0.48	625	1 075	56.2	6.3	1.9	270
1E9		0.58	517	1 183	46.5	5.2	1.6	270

注:0.48 的水灰比做 3 d、7 d、28 d 的强度试验,其余做 7 d、28 d 的强度试验。

按照表 2-9~表 2-20 中配比成型砂浆试件,标准养护至 7 d、28 d 龄期后,进行抗压试验和抗折试验,结果见表 2-21、表 2-22。

表 2-21 内掺法砂浆强度试验结果 (单位:MPa)

编号	7 d 强度		28 d 强度	
	抗折	抗压	抗折	抗压
2A1	8.65	42.8	10.1	47.1
2A2	6.38	29.3	8.29	32.1
2A3	5.38	25.4	7.02	27.6
2B1	9.73	49.9	9.83	65.1
2B2	7.12	32.5	9.13	42.0
2B3	5.28	24.0	6.51	30.3
2C1	9.22	51.1	11.03	67.7
2C2	7.52	38.0	8.90	46.0
2C3	5.53	25.8	7.28	35.3
2D1	9.90	54.0	10.68	62.8
2D2	7.35	38.0	9.76	46.3
2D3	5.58	26.7	8.00	34.2

编号	7 d强度		28 d强度	
	抗折	抗压	抗折	抗压
2E1	8.48	46.5	10.35	61.8
2E2	6.73	33.6	8.60	42.9
2E3	5.12	24.0	7.17	32.1
2F1	8.83	45.6	10.3	64.3
2F2	6.72	34.6	9.27	44.5
2F3	4.88	26.0	7.68	32.3
2G1	8.77	43.3	10.88	66.2
2G2	6.82	31.7	9.48	49.4
2G3	4.58	20.7	7.68	35.9
2T1	8.87	41.3	10.73	66.4
2T2	6.48	30.3	9.65	50.6
2T3	4.92	22.0	8.37	40.5
2L1	8.45	44.3	9.27	61.5
2L2	6.47	33.0	8.18	41.5
2L3	4.83	22.2	6.98	30.4
2H1	7.12	41.2	8.75	54.8
2H2	6.08	33.0	7.82	39.7
2H3	4.75	23.5	6.32	31.1
2M1	4.12	43.3	8.60	56.1
2M2	4.95	33.8	8.33	44.3
2M3	3.88	25.8	6.63	33.9
2I1	9.15	48.1	10.27	59.8
2I2	6.63	34.7	9.17	45.8
2I3	5.18	24.2	7.47	34.4
2N1	9.17	48.4	11.54	68.0
2N2	6.88	36.2	10.27	49.4
2N3	4.70	25.1	8.35	38.1
2P1	8.80	48.2	10.77	65.1
2P2	6.63	36.7	9.67	50.7
2P3	5.10	27.0	8.97	43.3
2O1	8.18	50.7	10.55	67.8
2O2	7.00	37.2	9.75	51.4
2O3	5.12	26.4	7.73	41.3
2S1	8.55	48.2	11.33	71.2
2S2	6.72	34.8	9.82	49.1
2S3	4.80	23.5	8.82	42.1
2X1	8.75	48.5	9.87	64.6
2X2	6.62	36.1	8.73	44.2
2X3	4.97	23.6	7.23	33.8

表 2-22　外掺法砂浆强度试验结果　　　　　　　　　（单位:MPa）

编号	7 d强度		28 d强度	
	抗折	抗压	抗折	抗压
A1	7.85	38.7	9.80	57.3
A2	6.30	28.3	8.17	37.0
A3	4.77	18.8	6.60	28.4
1A1	9.05	44.2	10.08	61.7
1A2	6.77	31.1	8.47	41.7
1A3	5.23	20.6	6.67	29.8
1A4	8.73	46.3	9.55	63.3
1A5	6.50	32.8	8.07	38.5
1A6	5.47	23.7	6.87	31.4
B1	9.27	45.0	9.80	61.0
B2	7.20	32.4	9.55	45.6
B3	5.90	24.6	7.23	36.5
1B1	9.35	44.8	9.47	63.2
1B2	7.44	34.9	8.87	44.0
1B3	5.88	25.1	7.57	31.9
1B4	9.80	44.8	10.50	62.4
1B5	7.34	35.6	8.87	42.5
1B6	6.00	26.8	8.13	36.4
1B7	8.97	46.1	10.25	64.3
1B8	7.13	36.6	8.97	44.0
1B9	5.78	28.1	7.37	34.5
1C1	9.60	51.6	9.77	66.6
1C2	7.40	34.8	10.43	49.5
1C3	6.33	33.4	9.47	58.2
1C4	9.98	49.4	12.79	71.3
1C5	7.30	41.6	10.92	50.7
1C6	6.38	30.1	8.93	41.5
1C7	9.22	52.7	11.99	59.8
1C8	7.80	40.9	11.23	54.7
1C9	6.32	30.3	9.32	45.4
D1	8.62	41.8	10.14	49.9
D2	6.37	29.7	8.33	33.0
D3	4.43	19.7	6.45	28.5
1D1	8.92	42.4	9.19	48.7
1D2	7.05	30.6	7.98	36.7
1D3	5.03	19.8	6.40	26.0

编号	7 d 强度		28 d 强度	
	抗折	抗压	抗折	抗压
1D4	9.10	44.7	9.75	53.0
1D5	6.90	29.6	8.15	36.9
1D6	5.10	21.7	6.60	25.4
1D7	8.60	46.4	9.86	54.1
1D8	6.87	27.1	7.92	32.2
1D9	5.00	18.2	6.08	27.6
E1	9.77	51.1	11.95	68.1
E2	7.38	33.9	10.20	53.0
E3	5.69	26.6	8.43	41.6
1E1	10.20	53.1	12.20	72.4
1E2	7.95	39.8	10.10	55.2
1E3	5.83	27.9	7.97	41.8
1E4	9.82	50.5	12.08	77.2
1E5	8.30	43.0	11.50	56.8
1E6	6.50	33.8	8.50	50.1
1E7	10.03	54.6	11.97	81.4
1E8	7.90	39.8	10.08	57.3
1E9	6.08	26.9	7.88	38.8

通过对掺加 SS1 材料的砂浆和基准砂浆的抗压强度、抗折强度试验结果的对比分析,可得出以下结论:

(1)纳米微粉可加快混凝土(砂浆)的凝结硬化。随着 SS1 掺量的增加,其初凝和终凝时间均缩短。

(2)掺加纳米微粉的混凝土(砂浆)安定性是合格的。

(3)通过试验可以看出,纳米材料对混凝土(砂浆)强度提高的作用是明显的。在采用内掺法时,其平均抗压增强率为 24%,最大抗压增强率为 30%,平均抗折增强率为 15%,最大抗折增强率为 18%。在采用外掺法时,其平均抗压增强率为 20%,最大抗压增强率为 33%,平均抗折增强率为 17%,最大抗折增强率为 24%。强度增加最大的是 SS1 + 废渣 + 木钙的配比,其相对于仅加木钙的普通砂浆配比,28 d 抗压强度增加约 40%,抗折强度增加约 20%。

(4)纳米材料的用量与其他混凝土外加剂材料相比,可初步控制在经济范围内。

(5)随着水灰比的减小,其强度增加率增大。

(6)掺加 SS1 后砂浆的早期强度提高较快,后期增长较慢。

(7)内掺法对比效果较明显。

(8)根据试验结果可以看出,掺加 MC2R 和 SP1 的纳米微粉对混凝土(砂浆)的性能改善作用比 SS1 纳米微粉效果差,且随着 MC2R 和 SP1 掺量的增加,其强度提高率下降。

2.优选改性剂配比抗压、抗折强度试验结果

根据以上大量单个掺加材料试验和多配比试验,初步得出目标"纳米基混凝土改性剂"配比,根据这个配比,成型砂浆试件,进行抗压和抗折试验,其结果见表2-23。

表2-23　改性砂浆强度试验结果　　　　　　　（单位:MPa）

编号	改性剂掺量（%）	水灰比	7 d 强度		28 d 强度	
			抗压	抗折	抗压	抗折
基准组	0	0.38	42.8	8.65	47.1	10.1
		0.48	29.3	6.38	32.1	8.29
		0.58	25.4	5.38	27.6	7.02
改性组1	1.0	0.38	49.9	9.73	65.1	9.83
		0.48	32.5	7.12	42.0	9.13
		0.58	24.0	5.28	30.3	6.51
改性组2	3.0	0.38	51.1	9.22	67.7	11.03
		0.48	38.0	7.52	46.0	8.90
		0.58	25.8	5.53	35.3	7.28
改性组3	5.0	0.38	54.0	9.90	62.8	10.68
		0.48	38.0	7.35	46.3	9.76
		0.58	26.7	5.58	34.2	8.00

通过砂浆试验可以看出,由于纳米微粉的诸多特点,其对砂浆(混凝土)强度提高的作用是明显的,见图2-2。

从图2-2中可以看出,无论什么样的水灰比,7 d、28 d 龄期中,砂浆的抗压、抗折强度均随纳米微粉的掺量而变化,且总体呈增加的态势。

当水灰比为0.38时,这时砂浆(混凝土)的强度最高,从图2-2(a)可得出,7 d 的抗压强度最大值在改性剂掺量3%～5%范围内,比基准组的强度提高26.1%,7 d 的抗折强度最大值在掺量5%附近,比基准组提高14.5%;28 d 抗压强度最大值在掺量3%左右,比基准组提高43.7%,28 d 抗折强度最大值在掺量3%左右,比基准组提高9.2%。

当水灰比为0.48时,这时砂浆(混凝土)的强度较高,从图2-2(b)可得出,7 d 的抗压强度最大值在掺量3%～5%范围内,比基准组的强度提高29.7%,7 d 的抗折强度最大值在掺量3%附近,比基准组提高17.9%;28 d 抗压强度最大值在掺量5%左右,比基准组提高44.2%,28 d 抗折强度最大值在掺量5%左右,比基准组提高17.7%。

当水灰比为0.58时,这时砂浆(混凝土)的强度最低,从图2-2(c)可得出,7 d 的抗压强度最大值在掺量5%左右,比基准组的强度提高5.1%,7 d 的抗折强度最大值在掺量5%附近,比基准组提高3.7%;28 d 抗压强度最大值在掺量3%左右,比基准组提高27.9%,28 d 抗折强度最大值在掺量5%左右,比基准组提高14.0%。

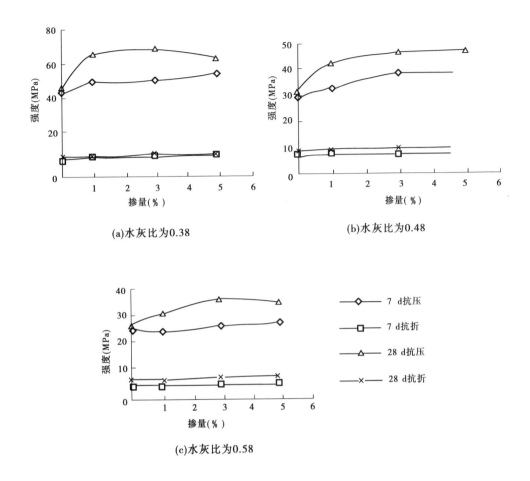

(a)水灰比为0.38

(b)水灰比为0.48

(c)水灰比为0.58

图例:
- ◇ 7 d抗压
- □ 7 d抗折
- △ 28 d抗压
- × 28 d抗折

图 2-2 不同水灰比的抗压、抗折强度

综合分析图 2-2 可得,当水灰比在 0.38~0.58 之间变化,改性剂掺量为 3%~5%时,7 d 的抗压强度比基准组的强度提高 5.1%~29.7%,7 d 的抗折强度比基准组提高 3.7%~17.9%;28 d 抗压强度比基准组提高 27.9%~44.2%,28 d 抗折强度比基准组提高9.2%~17.7%。

3.混凝土抗压强度试验

该试验主要是为了对砂浆试验结果进行验证,按 C20 设计。

原材料:水泥"天柱"P.O32.5。

细骨料:渭河中砂,细度模数为 2.0,其视密度为 2.65 g/cm³,松散密度为1.42 g/cm³,含水率1.2%,含泥量1.1%。

粗骨料:用大石(10~30 mm)和小石(5~20 mm)按 1:1 的比例进行掺配,得到有最大松散密度的粗骨料。

基准配合比为 C:S:G:W=256:563:1 483:128=1:2.2:5.78:0.50。

经过大量的多配比砂浆强度试验(抗压、抗折)等,新型混凝土改性剂的配比已初步确定,取 C20 混凝土配比,经现场试拌,确定各材料用量,进行混凝土配比试验,现设计混凝土配比如表 2-24 所示。

表 2-24　基准混凝土配比　　　　　　　　　　　　（单位：kg/m³）

编号	水泥	砂	大石 （10～30 mm）	小石 （5～20 mm）	水	水灰比
基准	300	780	585	585	150	0.50

计算每立方米材料用量见表 2-25。改性剂 G1、G2 按外加法掺加。

表 2-25　改性混凝土配比　　　　　　　　　　　　（单位：kg/m³）

编号	水泥	砂	大石 （10～30 mm）	小石 （5～20 mm）	水	外加剂 （木钙）	改性剂
1	270	702	525	525	135	0	0
2	270	702	525	525	121.5	0.81	0
3	270	702	525	525	121.5	0	13.5(G1)
4	270	702	525	525	121.5	0	27.0(G2)

注：每个编号成型 2 组 6 块 15 cm×15 cm×15 cm 试块。

混凝土强度试验结果见表 2-26。

表 2-26　混凝土强度试验结果

编号	改性剂掺量（%）	水灰比	抗压强度（MPa）	
			7 d	28 d
1	0		19.5	26.2
2	0	0.5	19.3	25.5
3	5.0		26.5	36.7
4	10.0		28.5	39.4

从表 2-26 可得，掺加 5% "纳米基混凝土改性剂" 的 3 号混凝土，其 7 d 抗压强度比同配比的 1 号普通混凝土高 35.9%；28 d 抗压强度比普通混凝土高 40.1%；掺加 10% "纳米基混凝土改性剂" 的 4 号混凝土，其 7 d 抗压强度比同配比的 1 号普通混凝土高 46.1%；28 d 抗压强度比普通混凝土高 50.4%。这说明了这种新型混凝土改性剂不仅可提高砂浆的强度，同样也可提高混凝土的强度。

（四）劈裂抗拉强度试验

混凝土的劈裂抗拉强度是在立方体试件的两个相对表面上作用均匀分布的压力，使在荷载所作用下的竖向平面内产生均匀分布的拉伸应力；当拉伸应力达到混凝土极限抗拉强度时，试件将被劈裂破坏，从而可以测出混凝土的劈裂抗拉强度。其测试步骤如下：

（1）试件从养护室取出，应及时进行试验，在试验前试件应保持与原养护地点相似的干湿状态；

(2)先将试件擦干净,在试件侧面中部画出劈裂面的位置,劈裂面应与试件成型时的顶面垂直;

(3)量出劈裂面的边长,计算出劈裂面面积;

(4)将试件放在压力机下压板的中心位置,在上下压板与试件之间加垫层和铁垫条,使垫条的接触母线与试件上的荷载作用线准确对齐;

(5)以 0.02～0.05 MPa/s 的加荷速度加荷,直至试件破坏,记下试件破坏荷载;

(6)按照混凝土劈裂试验的计算公式

$$f_{ts} = \frac{2P}{\pi A} = 0.637 \frac{P}{A} \tag{2-5}$$

计算得出:普通混凝土试件(k2)的平均劈裂抗拉强度为 0.71 MPa,改性混凝土试件(l3)的平均劈裂抗拉强度为 1.0 MPa,故平均劈裂抗拉强度提高约 41%。

(五)混凝土弹性模量试验

混凝土弹性模量是反映混凝土材料力学性能的重要指标。一般认为,混凝土静力弹性模量与混凝土强度密切相关。强度越高,弹性模量越大,且混凝土的静力弹性模量随着养护温度的提高及龄期的增大而增大。混凝土的弹性模量试验采用电阻应变片法测定。混凝土试件的弹性模量试验,参照《水工混凝土试验规程》(DL/T 5150—2001)进行试验研究。

1.试样制备

将混凝土试件用直径为 5 cm 的钻机钻孔,取出直径为 5 cm 的芯样,再将其按长直比为 2.0 的尺寸截取试件。以 6 个试件为一组,其中 3 个测定轴心抗压强度,3 个测定抗压弹性模量,测定弹性模量的试件应粘贴电阻应变片,电阻应变片的标距为 3 mm×15 mm,电阻值约为 120 Ω,粘贴剂采用 101 胶,粘贴电阻片前,对电阻片要用万用表测定其电阻值,电阻差值不超过 0.5 Ω,用直角尺找出试件的中间位置,同时避开裂隙、层理处,在试件中部的四等分点粘贴电阻应变片,先将粘贴部位用细砂纸打磨,再用丙酮等易挥发溶剂清洗表面,直至表面干净,然后在贴片位置涂上一薄层黏结剂,待黏结剂干后,再在电阻片背面涂一薄层黏结剂,随即将电阻片按要求的方向和部位粘上,再在电阻片上盖一小块塑料纸,用手指在上面滚压挤出电阻片和试件之间的气泡和多余黏结剂,按压约十几秒即可粘好,一般粘贴之后 24 h 即可固化。

2.试验方法

将试件放在试验机的下压板上,试件的中心应和压力机下压板的中心对准。开动试验机,当上压板与试件快接触时,调整球座,使其接触均衡。首先测定 3 个试件的轴心抗压强度,方法如前所述,再分别进行 3 个试件的抗压弹性模量测定,焊接试件上电阻片上导线与应变仪导线连接,然后接上电源,预热 20 min,预调平衡,接线方式为全桥,施加初荷载,检查应变值是否接近,如两边应变值相差较大,必须调整试件位置和球形座,使试件受压均匀,然后对试件进行预压,加荷速度为 0.2～0.3 MPa/s,预压荷载为试件破坏荷载的 40%,反复预压 3 次,直至两次变形值相差不超过 0.003 mm 为止。试件预压后,正式试验加荷速度与预压相同,逐级加荷分六个等级,记下各荷载下的变形值,然后连续加荷,直至试件破坏,据此可绘制应力—应变曲线。

弹性模量和泊松比按下式计算：

$$E_c = \frac{P_2 - P_1}{A} \times \frac{L}{\Delta L} \tag{2-6}$$

$$\mu = \frac{\varepsilon_{dp}}{\varepsilon_{dh}} \tag{2-7}$$

式中　E_c——弹性模量，MPa；

　　　P_2——40%的极限破坏荷载，N；

　　　P_1——应力为 0.5 MPa 时的荷载，N；

　　　A——试件承压面积，mm^2；

　　　L——测量变形的标距，mm；

　　　ΔL——应力从 0.5 MPa 增加到 40%破坏应力时的试件变形值，mm；

　　　μ——泊松比；

　　　ε_{dp}——应力—横向变形曲线上对应直线部分应变值；

　　　ε_{dh}——应力—纵向变形曲线上对应直线部分应变值。

弹性模量以 3 个试件测值的平均值作为试验结果。其中 1 个试件在测定弹性模量后，其抗压强度值与轴心抗压强度值相差超过 20%，则将该值剔除，取余下 2 个试件的平均值作为试验结果，否则重做。

采用圆柱体 C20 混凝土试件，贴上应变片后，先预压破坏强度的 40%应力，反复预压后开始逐级加荷，最后进行抗压强度试验，其结果见表 2-27。

表 2-27　混凝土弹性模量试验结果

编号		试件尺寸 （mm）	抗压强度 （MPa）	平均强度 （MPa）	弹性模量 （万 MPa）	平均弹模 （万 MPa）
普通组	5-2	4.97×10.4	18.8	21.9	3.34	3.28
	5-3	4.97×10.7	25.0		3.21	
改性组	6-1	4.97×10.6	24.2	25.5	3.82	4.08
	6-2	4.97×10.7	26.8		4.33	

从以上弹性模量的试验结果可以看出，改性混凝土配比的抗压强度比普通混凝土提高约 16%，而其弹性模量则提高 24%左右。

第四节　纳米微粉对混凝土抗渗抗冻性能
影响的试验研究

一、混凝土（砂浆）的抗渗性试验

有资料认为，混凝土的抗渗性是其耐久性的决定因素，其他耐久性因素如抗冻性、抗化学侵蚀性是混凝土抗渗性的外在表现形式。混凝土的抗渗性是指混凝土抵抗压力水渗透的能力。混凝土透水的原因是由于内部存在渗水通道。这些通道除产生于施工振捣不密实及裂缝外,主要来源于水泥浆中多余水分蒸发而留下的毛细孔、水泥浆泌水所形成的孔道及骨料下部界面聚集的水隙。渗水通道的多少,主要与水泥品种及水灰比的大小有关。当水泥品种一定时,水灰比是影响混凝土抗渗性的主要因素。水灰比小时抗渗性高,反之则抗渗性低。

经过砂浆抗压、抗折强度的对比试验,基本可以断定纳米材料对混凝土(砂浆)强度的改善是确切的。按863项目的要求,本混凝土改性剂的主要目的是应用于节水工程,故试验重点放在砂浆(混凝土)的抗渗和抗冻、抗硫酸盐侵蚀、改性微观机理分析等试验项目上。

考虑到性质可比性和缩短试验时间,故初选砂浆强度按等级为M7.5~M10来设计(按不吸水底面)。

取M7.5强度等级,C=220 kg;S = 1 500 kg;W=270 kg,则C:S:W = 1:6.82:1.23,$\gamma_{砂}$ = 1 990 kg /m^3。

1.砂浆抗渗试验

砂浆是没有粗骨料的混凝土,由于没有粗骨料,因而其影响因素较混凝土简单,但因决定混凝土(砂浆)强度其他性能的主要因素是水泥的实际强度,故同水灰比的砂浆和混凝土,其基本性质是类似的。

用JS-2型砂浆渗透仪进行砂浆渗透性试验,按设计配比用标准砂浆抗渗试模成型,养护28 d龄期稍微干燥后装入砂浆抗渗试验仪中,按试验规范逐级加压。

因为砂浆抗渗试模的尺寸是$\phi_{上}$ =8 cm,$\phi_{下}$ =7 cm,h =3 cm,故其6个试件体积约为0.001 m^3,表示砂浆抗渗性的主要指标是砂浆的不透水系数。

水泥砂浆的抗渗性试验步骤如下:

(1)成型水泥砂浆试件,每组为3个。

(2)试件放入养护室养护至规定龄期,取出待表面干燥后,在试件侧面和试验模内涂一层密封材料(黄油泥),把试件压入试模并使两底面齐平。静置24 h后装入渗透仪中,进行渗水试验。

(3)水压从0.2 MPa开始,保持2 h,增至0.3 MPa,以后每隔1 h增加水压0.1 MPa,直至所有试件顶面均渗水为止。记录每个试件各压力段的水压力和相应的恒压时间t(h)。如果水压增至1.5 MPa时仍未透水,则不再升压,持荷6 h后,停止试验。

(4)砂浆试件不透水性系数按下式计算:

$$I = \sum P_i t_i \tag{2-8}$$

式中 I——砂浆不透水系数,MPa·h;

  P_i——试件在每一个压力阶段所受水压,MPa;

  t_i——相应压力段的恒压时间,h。

掺加纳米基混凝土改性剂后,使混凝土内的小孔和微孔均大幅下降,有效地提高了混凝土的密实度,从而提高了混凝土(砂浆)的抗渗性。

2.混凝土抗渗性试验

混凝土的抗渗性和砂浆抗渗性相比要复杂一些。但抗渗性总的发展趋势基本相同，都随养护龄期的延长而增长。设计中确定抗渗等级时，可以根据结构物开始承受水压的时间，考虑后龄期抗渗性的增长。

混凝土抗渗试验在混凝土抗渗仪上进行。主要测定混凝土在恒定水压下的渗水高度，计算相对渗透系数，比较普通混凝土和改性混凝土的抗渗性。试验步骤如下：

(1)按《水工混凝土试验规程》(DL／T 5150—2001)进行试件的成型、养护和封装等。

(2)将抗渗仪水压力一次加到1.2 MPa，同时开始记录时间。在此压力下恒定24 h，然后降压，从试模中取出试件。

(3)在试件两端面直径处，按平行方向各放一根6 mm钢垫条，用压力机将试件劈开，在各等分点处量出渗水高度。

(4)试验结果处理。

以各等分点渗水高度的平均值作为该试件的渗水高度。相对渗透系数按下式计算：

$$k_r = \frac{\alpha D_m^2}{2TH} \tag{2-9}$$

式中　　k_r——相对渗透系数，cm/h；

　　　　D_m——平均渗水高度，cm；

　　　　H——水压力，以水柱高度表示，cm；

　　　　T——恒压时间，h；

　　　　α——混凝土的吸水率，一般为0.03。

经试验研究得出，掺加纳米基混凝土改性剂的砂浆(混凝土)均比同配比的普通砂浆(混凝土)的抗渗性能大幅提高，见表2-28。

表2-28　砂浆(混凝土)抗渗性比较

混凝土	砂浆		混凝土	
	最大水压(MPa)	不透水系数(MPa·h)	最大水压(MPa)	渗水高度(cm)
普通	0.10	0.174	1.20	5.1
改性	0.30	0.354	1.20	1.7

注：砂浆 M7.5；混凝土 C20；改性剂掺量为5%。

从表2-28可以看出，改性后其砂浆和混凝土的抗渗性大约提高30%。

二、混凝土(砂浆)抗冻性试验研究

混凝土的抗冻性，是指混凝土在水饱和状态下能经受多次冻融作用而不破坏，同时也不严重降低强度的性能。

在寒冷地区，特别是在接触水又受冻的环境下的混凝土，要求具有较高的抗冻性能。混凝土受冻融作用破坏的原因是由于混凝土内部孔隙中的水在负温下结冰后体积膨胀造成的静水压力和因冰水蒸汽压的差别推动未冻水向冻结区的迁移所造成的渗透压力。当这两种压力所产生的内应力超过混凝土的抗拉强度，混凝土就会产生裂缝，多次冻融使裂缝不断扩展,直至破坏。混凝土的密实度、孔隙构造和数量、孔隙的充水程度是决定抗冻性的重要因素。因此,当混凝土采用的原材料质量好、水灰比小、具有封闭细小孔隙(如掺入引气剂的混凝土)及掺入减水剂和防冻剂等时,其抗冻性都较高。

混凝土抗冻性常以抗冻等级表示。抗冻等级采用快速冻融法确定,取 28 d 龄期 100 mm×100 mm×400 mm 的混凝土试件,在水饱和状态下经 N 次标准条件下的快速冻融后,若其相对动弹模下降 40%,或质量损失大于 5%,或混凝土的抗压强度下降 25%,都可以认为混凝土已发生冻融破坏。

按照混凝土耐久性的定义,混凝土抗冻性取决于混凝土的孔隙大小和孔隙特征。即不仅决定于混凝土内部的孔隙率大小,而且决定于混凝土的孔隙是开口孔隙还是闭口孔隙,同时混凝土抗冻性的高低,还与水泥品种及强度等级、混凝土水灰比、外加剂及掺合料的品种与掺量及骨料的品质密切相关。

掺加纳米基混凝土改性剂后,极大地改善了混凝土内部的孔隙结构,封堵了孔径小于 150 nm 的小孔、微孔,使得混凝土的密实度大大增强,减少了混凝土结构内的孔隙水存量,从而避免了由于孔隙水结冰膨胀产生裂缝而导致混凝土结构破坏。试验采用 M7.5 的试件,用慢冻法进行试验,即在(-25±2)℃的冷冻箱里冻结 4 h,取出后放入(20±3)℃的水中 4 h,反复循环,直到抗冻试件冻坏为止。经过长达 3 个月的试验,得出的部分试验结果见表 2-29。

表 2-29 抗冻试验部分结果

编号	改性剂掺量(%)	重量损失(%)	强度损失(%)	抗冻等级
D1	0	6.96	100	F12
E1	0	10.57	100	F15
D3	5	<5	0	>F80
E3	5	5.53	36.3	F61

按规范要求,试件冻坏的标准是其重量损失达到 5% 以上,或抗压强度损失达到 25% 以上,即认为试件已冻坏。从表 2-29 可以看出,掺加 5% 改性剂的 D3 试件冻融 80 次后仍然未破坏,试件 E3 在冻融 61 次后才发生冻融破坏。经对试验数据的分析可知,掺加改性剂后其抗冻性大约提高 50% 以上。

第五节 纳米基混凝土改性剂技术经济指标

一、纳米基混凝土改性剂的经济性

在纳米基混凝土改性剂的原材料中,纳米微粉是价格最高的,但纳米微粉在砂浆(混凝土)中是作为"味精"使用的,其掺量非常小,且随着纳米技术的不断进步,其价格会大幅回落。纳米微粉的掺量可初步控制在 1‰~3‰ 的范围内,优选的改性剂掺入率经试验认为在 3%~5% 较合适。因此,增加的成本不大。

目前市场上出售的混凝土外加剂如抗裂防渗剂、高效减水剂等价格一般为 2 000～4 000 元/t;对于纳米基混凝土改性剂,按照目前的原材料价格测算,产品价格约为 3 000 元,基本与其他产品价格相当。但与其他材料相比,纳米基混凝土改性剂对混凝土抗渗和抗冻性能的改善更显著。

经试验研究,采用新型改性剂能大大改善节水工程混凝土最重要的抗渗性和抗冻性,而其增加的施工成本与其相比增加不多,因此认为是经济的。

二、纳米基混凝土改性剂配比范围和原材料的作用

(一)纳米基混凝土改性剂的配比范围

1.木质素磺酸钙

其掺量为水泥用量的 0.2%～0.4%,它在改性剂中主要是为了提高混凝土(砂浆)的施工性能,改善其和易性。

2.细工业废渣

其掺量为水泥用量的 4.2%～9.7%。它在改性剂中的作用是调节混凝土(砂浆)的黏结性能、封堵大孔和节约成本等。

3.纳米微粉

其掺量为水泥用量的 0.1%～1.0%,其在混凝土(砂浆)中可发挥其微粒性和高活化性等优异性能,封堵小孔和微孔、提高其强度和耐久性(尤其是混凝土的抗渗和抗冻性能等)。

4.其他

为了进一步改善产品性能,除以上成分外,根据情况可酌量掺加微沫剂、UEA 等其他成分。

(二)纳米基混凝土改性剂技术性质

颜色:灰白色粉末状;

松散密度:0.59 g/cm³;

毒性:无毒;

安定性:合格;

溶解性:水溶性;

改性效果(掺量占水泥用量的 5%):8 d 抗压强度提高 20%～30%,渗水高度减少约 30%,抗冻等级提高约 50%。

(三)施工工艺

用先掺法加水溶解施工。

第三章 特殊土渠道防渗技术

湿陷性黄土和膨胀土是典型的特殊土,在我国分布较为广泛。黄土遇水湿陷,膨胀土遇水膨胀、失水收缩的特性对渠道衬砌结构的影响较大。国内外很早就开展了对湿陷性黄土和膨胀土等特殊土的研究,特别是20世纪80年代以来,取得了很多成果,但在渠道防渗技术中应用较少。研究发现,特殊土的变形主要发生在从非饱和到饱和的过渡过程中,因此本章基于非饱和土的有效应力原理并考虑黄土结构特性,提出了湿陷性黄土从非饱和状态到饱和状态的增湿湿陷数学模型,并进行了数值模拟的方法研究,开发了相应的三维非线性有效应力计算程序;提出了计算膨胀土与渠道衬砌结构相互作用的初应变数值方法;同时还对特殊土渠道的结构形式、特殊土渠道的设计原则等进行了研究。

第一节 非饱和黄土湿陷过程的孔压、变形和有效应力

黄土的增湿湿陷过程是一个典型的非饱和土应力和变形问题。笔者曾开展了非饱和土有效应力原理的研究,提出了新的有效应力公式。还开展了非饱和黄土增湿湿陷三轴试验研究。本节根据新的公式和试验资料来探讨非饱和黄土增湿湿陷过程中基质吸力,增湿湿陷和有效应力变化规律。

一、非饱和黄土增湿湿陷曲线的特点

笔者曾以渭北张桥黄土为对象开展了三轴等应力比路径 $(K = \dfrac{\sigma_3}{\sigma_1} = 0.5)$ 条件下增湿湿陷试验。试验曲线见图 3-1 和图 3-2,图中的 p 和 q 分别为 $(\sigma_1 + 2\sigma_3)/3$ 和 $(\sigma_1 - \sigma_3)$。

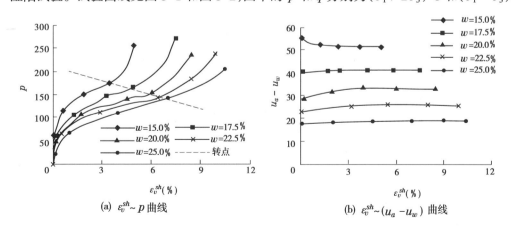

(a) $\varepsilon_v^{sh} \sim p$ 曲线 (b) $\varepsilon_v^{sh} \sim (u_a - u_w)$ 曲线

图 3-1 $\varepsilon_v^{sh} \sim p$、$\varepsilon_v^{sh} \sim (u_a - u_w)$ 曲线

由图 3-1、图 3-2 可见,$\varepsilon_v^{sh} \sim p$ 与 $\varepsilon_s^{sh} \sim q$ 曲线的形状相似,每个含水量的曲线都可分

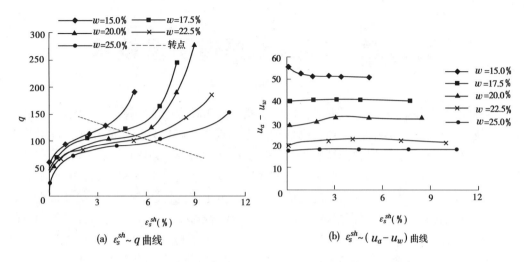

图 3-2　$\varepsilon_s^{sh} \sim q$、$\varepsilon_s^{sh} \sim (u_a - u_w)$ 曲线

为三段,它充分反映了黄土湿陷过程内因(结构强度)通过外因(力和水)而起的作用。第一段称为起始压缩段,第二段称为增湿湿陷变形段,第三段为固结压密段。曲线的第一个转点位置约为 $p = 67$ kPa,$q = 50$ kPa,第二个转点位置约为 $p = 160$ kPa,$q = 120$ kPa。可以发现,两个转点实际上是黄土浸水湿陷起止的应力状态。在第一个转点前,结构强度大于所加应力,变形很小,且稳定值接近相等。在第一个转点到第二个转点之间,应力的增加使土的原有结构迅速丧失。第二个转点是湿陷过程的关键状态,实际上是黄土原结构强度完全破坏、新结构强度逐渐形成的应力点,它使 $\varepsilon_v^{sh} \sim p$、$\varepsilon_s^{sh} \sim q$ 曲线形状由下凹变为上凹。从基质吸力($u_a - u_w$)随 ε_v^{sh} 或 ε_s^{sh} 变化曲线情况可以看出,不同含水量的曲线有明显的差异,而同一含水量情况下曲线的($u_a - u_w$)变化不大,也就是说,($u_a - u_w$)随 w 变化明显,而随应力 p、q 变化不大,表明这种变形主要是增湿湿陷的结果。

二、黄土湿陷情况下有效应力参数的确定

图 3-1(a)中的 $\varepsilon_v^{sh} \sim p$ 曲线和图 3-2(a)中的 $\varepsilon_s^{sh} \sim q$ 曲线具有完全相同的形状,都是从下凹变为上凹,中间要通过一个转点。转点前的下凹曲线可由双曲线表述,转点后的上凹曲线可由指数函数曲线表述。如果用 p_0 和 q_0 分别表示图 3-1(a)和图 3-2(a)中不同含水量对曲线上转点的应力,ε_{v0}^{sh} 和 ε_{s0}^{sh} 分别表示它们对应的增湿应变,则 $p_0 \sim \varepsilon_{v0}^{sh}$ 曲线和 $q_0 \sim \varepsilon_{s0}^{sh}$ 曲线均可用直线表示,如图中虚线所示。这样,如对有效应力 p' 和 q' 可认为具有同样的曲线形状,则此曲线可用公式表示为:

转点前

$$\begin{cases} \varepsilon_s^{sh} = \dfrac{aq'}{1 - bq'} & (\varepsilon_s^{sh} \leqslant \varepsilon_{s0}^{sh}) \\[3mm] \varepsilon_v^{sh} = \dfrac{\bar{a}p'}{1 - \bar{b}p'} & (\varepsilon_v^{sh} \leqslant \varepsilon_{v0}^{sh}) \end{cases} \tag{3-1}$$

转点后

$$\begin{cases} (\varepsilon_s^{sh} - \varepsilon_{s0}^{sh}) = \dfrac{\ln(q' - q_0') - \beta}{\alpha} & (\varepsilon_s^{sh} \geqslant \varepsilon_{s0}^{sh}) \\[3mm] (\varepsilon_v^{sh} - \varepsilon_{v0}^{sh}) = \dfrac{\ln(p' - p_0') - \overline{\beta}}{\overline{\alpha}} & (\varepsilon_v^{sh} \geqslant \varepsilon_{v0}^{sh}) \end{cases} \qquad (3\text{-}2)$$

式中　a、b、$\overline{a}$、$\overline{b}$、α、β、$\overline{\alpha}$、$\overline{\beta}$——试验常数；

$\qquad p' = p - u_a - x_p(u_a - u_w)$；

$\qquad q' = q - x_q(u_a - u_w)$。

下面推求其中的有效应力参数 x_q 和 x_p。

(一)湿陷剪应力有效应力参数 x_q

转点前,式(3-1)线性化后可用下式表示:

$$\frac{\varepsilon_s^{sh}}{q'} = b\varepsilon_s^{sh} + \alpha \qquad (3\text{-}3)$$

采用与确定常规三轴应力状态下有效应力参数完全相同的步骤可求出 x_q 公式为:

$$x_{q2} = \frac{\varepsilon_{s1}^{sh} q_2 - \varepsilon_{s2}^{sh} q_1}{\varepsilon_{s1}^{sh}(u_a - u_w)_2 - \varepsilon_{s2}^{sh}(u_a - u_w)_1} \qquad (3\text{-}4)$$

和

$$x_{qi+1} = \frac{D_i}{Q_i} \quad i = 2,3,4,\cdots \qquad (3\text{-}5)$$

$$\left.\begin{aligned} Q_i &= B_i(u_a - u_w)_{i-1}(u_a - u_w)_{i+1}x_{qi-1} - \\ & \quad C_i(u_a - u_w)_i(u_a - u_w)_{i+1}x_{qi}(B_iq_{i-1} - C_iq_i)(u_a - u_w)_{i+1} \\ D_i &= A_iq_{i-1} - B_iq_{i+1} + C_iq_iq_{i+1} + (B_iq_{i+1} - A_iq_i)(u_a - u_w)_{i-1}x_{qi-1} - \\ & \quad (A_iq_{i-1} + C_iq_{i+1})x_{qi}(u_a - u_w)_i + A_ix_{qi-1}x_{qi}(u_a - u_w)_{i-1}(u_a - u_w)_i \end{aligned}\right\} \qquad (3\text{-}6)$$

$$f_i = \frac{\varepsilon_{si+1}^{sh} - \varepsilon_{si}^{sh}}{\varepsilon_{si}^{sh} - \varepsilon_{si-1}^{sh}} \quad A_i = \varepsilon_{si+1}^{sh} \quad B_i = (1 + f_i)\varepsilon_{si}^{sh} \quad C_i = f_i\varepsilon_{si-1}^{sh}$$

转点后,式(3-2)线性化后用下式表示:

$$\ln(q' - q_0') = \alpha(\varepsilon_s^{sh} - \varepsilon_{s0}^{sh}) + \beta$$

为方便计,简记为:

$$\ln q_2' = \alpha\varepsilon_{s2}^{sh} + \beta \qquad (3\text{-}7)$$

用上述介绍的方法有

$$x_{qj+1} = \frac{N_j}{M_j} \quad j = 2,3,4,\cdots \qquad (3\text{-}8)$$

$$M_j = -q_{j-1}(u_a - u_w)_{j+1} + x_{qj-1}(u_a - u_w)_{j-1}(u_a - u_w)_{j+1}$$

$$N_j = q_j^2 - 2x_{qj}q_j(u_a - u_w)_j + x_{qj}^2(u_a - u_w)_j^2 - q_{j-1}q_{j+1} + x_{qj-1}q_{j+1}(u_a - u_w)_{j-1}$$

式(3-8)中,j 为转点后序号。

(二)湿陷球应力有效应力参数 x_p

对转点前后求解 x_p 的求解公式同式(3-4)、式(3-5)、式(3-8)的形式完全一样,只是将公式中 q 变为 $p - u_a$,ε_s^{sh} 变为 ε_v^{sh},x_q 变为 x_p 即可。

三、湿陷条件下的有效应力

由图 3-1 中 $\varepsilon_v^{sh} \sim p$ 曲线和 $\varepsilon_v^{sh} \sim (u_a - u_w)$ 曲线、图 3-2 中 $\varepsilon_s^{sh} \sim q$ 曲线和 $\varepsilon_s^{sh} \sim (u_a -$

u_w)曲线,以及式(3-4)、式(3-5)、式(3-8)求得的有效球应力参数 x_p 与 ε_v^{sh} 曲线和求得的有效剪应力参数 x_q 与 ε_s^{sh} 曲线分别见图 3-3 和图 3-4,以它们为基础,利用有效应力原理进而求得的有效应力 p' 与 ε_v^{sh} 曲线和有效剪应力 q' 与 ε_s^{sh} 曲线分别见图 3-5 和图 3-6,图 3-3～图 3-6 表明了以下的特点:

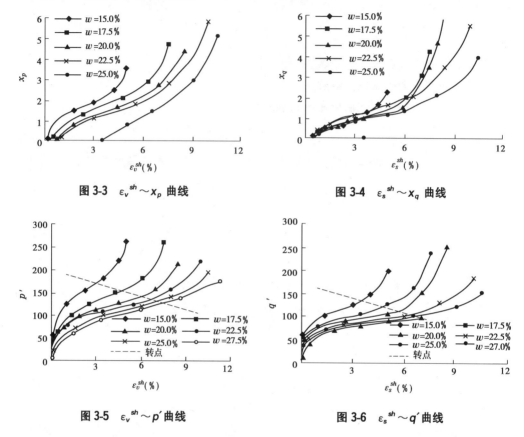

图 3-3　$\varepsilon_v{}^{sh}\sim x_p$ 曲线　　　　　　　图 3-4　$\varepsilon_s{}^{sh}\sim x_q$ 曲线

图 3-5　$\varepsilon_v{}^{sh}\sim p'$ 曲线　　　　　　　图 3-6　$\varepsilon_s{}^{sh}\sim q'$ 曲线

(1)若含水量不变,则随湿陷体应变的增加,x_p 增加,有效球应力 p' 增加;随湿陷剪应变的增加,x_q 增加,有效剪应力 q' 亦增加。

(2)若湿陷体应变不变,则随着含水量的减小,x_p 增大,有效球应力 p' 增大;若湿陷剪应变不变,则随着含水量的减小,x_q 增大,有效剪应力增大。

(3)湿陷过程中含水量增加,吸力减小(见图 3-1 及图 3-2),有效应力先减小、后增大(见图 3-7 和图 3-8)。图 3-7 和图 3-8 为对 4 个施加不同固结压力 σ_1 及 σ_3 的试样分级浸水所得的试验成果计算得到的有效剪应力变化情况和有效球应力变化情况。在图 3-7 中,$q=50$ kPa 时,含水量的增加未引起有效应力的变化;$q=100、150、200$ kPa 时,含水量的逐级增大,使有效应力先下降,然后增加。在图 3-8 中,$p=66.7$ kPa 时,随含水量增加,有效应力也基本不变;$p=133、200、266$ kPa 下逐级浸水时,含水量的逐级增大,也使有效应力先减小、后增大。这种减小表明了黄土在增湿过程中结构性的破坏;这种增大使结构因增湿破坏后的黄土进一步发生了湿陷变形。$p'、q'$ 的不变现象反映了湿陷起始压力的存在。

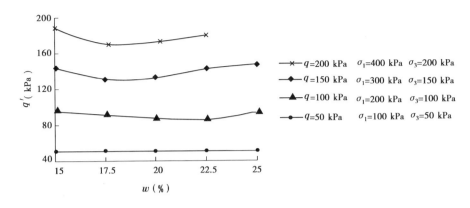

图 3-7 湿陷过程中 $w \sim q'$ 曲线

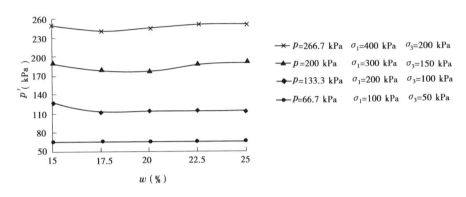

图 3-8 湿陷 $w \sim p'$ 曲线

(4)湿陷曲线由下凹到上凹的转点应力,对有效球应力随含水量的增大有所减小,而有效剪应力变化很小。如果将不同增湿含水量的折点位置用虚线连起来,对球应力 p' 是一条随含水量增大而下降的直线,而对 q' 则是一条随含水量增大而接近水平的直线,见图 3-1、图 3-2、图 3-5、图 3-6。

(5)湿陷过程实际上是水进入黄土中孔隙水压力由增大到衰减的过程。最后当土体饱和时,基质吸力趋于零。在整个过程中,孔隙气压力的变化都很小。

四、小结

(1)Bishop 有效应力公式不可能反映黄土湿陷变化情况,而本节建立的有效应力公式很容易描述黄土湿陷规律。

(2)黄土湿陷过程中,基质吸力随含水量的变化大,而随应力的变化较小,所以变形的本质是增湿湿陷的结果。

(3)黄土在有效应力作用下的湿陷过程是:黄土在大于湿陷起始应力,施加的总应力 (p,q) 不变时,在含水量的增加使基质吸力减小的同时,黄土的结构破坏,有效应力开始减小,然后有效应力再增加,使湿陷变形增大。最后,当土体趋于饱和时,基质吸力趋于零,有效应力达到最大,直至趋于总应力,湿陷变形达到它的最大值。

第二节　黄土增湿湿陷过程的三维有效应力分析

一、黄土湿陷应力—应变关系的数值表示

本节从工程的角度出发,认为湿陷性黄土仍然为连续介质,以连续介质力学的原理作为研究湿陷性黄土的理论基础。

黄土的本构关系不仅与应力有关,还与温度、时间、应变率、变形历史和物理微观结构等有关,特别是与土体中的含水量有密切的关系。可以说,湿陷变形是外力和水共同作用的结果。如果不考虑湿陷发生的时间,只考虑地基各层土体在不同含水量下(包括饱和和非饱和)的最终湿陷状况,黄土湿陷的本构关系可以用以下通用公式表示:

$$\varepsilon_{ij} = f(\sigma_{ij}, w) \tag{3-9}$$

式中　ε_{ij}——湿陷变形张量;

　　　σ_{ij}——应力张量;

　　　w——浸水后土体的含水量。

大量的研究表明,由于以上关系涉及到非饱和土、土的结构性等土力学的难点问题,要将式(3-9)所示的函数表示出来是困难的,而现代计算技术和计算设备已经有了巨大的发展,原来困扰人们的内存空间限制、计算速度限制等均已经不再存在,使得采用数值数据来反映事物变化的规律成为可能,并在反映复杂问题方面有代替解析方法的趋势。本文就选用数值方法来反映湿陷性黄土湿陷过程中的有效应力—应变关系曲线,将试验得到的应力—应变曲线特征点直接输入计算机,用三次样条插值的方法对特征点之间的内容进行插值,从而在计算机里形成了完整的数值应力—应变曲线。其优点是能较为精确地反映试验的结果,避免了进行解析概化,在实际应用中也是可行和方便的。其原理如下。

引入两个应力不变量(球应力、剪应力):

$$p = \frac{1}{3}(\sigma_1 + \sigma_2 + \sigma_3) \tag{3-10}$$

$$q = \frac{1}{\sqrt{2}}[(\sigma_1 - \sigma_2)^2 + (\sigma_2 - \sigma_3)^2 + (\sigma_1 - \sigma_3)^2]^{1/2} \tag{3-11}$$

相应地引入对应的湿陷体应变和剪应变量:

$$\varepsilon_v = \varepsilon_1 + \varepsilon_2 + \varepsilon_3 \tag{3-12}$$

$$\varepsilon_s = \frac{\sqrt{2}}{3}[(\varepsilon_1 - \varepsilon_2)^2 + (\varepsilon_2 - \varepsilon_3)^2 + (\varepsilon_1 - \varepsilon_3)^2]^{1/2} \tag{3-13}$$

那么,湿陷性黄土湿陷的非线性 K、G 参数及模量、泊松比如下:

$$K = \frac{p'}{\varepsilon_v} \quad G = \frac{q'}{3\varepsilon_s} \tag{3-14}$$

$$E = \frac{9KG}{3K + G} \quad \mu = \frac{3K - 2G}{2(3K + G)} \tag{3-15}$$

由试验得到特定土体不同饱和度下的 p' 与 ε_v、q' 与 ε_s 的关系曲线,利用式(3-14)或式(3-15)就可以得到土体在不同应力状态、不同饱和度下的模量值变化曲线,将这变化曲线以一定密度(当然密度越大越好)数值特征点输入计算机,并引入到非线性弹性理论中,就可以采用数值计算的方法计算黄土湿陷的过程。

通过不同饱和度的非饱和黄土湿陷变形和孔隙水压力试验,并按有效应力关系式转化成有效应力指标,得到某黄土在不同饱和度下和达到饱和情况下的有效应力—应变关系曲线,如图 3-9、图 3-10 所示。由这两条曲线并采用上述方法就可以表征该黄土非饱和及饱和湿陷的应力—应变关系。

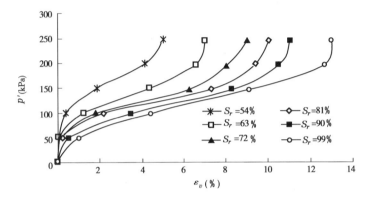

图 3-9　不同饱和度下 $\varepsilon_v \sim p'$ 关系曲线

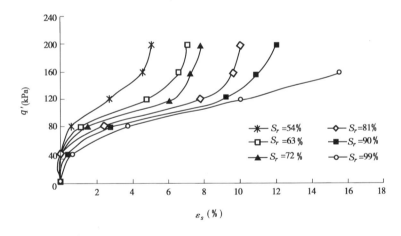

图 3-10　不同饱和度下 $\varepsilon_s \sim q'$ 关系曲线

二、计算实例

应用以上方法计算了一水平地基在 200 kPa 压力作用下(承压板为柔性的,其面积为 0.8 m×0.8 m)的浸水湿陷过程。计算中认为地基是均质的,其单元划分如图 3-11 所示(只计算了地基的 1/4,其余部分按对称处理)。

计算时认为外荷在湿陷过程中保持不变,而其自重和应力—应变关系随着水的向下浸湿逐步发生变化。将地基土层由上到下分为 5 层,模拟了地基在天然状态下的压缩变形和水由地基顶部向下逐层浸湿,最终使整个地基均达到饱和的湿陷全过程,为了便于比较,假定水由上到下逐层浸湿,即上层饱和后下层才开始浸湿。其中,天然状态下的压缩变形和湿陷初始应力场由邓肯—张模型计算,湿陷过程采用本文提出的数值计算法进行。计算组次如下:①顶部第一层土(厚1.0 m)由天然状态增湿到饱和度为54%、63%、72%、81%、90%时(非饱和状态)的湿陷量,以及增湿到饱和时($S_r = 99\%$)的湿陷量;②第一层土饱和后,第二层土(厚3.0 m)由天然状态增湿到54%、63%、72%、81%、90%时(非饱和状态)的湿陷量,以及增湿到饱和时($S_r = 99\%$)的湿陷量;③各层地基均饱和时的湿陷量。

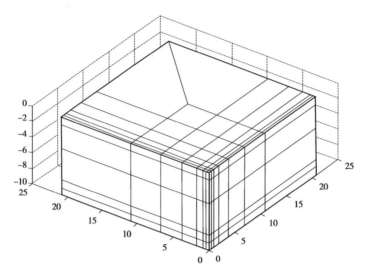

图 3-11　单元网格划分图(整个地基的 1/4)

计算时,湿陷土体的破坏条件选用摩尔—库仑准则。数值计算方法采用三维有限元与无界元耦合的方法进行。

(一)计算参数

土体天然、饱和状态下的物理力学参数如表 3-1 所示,湿陷时应力—应变关系如图 3-9、图 3-10 所示。

表 3-1　计算参数

类型	γ_d (kN/m³)	w (%)	G_s	φ(°)	C (kPa)	R_f	k	n	G	F	D	备注
1	15.4	12.6	2.7	21	33	0.87	262	0.59	0.307	0.271	1.464	天然状态
2	15.4	27.5	2.7	23	14							饱和状态

(二)增湿过程中地基湿陷的变化过程

计算得到地基各阶段湿陷量的变化过程线如图 3-12 所示。

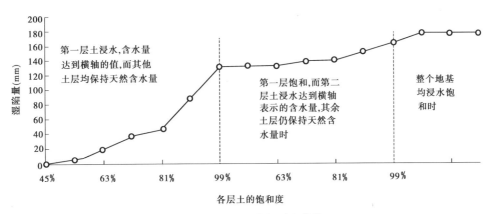

图 3-12　湿陷量变化过程曲线

计算表明,地基在非饱和增湿时,随着土饱和度的增大,其湿陷量逐渐增大。土的饱和度达到 80% 以前,湿陷量较小,当饱和度达到 80% 以上时,湿陷量随含水量的增大急剧增大;地基的湿陷量随着浸湿范围的扩大而增大,所有土层均达到饱和时湿陷量最大。从图 3-12 中可以看出,表层 1.0 m 深度范围内的土(第一层土)浸水湿陷量占总湿陷量的 76%,深度在 1.0~2.0 m 范围内的土(第二层土)的湿陷量占总湿陷量的 17%,其余土层的湿陷量只占总湿陷量的 7%,说明黄土地基湿陷是一种刺入破坏,深层土体虽然所受的压力较表层大,但由于受到了上部、侧向土体强大的约束,其湿陷量不大。从地基湿陷变形剖面图图 3-13 可以更明显地看出这一点。而传统的分层总和法不能考虑这种约束作用,计算结果是不准确的。

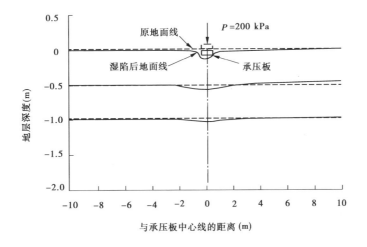

图 3-13　地基湿陷变形图(为了直观,湿陷量放大了 4 倍)

(三)湿陷前后应力场的变化规律

计算表明,浸水前地基内外荷引起的附加应力在承压板下较为集中,压板周围基本无拉应力,而浸水湿陷后,由于土体结构的破坏、土体刚度的降低,应力发生重分布,使得压板周围一定范围内的土体出现较大的拉应力,承压板下应力分布较为均匀。但两者在地表下一定深度以下(约为地表下 5.0 m)应力状态趋于一致。浸水后地基在自重与附加荷载作用下的主应力(σ_1)变化等值线图见图 3-14。

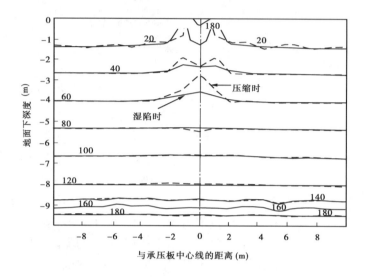

图 3-14　湿陷先后主应力等值线 （单位:kPa）

三、小结

(1)引入非饱和黄土的研究成果,利用数值方法表征黄土湿陷的应力—应变关系,采用非线性三维有限元、无界元耦合的方法对黄土地基从天然状态到非饱和增湿再到完全饱和的全过程进行仿真模拟,合理可行,是黄土湿陷性研究的一次有益的尝试,将对评价地基在不同浸水程度下的湿陷变形有重要的意义。

(2)湿陷的过程实质上是土体浸水后密度变化和本构关系发生变化而造成的土体内部应力重分布的过程,其变形也在应力重分布的过程中产生。

(3)非饱和黄土增湿湿陷随着含水量的增加而增加,在饱和度小于 80% 以前,湿陷随含水量增长的幅度较小,而饱和度大于 80% 时,这种增幅将显著增加。

(4)为了简化计算,以一个地基的增湿湿陷为例进行计算。显然,本方法计算渠道的湿陷过程也是可行的,只要将渠道衬砌板与土体也同时纳入计算范围,并一起用有限元进行离散即可。值得注意的是,为了考虑两者的相互滑移与脱开,应该在衬砌板与土体之间设置接触单元。

(5)应用该方法,并结合黄土渗透理论原理,将有可能对黄土湿陷变形随时间的发展过程进行模拟。

第三节　膨胀土特性及膨胀土渠基与渠道衬砌结构相互作用研究

一、膨胀土的工程性质

(一)膨胀土的膨胀机理及性质

膨胀土在我国分布很广,尤以珠江流域的东江、桂江、郁江和南盘江水系,长江流域的汉江、嘉陵江、岷江、乌江水系等地区分布最为集中。膨胀土的胀缩性变形给这些地区的工程带来了很大的危害。

膨胀土是一种特殊的黏性土,因此具有黏土的性质,即在黏性、塑性、压缩性、渗透性等方面与黏土性质一致。膨胀土中黏土矿物大部分以蒙脱石为主,并含有伊利石和其他杂质等多种矿物成分;膨胀土的主要化学成分有二氧化硅、氧化铝和氧化铁,其次还含有氧化钙、氧化镁、氧化钾及氧化钠等成分。从膨胀土的化学成分中可以看出,较活泼元素钾、钠、钙、镁等碱金属和碱土金属含量较高,所以在适当的气候,水介质与氧化还原等环境条件改变时还可进一步风化,使膨胀土的亲水性更强,胀缩变形更剧烈。

土的强度主要取决于土体本身的性质。一般来说,膨胀土在初始含水量较小时,具有较高的强度,然而当雨水或渠水渗入后,其强度迅速下降。此外,当土体内产生初始滑动位移后,强度也会随剪切位移的增大而下降,而且膨胀土强度下降也与膨胀土的超固结性表现出的应变软化特征有关,同时与剪切带剪切膨胀、吸水软化有关。

膨胀土特性主要包括胀缩性、超固结性、裂隙性及强度衰减特性等,这些特性与土的矿物成分、颗粒组成、土的生成历史及结构等因素有关。一般来讲,膨胀量随压力的增大而减小,其大小主要取决于初始含水量。初始含水量不等,在一定压力的情况下,土体浸水时,既可能产生膨胀也可能产生压缩。其膨胀力反映了膨胀土中矿物成分、结构特性的影响,并随初始含水量的增大而减小。失水收缩是膨胀土的又一特性,收缩性的大小除与土的矿物成分有关外,还与土的初始含水量有关,初始含水量越大,失水收缩后变形也越大,一般来说,收缩性越大,土体失水时产生的裂隙越发育。裂隙性是膨胀土区别于一般黏土而独有的特性,膨胀土的原状土无论分割成多小的土块,其内部都分布有许多裂隙,众多的裂隙为含水量的变化和湿胀变化创造了良好的条件,并产生更多的裂隙,从而引起抗剪强度的降低。

膨胀土主要由蒙脱石、伊利石等黏土矿物成分组成,这些矿物具有强烈的亲水性,另外,膨胀土特殊的微结构也使得膨胀土表现出遇水膨胀、失水收缩的特性。大量的研究表明,膨胀土的膨胀潜势主要受初始含水量和干密度的控制,初始含水量愈小,膨胀潜势愈大,但当初始含水量小于缩限时,膨胀潜势的增长就不明显了;而干密度愈大,膨胀潜势也就愈大。另外,上覆压力对膨胀也有抑制作用,这主要是因为土体上部受到较大的压力时,吸水膨胀中必然首先要克服外部压力的阻抗才能发生变形。因此,上部压力增大时,膨胀量将会随之减少;反之,压力减少则膨胀量增大。对于同一种土,在膨胀量随含水量增大的过程中,当含水量达到饱和时,膨胀量就达到了最大值。

膨胀土的密度一般很高,在含水量较低时表现为极高的结构强度,但随着含水量的增加,其强度指标急剧衰减。这种强度随含水量的变化而急剧衰减的特性也对其上的结构体产生较大的危害。膨胀土的渗透性一般很弱,但是由于其胀缩变化,其表面存在大量的裂隙,这些裂隙大大增加了膨胀土的渗透性,使得其表面一定范围内的土体很容易遇水饱和而发生膨胀。这些裂隙的存在也使得膨胀土的垂直渗透性较水平渗透性大很多倍。

如上所述,要计算膨胀土对渠道的作用,必须充分考虑膨胀土遇水膨胀、失水收缩、表层的强透水性和结构强度遇水大量衰减这三个方面的性质,只有充分考虑了膨胀土以上三个性质,才能达到符合实际的结果。

(二)陕西南部膨胀土典型渠段土性试验成果

对陕西安康地区典型渠段膨胀土的物理、力学性能进行了试验分析,试验结果如下。

1. 膨胀土的物理性质

测定膨胀土原状样的天然干密度值在 $1.56\sim1.72$ g/cm³ 之间,其干密度较其他土类(如黄土)的值要大,土体较为密实;含水量在 17% ~23.8% 之间。土体的液塑限较普通黏土值大得多,其液限含水量在 40.3%~45.6%,塑限含水量在 20.2% ~23.1%,塑性指数在 20.1~22.5,缩限含水量在 9.9%~11.9%,比重在 2.72 左右,颗粒组成中 $0.05\sim2$ mm 的沙粒含量占 11% ~24%,$0.005\sim0.05$ mm 的粉粒含量占 38.9% ~50.8%,$0.002\sim0.005$ mm 的黏粒含量占 11.8% ~16.2%,小于 0.002 mm 的胶粒含量占到 26.7%~29.5%。从颗粒含量上看,膨胀土的胶粒含量较大,达到 25% 以上,影响其性质的主要成分应该是胶粒。按塑性图分类,膨胀土一般被分为 CH 或 CI,即高液限黏土或中液限黏土,绝大多数为高液限黏土,按颗粒区分则一般被分在黏土类中。其体积收缩率也较高,在 33.6%~39.9% 之间。

2. 膨胀土的工程力学性质

原状膨胀土的静止侧压力系数是土体在无侧向变形的条件下,有效侧向应力与垂直侧向压力之比,通过试验得到膨胀土在饱和情况下的静止侧压力系数较非饱和情况下的静止侧压力系数值要大,饱和状态下的静止侧向土压力系数在 0.481~0.522 之间,非饱和情况下的静止土压力系数值在 0.338~0.491 之间。三组典型试验的静止侧向土压力系数的试验成果如表 3-2 所示。由静止侧压力系数 K_0 可以依照简化公式(3-16)得到土体的泊松比 μ。即:

$$\mu = \frac{K_0}{1 + K_0} \qquad (3-16)$$

通过原状土压缩性试验可知,膨胀土在非饱和状态下。100~200 kPa 压力段下压缩系数为 0.08~0.19 MPa⁻¹,属于中等压缩性土;在饱和状态下,在同样压力段下的压缩系数为 0.14~0.43 MPa⁻¹,也属于中等压缩性土。由此试验可以得到土体在相应压力段下的压缩模量,并可以折算出相应的变形模量。相应的压缩模量值在不饱和时为 7.69~21.28 MPa,饱和时的压缩模量的值在 2.12~10.87 MPa 之间。三组典型试样的压缩试验结果如表 3-3 所示。

原状膨胀土的渗透系数表现为垂直方向较水平方向大许多倍,主要原因是垂直方向上的裂隙较水平方向的裂隙发育的缘故,本次试验两者最大差别为垂直方向的渗透系数

表 3-2　三组典型膨胀土静止土压力系数试验成果

试样状态	1号样 ($\omega=17.6\%$, $\rho_d=1.72$ g/cm³)			2号样 ($\omega=20.3\%$, $\rho_d=1.59$ g/cm³)			3号样 ($\omega=23.8\%$, $\rho_d=1.56$ g/cm³)		
	σ_1 (kPa)	σ_3 (kPa)	K_0	σ_1 (kPa)	σ_3 (kPa)	K_0	σ_1 (kPa)	σ_3 (kPa)	K_0
非饱和状态	0	1	0.338	0	0	0.376	0	0	0.491
	50	4		50	3		50	7	
	100	10		100	5		100	28	
	200	34		200	26		200	68	
	400	85		400	95		400	167	
	800	222		800	259		800	367	
	1 200	394		1 200	425		1 200	557	
	1 600			1 600			1 600	768	
饱和状态	0	0	0.481	0	0	0.512	0	0	0.522
	50	4		50	12		50	18	
	100	19		100	24		100	36	
	200	67		200	64		200	78	
	400	67		400	157		400	170	
	800	389		800	387		800	397	
	1 200	579		1 200	600		1 200	585	
	1 600			1 600			1 600	830	

较水平方向上大 24 倍。

　　通过室内不饱和快剪、饱和快剪和饱和慢剪等三种试验方法,得到原状膨胀土不饱和时抗剪强度较饱和时的抗剪强度大很多的结论,说明膨胀土饱和后其结构强度衰减极大,其中凝聚力 C 值降低 18～30 kPa,内摩擦角降低 5.3°～6.5°。典型组试样土体的抗剪强度指标如表 3-4 所示。

表 3-3　膨胀土压缩试验成果

试样状态	压力 (kPa)	1 号样 ($\omega=17.6\%$, $\rho_d=1.72\ \text{g/cm}^3$)		2 号样 ($\omega=20.3\%$, $\rho_d=1.59\ \text{g/cm}^3$)		3 号样 ($\omega=23.8\%$, $\rho_d=1.56\ \text{g/cm}^3$)	
		a_v (MPa^{-1})	E_v (MPa)	a_v (MPa^{-1})	E_v (MPa)	a_v (MPa^{-1})	E_v (MPa)
非饱和状态	50	0.18	8.70	0.20	8.77	0.22	7.69
	100	0.10	13.89	0.18	9.17	0.22	8.70
	200	0.08	21.28	0.17	9.62	0.19	8.93
	400	0.06	25.64	0.16	10.84	0.18	9.50
	600	0.04	35.40	0.15	11.11	0.17	10.39
	800	0.03	50.00	0.13	12.78	0.15	12.05
饱和状态	50	0.32	4.95	0.78	2.12	0.66	2.65
	100	0.20	7.35	0.62	2.70	0.36	4.90
	200	0.14	10.87	0.43	3.91	0.32	5.59
	400	0.09	17.78	0.23	7.33	0.23	7.81
	600	0.08	21.16	0.13	12.99	0.13	13.42
	800	0.07	22.86	0.10	17.17	0.11	16.06

表 3-4　三组典型试样抗剪强度试验成果

土样编号	原始含水量 (%)	干密度 (g/cm³)	试验方法	强度试验		渗透试验	
				凝聚力 C(kPa)	内摩擦角 φ(°)	垂直 (10^{-5}cm/s)	水平 (10^{-5}cm/s)
1	17.6	1.72	不饱和快剪	80	22.5	1.49	0.612
			饱和快剪	50	16.0		
			饱和慢剪	20	25.5		
2	20.3	1.59	不饱和快剪	63	18.5	1.31	1.04
			饱和快剪	44	12.2		
			饱和慢剪	15	23.0		
3	23.8	1.56	不饱和快剪	52	21.0	2.15	0.897
			饱和快剪	35	15.7		
			饱和慢剪	12	26.3		

3.膨胀土的胀缩特性

通过原状膨胀土的无荷载膨胀量和有荷载膨胀量试验得到膨胀土在不同压力下的膨胀量。试验表明,试验土样的无荷载膨胀量为 1.7%～6.80%,膨胀量随着干密度的增加而减少。若破坏了土体的结构性,用扰动土进行试验,其膨胀性依然存在。总的看来,膨胀量随原始含水量的增加而减少,在常规密度范围内,膨胀量随着密度的增加而增加。其典型试样的膨胀试验如表 3-5 所示。

表 3-5　无荷载和有荷载膨胀量试验成果

垂直压力(kPa)	1 号样 ($\omega = 17.6\%$, $\rho_d = 1.72 \text{ g/cm}^3$)	2 号样 ($\omega = 20.3\%$, $\rho_d = 1.59 \text{ g/cm}^3$)	3 号样 ($\omega = 23.8\%$, $\rho_d = 1.56 \text{ g/cm}^3$)
10			0.48%
20		0.39%	0.44%
30	1.24%		0.43%
40			0.40%
50	1.04%	0.42%	0.14%
80	1.13%		
100		0.63%	0.10%
150	1.30%		
200	0.93%	0.49%	
250	0.87%		
300	1.62%	0.28%	
400	1.14%		
500	0.74%		
600	0.17%		
无荷载膨胀量	4.01%	2.70%	2.24%

二、膨胀土渠基与衬砌结构有限元数值方法研究

本节针对膨胀土地区 U 形混凝土渠道结构分析问题,试图利用室内的土性试验资料,采用有限元数值计算的方法来分析渠道衬砌板在膨胀力作用下的变形与应力情况。

混凝土 U 形渠道由于占地少、接近水力最优断面、结构整体性能强等突出优点,在渠道防渗工程中,特别是在小型渠道上得到广泛应用,取得了很好的经济效益和社会效益。U 形混凝土渠道在膨胀土地区应用,涉及到一个非常复杂的问题,就是如何计算膨胀土体对渠道衬砌结构的作用力,如何进行渠道衬砌结构的设计。解决膨胀土与 U 形渠槽之间的相互作用问题,计算衬砌结构的变形与应力状况,是在膨胀土地区使用 U 形渠道的关键性技术问题。以往研究 U 形渠道衬砌板的应力情况,一般采用挡土墙加反拱底板来计算,这样的计算方法首先不符合 U 形渠实际的受力状态;其次,作用于渠道衬砌板上的膨胀力如何确定也是一个非常棘手的事情。一般情况下,这种膨胀力是按照大量现场实测的膨胀力值,得到某一地区的统计值,再在设计上乘以一个经验折减系数得到。这些实测值是在现场完全约束的情况下测定的,也就是在完全约束的情况下膨胀土对衬砌板的

作用力,而实际上 U 形渠上各处对土体的约束是不同的,从而造成实际作用力与计算作用力的较大差别。另外,在现场测定时,也不能保证测定的约束刚度。大量的实测数据表明,由于实测时约束刚度的差别,造成实测膨胀力之间也相差极大。以上种种原因造成计算出的衬砌板的应力与实际相差极大,计算方法根本不能用来进行衬砌板的设计,实际工程中往往只能根据工程类比和经验进行设计,根本就不进行计算。这种状况的存在,极大地影响了设计水平的提高。基于上述情况,本章试图探索另一种方法来研究这个问题,即:将土体和衬砌板视为一个整体结构,将室内测定的土体膨胀量视为初应变作用于整体结构上,应用有限元数值方法计算衬砌板和渠基的应力和变形场,从而解决了膨胀土渠基上 U 形混凝土渠道的结构设计问题。这种方法较目前的方法显然是一个较大的进步。

1.数学模型及原理

针对 U 形混凝土渠道衬砌结构与膨胀土之间相互作用的研究,主要的目的是分析渠槽衬砌板上的应力,分析衬砌结构的变形,为特殊土上 U 形渠道的设计提供计算依据。这个问题的难点在于如何表示膨胀土的膨胀对衬砌结构的作用力。由上述可以知道,直接计算膨胀土对衬砌板的作用力值是很困难的,这里采用的方法是:将膨胀土与衬砌结构整体考虑,将土体在含水量变化时产生的膨胀看成一个施加于整体结构上的初应变,类似热应力,可以通过计算类似热应力相同的方法计算膨胀引起的整体结构的应力与变形,我们称之为计算膨胀土与渠槽相互作用的初应变法。可以看出,这种方法较直接求膨胀力的方法简单而合理,因为膨胀力与受到的上覆约束力影响较大,稍稍的松弛将使得膨胀力大幅度地衰减,在试验中无法保证测试的精度,膨胀力与约束刚度的关系如图 3-15 所示。另外,膨胀力是体积力,在实际结构中,其值也是随着 U 形渠道刚度的大小而发生变化的,作为一个已知量是不合适的。相反,膨胀量的试验测定较为容易,即使是现场测量也不是很困难,测量的精度也较高;另一方面,膨胀量在结构中主要受土性指标和土中含水量的大小控制,其与上覆压力的关系可以通过室内试验确定出来,因此为进行力学计算提供了有利的条件。

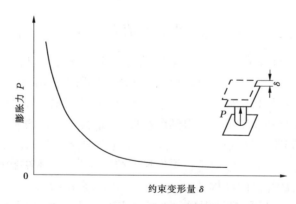

图 3-15 膨胀土的膨胀力与约束变形量的关系示意图

土体材料本身是非线性的,但是为了简化计算,这里假定土体为线弹性的,采用平面应变有限元法进行计算,在计算中认为土体已经在自重下固结,原自重应力不再产生应变,只计入其应力值,这样土体自身的应力只按初始应力场考虑。计算中整体结构有三种荷载：

(1)衬砌板的自重荷载。计算时按体积力施加于结构之上。

(2)土体计算范围内的浸水后的水量重量。膨胀土膨胀是外部水量入侵的过程,因此浸水后水量会增加,其增加的量是作用在结构上的有效荷载。这部分的计算也通过土体饱和与非饱和之间自重的差别计算,按体积力进行计算得到。

(3)渠道中的渠水压力。

计算中假定,计算范围内各处土体的膨胀是相等和均匀的,土体膨胀只发生在渠槽以下一定范围内,在这个范围内部土体达到了饱和。

那么,结构的总应变包括弹性应变和膨胀引起的初始应变两部分,即:

$$\{\varepsilon\} = \{\varepsilon\}_e + \{\varepsilon\}_h \tag{3-17}$$

式中　$\{\varepsilon\}$——总应变矩阵;

　　　$\{\varepsilon\}_e$——弹性应变矩阵;

　　　$\{\varepsilon\}_h$——由于膨胀引起的初应变矩阵,$\{\varepsilon\}_h = [\begin{matrix} V_h & V_h & 0 \end{matrix}]$,其中 V_h 为单位体积的土体的膨胀量(以小数计),该值由室内侧限膨胀试验确定。

经过有限元离散后的整体结构平衡方程为:

$$[K]\{\delta\} = \{Q\}_h + \{Q\} \tag{3-18}$$

式中　$[K]$——整体刚度矩阵;

　　　$\{\delta\}$——节点位移向量;

　　　$\{Q\}_h$——由膨胀初应变引起的荷载向量;

　　　$\{Q\}$——由外荷引起的荷载向量,本次计算中就是衬砌板的自重和浸入水中的水重。

整体刚度矩阵由各单元刚度矩阵组合而成,其计算公式如下:

$$[K] = \sum_{i=1}^{n} [K]^e = \sum_{i=1}^{e} \int_{V^e} [B]^{\mathrm{T}}[D][B] \mathrm{d}V \tag{3-19}$$

式中　$[K]^e$——单元刚度矩阵;

　　　$[B]$——结构的应变矩阵;

　　　$[D]$——结构的弹性矩阵,对于平面应变问题的有限元而言,其值由下式计算:

$$[D] = \frac{E(1-\mu)}{(1+\mu)(1-2\mu)} \begin{bmatrix} 1 & \dfrac{\mu}{1-\mu} & 0 \\ \dfrac{\mu}{1-\mu} & 1 & 0 \\ 0 & 0 & \dfrac{1-2\mu}{2(1-\mu)} \end{bmatrix} \tag{3-20}$$

E、μ——材料的弹性模量和泊松比;

n——结构总单元的数量;

V^e——单元的体积。

膨胀荷载向量的计算式如下:

$$\{Q\}_h = \sum [Q]_h^e = \sum \int_{V^e} [B]^{\mathrm{T}}[D]\{\varepsilon\}_h \mathrm{d}V \tag{3-21}$$

式中　$[Q]_h^e$——发生膨胀的单元的膨胀荷载向量；

　　　V^e——发生膨胀的单元的体积。

单元外荷载向量也等于所有存在外荷的单元的外荷载向量的集合,即:

$$[Q] = \sum[Q]^e = \sum(\int_{V^e}[B]^{\mathrm{T}}\{q\}\mathrm{d}V + \int_{S^e}[B]^{\mathrm{T}}\{p\}\mathrm{d}S) \tag{3-22}$$

式中　$[Q]^e$——存在外荷的单元外荷载向量；

　　　$\{p\}$——单元的面力荷载向量；

　　　S^e——面力作用的面积；

　　　$\{q\}$——单元体积力荷载向量；

　　　V^e——体积力作用的单元的体积。

由式(3-9)可以求出各节点的位移值,而由单元位移值就可以用下式求出单元的应力与应变值:

$$\{\varepsilon\}^e = [B]\{\delta\}^e$$
$$[\sigma] = [D](\{\varepsilon\} - \{\varepsilon\}_h) \tag{3-23}$$

式中　$[\sigma]$——单元应力矩阵；

　　　其他符号含义同前。

2.计算范围与单元划分

用以上方法计算了一个半径为1.2 m的等厚度混凝土板 U 形渠,渠道衬砌板的厚度为 8 cm 和 16 cm 两种。其计算范围在水平方向取 3 倍的渠口宽度,垂直方向在渠道外取大气降水干湿影响深度的 2 倍,渠道内部考虑到渠道的入渗影响,取渠道渠水入渗深度的 2 倍。由于渠道水入渗影响范围以下的土层水分基本不变,土体密度也较大,认为不产生膨胀。而其下 1 倍入渗深度以下的土体在渠道水压力和渠道自重荷载及上部土体膨胀压力的影响下将不会产生压缩,计算中将其作为一个不可压缩边界。通过统计分析大量实测资料认为,膨胀土地区在天然降雨条件下土壤干湿变化层一般都在地面以下 2～3 m,这里取 2 m。渠道水入渗的深度目前尚无实测资料,但是分析膨胀土的渗透特性表明,膨胀土的渗透性主要受裂隙的影响,其自身的渗透性不大,而膨胀土裂隙深度一般与干湿变换层厚一致,因此渠道水入渗深度应该较干湿变化层厚度深,但也不会深得太多,本次计算中按 3 m 考虑。由此确定的计算断面及网格划分如图 3-16 所示。

由于衬砌板较薄,用常应变三角形单元将造成较大的误差,这里计算时采用 8 节点平面等参单元,为了改善单元的特性,采用了降阶高斯积分。

衬砌板与土体之间的接触面实际存在相对滑移的现象,应该设置接触单元进行模拟,但是为了简化计算,这里以整体考虑,认为两者的变形是协调的,不能相互错动、脱开。这样取可能会带来一定的误差,为了减少这样处理带来的误差,对两者接触面附近的有限元网格进行了加密。

由于渠道两侧对称,因此在计算中只计算渠道的一半,另一半按对称处理。计算时将渠道中心对称轴处水平方向支承设为固定的,垂直方向的支承设为自由的,另外,将计算范围外边界处水平方向的支承也设为固定的,垂直方向的支承同样设为自由的,而将计算范围的底边界设为两个方向均固定底支座。这样可以很好地模拟渠道和土体向上的膨胀位移。

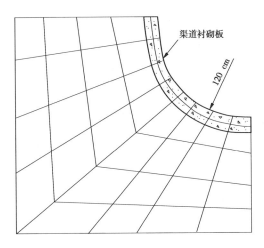

图 3-16 计算断面及网格划分

只有浸水饱和后土体才会产生膨胀,因此计算中将产生膨胀的土体范围定在渠道水入渗深度内,此深度以外的土体认为不产生膨胀。土体在达到完全饱和时产生的膨胀量最大,计算时认为渠道入渗深度内所有的土体均达到了饱和状态,按土体达到完全饱和时产生的膨胀量计算。

计算分 U 形渠道渠槽混凝土材料、饱和土体和非饱和土体三种材料考虑。每种材料根据试验取不同的计算参数。

3.计算参数

计算参数通过室内试验得到。其中物理指标如表 3-6 所示。

表 3-6 物理指标

取土地点	取土深度（m）	含水量（%）	湿密度（g/cm³）	干密度（g/cm³）	孔隙比	饱和度（%）	土名
陕南安康	1.0~1.5	23.8	1.93	1.56	0.75	86.6	CH

计算中所需要的土体的变形模量和泊松比可以用下式分别由压缩模量和侧压力系数求得:

$$E^s = E_p^s \left(1 - \frac{2(\mu^s)^2}{1 - \mu^s}\right) \tag{3-24}$$

$$\mu^s = \frac{K_0}{1 + K_0} \tag{3-25}$$

式中　E^s——土的变形模量;

　　　E_p^s——土的压缩模量,由压缩试验测定;

　　　K_0——土的侧压力系数;

　　　μ^s——土的泊松比。

不同压力下土体的压缩模量与静止侧压力系数值如表 3-7 所示,这样就可以计算出土体的变形模量和泊松比,其值也列在表 3-7 中。

表 3-7　土体压缩模量与泊松比试验值

项目	压力(kPa)						备注
	50	100	200	400	600	800	
E_p^s	2.65	4.9	5.59	7.81	13.42	16.06	饱和试样
E^s	2.03	3.74	4.31	6.01	10.32	12.32	
K_0	0.522						
μ^s	0.344						

考虑到土体实际的应力水平,通过多次试算比较,发现膨胀作用下土体的内应力在 0～70 kPa 之间,故选用 $E^s = 2.03$ MPa, $\mu^s = 0.344$。

衬砌板混凝土的标号为 C15,那么计算时选用混凝土的弹性模量 $E^c = 2.3 \times 10^4$ MPa,泊松比 $\mu^c = 0.176$,密度 $\gamma^c = 2.4 \times 10^3$ kg/cm³。

另外,不同压力下土体的膨胀性质也不同,膨胀量的选择也十分关键,其决定着荷载的大小。表 3-8 就是试验得到的不同压力下膨胀量的指标值,相应的曲线如图 3-17 所示。膨胀量作为一个初应变作用于结构之上。其大小主要决定于初始应力水平值的大小,应该根据自重应力的大小确定膨胀量的值,在计算范围内,自重应力平均值在 10～30 kPa 之间,在此应力作用下,从表 3-8 中查得膨胀量约为 0.44%,所以选单位体积膨胀量 $V_h = 0.44\%$。

表 3-8　不同荷载下得膨胀量 V_h

压力(kPa)	0	20	40	50	100
V_h(%)	2.24	0.44	0.40	0.14	0.10

注:取土地点在安康。

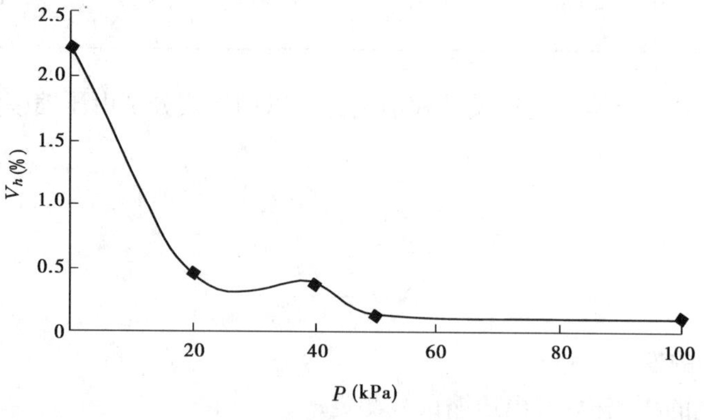

图 3-17　膨胀量与压力的关系曲线

4.计算成果

用以上方法计算了衬砌板厚为 8 cm 和 16 cm 两种 U 形混凝土渠道,计算得到渠道衬砌板位移值如表 3-9、表 3-10 所示,相应渠道表面位移曲线如图 3-18、图 3-19 所示。

表 3-9 板厚 8 cm 渠道位移

点号	位移(mm)		备注
	水平方向	垂直方向	
1	0	2.95	地表处
18	−0.19	3.11	地表处
23	−0.40	3.31	地表处
36	−0.76	3.83	地表处
45	−0.11	4.30	地表处
54	−1.77	5.36	地表处
63	−2.62	5.98	地表处
81	−4.67	7.51	地表处
166	−8.09	5.69	地表处
150	−8.43	5.31	地表处
200	0	1.35	渠道底部

表 3-10 板厚 16 cm 渠道位移

点号	位移(mm)		备注
	水平方向	垂直方向	
1	0	2.91	地表处
18	0.11	2.87	地表处
23	0.36	3.24	地表处
36	0.21	3.54	地表处
45	0.57	4.09	地表处
54	0.42	5.05	地表处
63	−0.07	5.43	地表处
81	0.15	6.73	地表处
166	−2.96	3.97	地表处
150	−2.94	3.64	地表处
200	0	2.04	渠道底部

从计算得到的渠道变形可以看出,土体遇水饱和后,由于膨胀的作用,渠道和两侧土体均向上抬起,渠口处不仅上抬量较大,且有缩窄的现象。其中厚 8 cm 的衬砌板口宽共缩窄 16.86 mm,渠道顶部上抬 5.31 mm,渠底中部上抬 1.35 mm。板厚为 16 cm 的渠道衬砌板最大缩窄 5.86 mm,衬砌板最大抬高 3.64 mm,渠道底部最大上抬 2.04 mm。计算结果符合实际规律。

5.计算结果与实际观测结果的对比分析

该渠道工程建成后,还在渠道上安设了观测仪器,进行了原型观测。实际渠道中没有板厚为 16 cm 的结构形式,只有板厚为 8 cm 的衬砌结构形式。实测的渠口两边最大上抬量为 12～22 mm,渠口最大缩窄量为 25～27 mm,缩窄和上抬量随着降水、渠道行水等因

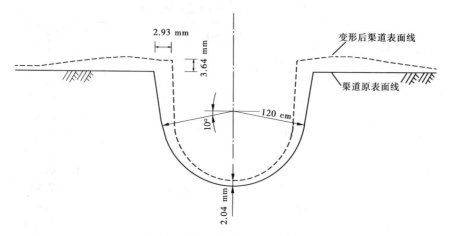

图 3-18　板厚 16 cm 渠道变形

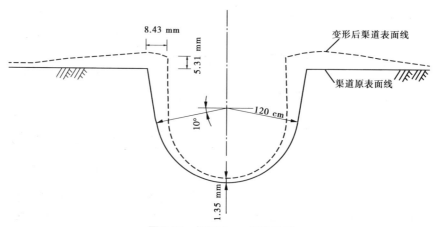

图 3-19　板厚 8 cm 渠道变形

素的变化而变化。实测结果表明,渠道实际变形形态与计算结果基本一致,只是计算的变形值与实际观测得到的值有较大的差别,计算得到的值普遍偏小。分析原因看,一方面实际测定值受混凝土施工质量(主要是混凝土标号和厚度)、测试精度等许多因素的影响;另一方面说明计算中的诸多简化可能对计算结果造成影响。造成计算与实测结果有差别的主要原因是,本计算方法中没有考虑土体的非线性和膨胀量与压力关系之间的非线性,若充分考虑这两个因素,将大大提高计算的精度。我们将在这方面继续做些工作。

　　虽然计算结果与实测结果有一定差别,但是两者计算的规律性是一致的,这充分说明了本计算思路的可行性和合理性,进一步的完善和改造将促使这种方法实用化。

　　本方法显然只是一个较为初步的成果,尚存在以下的问题:首先,该方法没有考虑渠基失水干缩时结构应力如何计算;其次,该方法目前只将土体按弹性材料考虑,没有考虑土体的非线性。但是计算结果表明,这种方法在思路上是可行的,也是彻底解决膨胀土渠道应力变形计算的一个较为有效的方法,有极大的发展前途。进一步将土体非线性特性、膨胀的非线性特征和干湿胀缩特性表示出来,将是解决膨胀土渠道衬砌板应力计算的一种有效的方法。同时,下一步以非饱和土理论为基础进行进一步的研究,将更容易得到符合实际的结果。另外,降雨对膨胀土渠道的影响也是下一步应该研究的内容。

第四节　特殊土渠道防渗设计

一、特殊土地区渠道设计的指导思想

目前渠道设计一般是依据水利部水利水电行业标准《渠道防渗工程技术规范》(SL 18—91)执行,但是该规范对特殊土渠道涉及的较少,只是提出渠道选线时尽量避开强湿陷性地基和膨胀土地基,并提出"对于弱湿陷性地基和新建的过沟填方渠道,可采用浸水预沉法处理","对于强湿陷性地基,可采用深翻回填渠基、设置灰土夯实层、打孔浸水重锤夯压或强夯等方法处理","对于膨胀土,可以用换填法处理"等工程措施。而目前工程建设发展迅速,工程规模也越来越大,渠道工程不可避免地需要修建在特殊土地区,有必要对特殊土地区渠道建设的各个方面进行研究。按照不同类型特殊土的特点和对渠道的危害机理,提出渠道设计的原则和指导思想将会大大有利于工程建设的发展,有利于工程质量的提高,避免工程设计事故的发生。

(一)湿陷性黄土渠道

湿陷性黄土在浸水前后的变形过程如图3-20所示。从图中可以看出,湿陷性黄土地基在浸水后不久和停止浸水后不久会发生两次较大的突然性沉降变形,第一次变形是由于土体结构的破坏,湿陷的发生引起,而第二次变形则是由于瞬间的固结变形引起的。这两次变形均会对上部结构产生危害。另外,土体的湿陷在经过一次的充分浸水后,其湿陷性将基本消除,再次浸水后黄土的形变表现就与普通黏性土基本一致。大量的工程实践表明,黄土的湿陷性可以通过预先的挤密、强夯、重塑回填等方法消除或基本消除。这些工程措施已经过了长期的工程应用,施工技术已经成熟,工程成本也不是太高。以上分析表明,黄土的湿陷性可以通过预先的工程处理措施的实施而消除或减弱。因此,黄土渠道设计时只要充分认识到地基对渠道的危害性,采取一些预先处理的措施,就可以防止湿陷性对渠道的危害。因此,我们提出湿陷性黄土渠道防渗设计的原则是:充分认识,预先处理,积极抵抗,综合防治。所谓充分认识就是一要充分认识到湿陷性对渠道结构的破坏作用,对之有足够的认识和积极的重视态度;二要重视前期的地质勘测和试验工作,对湿陷土层的性质、范围和湿陷强度要做到心中有数。往往在渠道设计中由于渠线较长,渠道设计等级较低,"充分认识"做得不够。"预先处理"是尽量充分利用湿陷性可以处理消除的特点,将湿陷性消除或减弱在渠道建设以前,避免其对渠道的危害。"积极抵抗,综合防治"是对于预先处理剩余的湿陷性,可以采用结构抵抗措施进行防治,同时,广大的湿陷性黄土地区均为寒冷地区,防治黄土湿陷性对渠道的影响还应该和防治冻胀的措施结合起来"综合防治"。

在湿陷性黄土渠道设计中,提出对黄土湿陷性主要通过"预先处理"的思路是符合湿

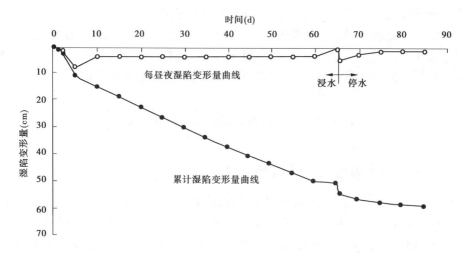

图 3-20　湿陷变形曲线示意图

陷性黄土地基特点的,也是黄土地区长期工程实践的总结。预先处理的方法一般有:预浸水法、翻夯渠基法、灰土夯实层法和对深厚湿陷性黄土层的打孔浸水结合强夯处理法、挤密法。这些方法均被证明是极为有效的。如:在黄土渠道工程中广泛采用的预浸水法在陕西冯家山、东雷抽黄灌区渠道中得到广泛的应用,取得了很好的效果,处理后基本消除了绝大多数黄土的湿陷。该方法是处理黄土湿陷的最古老的方法,适用于对较弱湿陷性和自重湿陷性的处理。在甘肃省靖会电力提灌渠道工程上广泛采用翻夯渠基法处理湿陷性黄土渠基,他们采用的翻夯的深度要求不小于 $1.0\sim1.5$ m,最大达到 4 m。翻夯后的干密度要求达到 $1.55\sim1.68$ g/cm³。打孔浸水结合强夯处理法在甘肃靖远三场电灌站干渠上进行了试验,该干渠试验黄土的湿陷系数为 $0.052\sim0.127$,自然干密度为 $1.1\sim1.3$ g/cm³,自然含水量为 $6\%\sim10\%$,打直径为 8 cm、深为 4 m 的孔,并在孔内填筑砂砾石,通过向孔内注水使得较深范围内的土体湿陷性得到削弱,并通过强夯进一步增加了渠基土的密度和承载力,该段渠道经过了多年的运行,效果良好。

(二)膨胀土渠道

膨胀土的胀缩性主要受土中含水量的控制,土中含水量的变化可能改变或削减其胀缩性,又对膨胀土的改性起着重要作用,目前该方面的研究尚不足。有资料表明,在膨胀土中添加石灰等可以改善膨胀土的胀缩特性,但是施工较为复杂,效果如何尚需要大量工程实践的检验。因此,对于膨胀土渠道渠基不能像湿陷性黄土地基那样进行预先的处理。另外,传统渠道衬砌设计的"保证渠基土体自身稳定,采用衬砌结构进行防护"的设计思路也不再适用,因为膨胀土渠基不仅自身不能稳定,而且还会对渠道衬砌结构有极强的破坏力。参照渠道防冻胀的最新研究成果,我们提出对于膨胀土渠基应该采用"适应、削减和局部抵抗,分级分类,综合防治"的设计原则。其核心在于尽量保持渠基土体的含水量不变。下面分别叙述如下。

1. 适应

膨胀土对渠道的破坏作用是非常大的,大量膨胀土地区建筑物的建设实践表明,采用单纯的结构抵抗措施来抵抗膨胀土的胀缩作用,其花费是巨大的。对于渠道工程,渠道衬

砌结构属于轻型建筑,其自重较小,结构较为单薄,采用单纯的结构措施更是困难。而渠道衬砌的主要目的在于:

(1)防渗,即防止渠道中的水渗漏到地下,造成水量的浪费,造成地下水位的抬升,恶化渠道两边的环境。

(2)减糙,也就是降低渠道输水的糙率,提高水流的流速,增大渠道的输水能力,缩短渠道的输水时间,从而减少渠道断面和占地,节约工程投资。

(3)防冲和保护基土,即防止渠道基土被水流冲毁,保证渠道的安全。

(4)其他,如防止渠道生长杂草、美观等作用。

只要满足这四个作用就可以达到衬砌结构的目的。衬砌结构不像其他结构一样有较为严格的位移和应力控制要求,适度的位移不会影响其作用的发挥。因此,我们提出"适应"的观点。也就是采用结构措施、工程措施对渠道基础土体的膨胀性进行适应,而不是完全的抵抗。"适应"应在以下几个方面进行:①采取适宜渠道变形并有利于自身复原的渠道断面形式;②采用适应渠道胀缩变形的衬砌结构形式。

膨胀土地区的地貌特征为小型的丘陵地区,一般天然的坡度较缓,在1:4~1:5之间,这给我们一个启示,即能够适应变形有利于恢复的渠道断面形式一定坡度较缓。大量的渠道工程实践表明,能够适应变形的渠道断面特征是:边坡平缓,坡脚弧形,或整个渠底是弧形,渠道呈宽浅式。一般称之为"适变断面"。大量渠道冻胀研究也证明了以上断面形式有利于适应渠道基础的变形。研究表明,许多原来设计为梯形的土渠,在经过多年的冻胀变形后,就自然演变为以上"适变断面"。对于膨胀土而言,由于其浸水后强度的剧烈衰减,这种"适变断面"的坡度将更缓。"适变断面"的形式如图 3-21 所示。

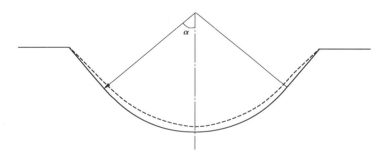

图 3-21　能够适应变形的渠道断面示意图

对于膨胀土而言,渠道断面底部最好为弧形或平底弧形坡脚,α 角最好不要大于 60°,这样就会达到较强适应变形的目的。对于衬砌结构,也要采用可以适应变形的结构形式。通过大量以往工程的总结和参考渠道抗冻胀结构形式,我们提出膨胀土地区渠道防渗的"柔性衬砌结构形式",其形式与原理如下:

该种衬砌形式是以复合土工膜为主要防渗层,以其他护面材料为保护层和防冲层的柔性复合结构。这种结构以目前广泛使用的一布一膜和两布一膜的土工布(不是塑料薄膜)为主要的防渗层,利用土工布延展性好、防渗性能好、又具有较好的界面抗滑性能的特点,作为防渗的主要材料,解决渠道防渗的问题;上层防护层可以选用刚性连接板或预制板等柔性连接材料承担渠道的降糙、防冲等作用,将渠道衬砌体的作用分担开来,既可以完成刚性衬砌结构所完成的功能,又可以防止膨胀的危害。其结构如图 3-22 所示。

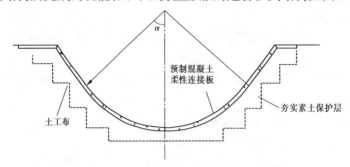

图 3-22　台阶形铺设柔性防渗结构形式

除图 3-22 所示的结构形式外,还可以有锯齿形铺设方式等,如图 3-23 所示。

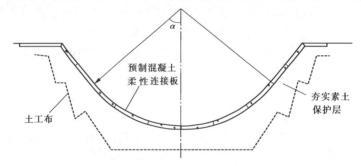

图 3-23　锯齿形铺设柔性防渗结构形式

其中,预制混凝土柔性链接板的形式如图 3-24 所示。

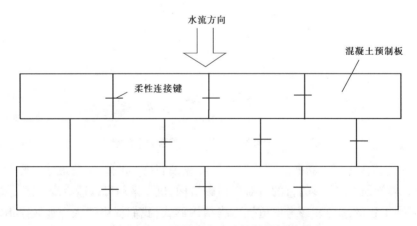

图 3-24　柔性混凝土连接防护板形式

另外,还可以采用干砌石等形式作为柔性防护层。在设计时应该将土保护层设计得较为薄一点,有利于膨胀后变形复原。使用带有加筋材料的复合土工布进行防渗也是一个较好的方法,这使衬砌结构的整体性会更好一点。值得注意的是,采用一般的农用塑料薄膜进行防渗时,由于薄膜较薄,在施工中极易刺破,而且在运行时较易被杂草穿破,使得失去防渗功能,因此建议不要使用。

2.局部抵抗

对于小型渠道,可以采用较为刚性的结构形式来抵抗膨胀力的作用,这些结构要求整体性能较强,在膨胀力的作用下结构整体上抬,不致使结构整体破坏。这样的结构形式有小型 U 形渠道、弧形渠底梯形渠道、加横撑的 U 形渠道、加盖板的 U 形渠道等。

对于较为重要的工程和设计标准较高的渠道工程,如大规模输水渠道、城市供水工程等,需要严格控制渠道的渗漏和变形,这时还是应该采用刚性结构形式进行渠道衬砌。衬砌工程的设计应该进行严格计算,确保结构的稳定。刚性结构形式主要是钢筋混凝土矩形渠道,辅助以削减膨胀的工程措施。就这种类型渠道我们提出以下新型结构形式,称之为侧向填充柔性材料的钢筋混凝土矩形渠道,如图 3-25 所示。

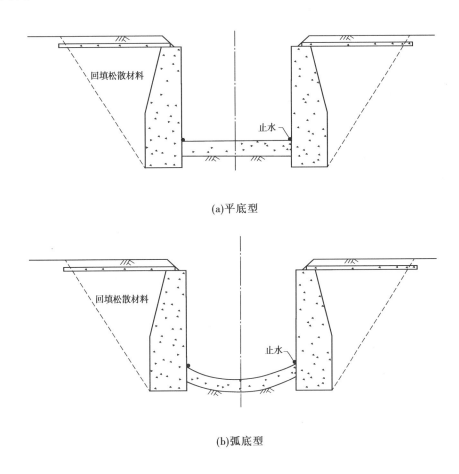

(a)平底型

(b)弧底型

图 3-25 侧向填充柔性材料的钢筋混凝土矩形渠道

这种刚性渠道衬砌形式的主要特点是采用钢筋混凝土矩形整体结构来形成一个抵抗膨胀力的整体,同时在膨胀力作用较为危险的渠道两侧用松散的材料进行回填,这些材料一方面可以起到支撑渠道侧边墙的作用,另一方面可以在土体膨胀时可以适当变形,使结构对土体膨胀的束缚大大减小,从而减小一部分侧向的膨胀力。渠道顶部设置横向盖板,可以较为有效地防止雨水的入渗。这样设计将可以承受渠道基础的膨胀作用。

3.削减

要发生膨胀或收缩,并对结构造成危害的必要条件有:

(1)具有膨胀性的基土存在;

(2)土体的含水量发生变化(含水量减少则收缩、增大则膨胀);

(3)与结构较紧密地接触。

"削减"就必须从这三个方面入手才能起到作用。从第一个条件看,采用换填的方法,将作用深度内的膨胀土用非膨胀的土类换填就可以达到"削减"膨胀危害的目的,但是这样做的工程量一般较大。对于较为重要的工程,或对于换填材料和人工廉价的地区,采用这种方法可以最为有效地解决问题。从第二个条件看,要使渠道基础下一定范围的土体的含水量保持相对稳定,采用的方法不外乎"上部防渗,下部排水",也就是通常所说的"隔"、"排"措施。"隔"就是防止渠道、大气或其他地方的水渗入土体中,主要有渠顶与渠底设置土工膜防渗,最大程度地防止渠道、大气和其他地方地下水渗入渠基中;"排"是在渠道防渗层以外一定深度处设置排水设施,尽快排除渠道水或大气水,使渠基土体水分保持平衡。陕西安康"八一"灌区采用"隔"、"排"等措施修建了小型 U 形渠道,运行多年效果良好。该渠道在渠道底部设置塑料防渗层,用于防止渠水下渗,设置砂砾石积水盲沟来排除渠底渗水,在适当的地方设置纵向排水出口,将积水排出渠外,并在渠道顶部设置拱盖,以增强渠道的整体性,图 3-26 为渠道的设计断面图。

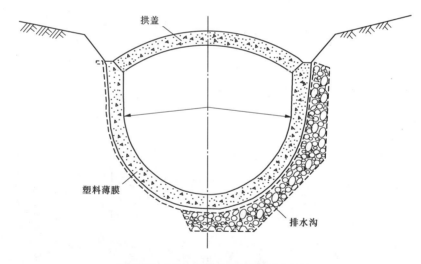

拱盖

塑料薄膜

排水沟

图 3-26 "八一"灌区 U 形渠道断面图

对于有些地区,还可以采用架空式渠道,或座槽式渠道,避免渠道与基土的接触或减少渠道与基础的接触面积,以达到防止膨胀危害的作用。座槽式渠道示意图如 3-27 所示。此种结构还可以在田间造成一定水压,有利于提高灌溉流速,并有利于推广低压管道灌溉技术。

4.分级分类,综合防治

对于小型渠道和大型渠道,由于渠道断面规模的不同应该分别处置。小型渠道应该以局部抵抗等措施为主,而大型渠道则应该以适应、削减等综合措施设计。总之,应该综

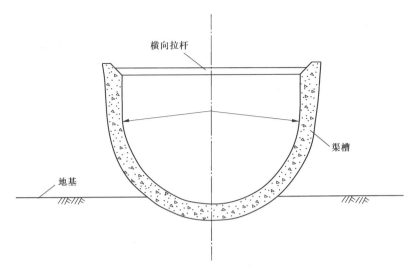

横向拉杆

渠槽

地基

图 3-27　座槽式渠道示意图

合利用各种措施,综合考虑膨胀土地区渠道衬砌工程的设计问题。

二、渠道防渗工程的设计标准

我国渠道防渗技术发展到今天,各种技术措施层出不穷,许多技术问题均或多或少地有一定程度的解决,但是还有一个问题一直没有得到应有的重视,那就是渠道防渗工程的设计标准问题。

我国目前渠道设计标准普遍偏低,许多工程明知道按设定的标准进行设计,工程的实际寿命只有 4~5 年,但是由于投资的限制或建设、设计单位的观念落后,仍然按低标准进行设计,致使工程质量不高。另外,我国渠道防渗工程的施工质量也需要提高。

渠道设计标准与国家的经济实力密切相关,在发达国家,渠道设计标准普遍较高,如:日本在渠道设计中绝大部分采用钢筋混凝土矩形渠槽,有的渠道还在矩形渠槽上加设盖板或横撑,这种刚性结构在寒冷地区还采用基础换填的方式直接改善渠道基土性质。这样做以后渠道的寿命普遍很高,渠道破坏的事故也较少发现,做到了一劳永逸。而过去由于我国经济力量的限制,不能有太多的资金进行工程建设,对于渠道防渗工程,采用标准一直较低,致使渠道防渗工程寿命偏低。

现在随着我国经济实力的增强,大规模基础建设的迅猛发展,我们认为是该考虑提高渠道设计标准和施工要求标准的时候了,设计标准提高将大大提高工程的质量,使我国渠道工程差、劣的局面大大改观。目前大规模输水工程的建设(如南水北调工程、各种跨流域调水工程)的开工建设,以及城市供水工程的建设,工程实际对渠道工程的要求越来越高,研究不同渠道工程的设计标准也迫在眉睫,遗憾的是这方面的研究目前较少。特殊土防渗技术研究从特殊土与衬砌结构相互作用的机理出发开始研究,也就是为了顺应这个发展趋势,为高标准渠道衬砌工程的设计与施工提供理论基础。

第四章　渠道防渗抗冻胀新材料、新型结构形式及新设备

第一节　高分子防渗保温卷材(SDM)

我国寒冷地区的渠道防渗工程,常采用聚苯乙烯泡沫板(以下简称苯板)为保温层、土工膜为防渗层、混凝土板为保护层的复合结构,分层铺设,逐步实施。经工程实践,尽管它起到了一定的防渗保温作用,但仍存在明显的缺陷:由于苯板具有一定的吸水性,在潮湿环境中,经冻融,吸水性逐渐增大,其保温效果逐年下降;土工膜与苯板之间的摩擦系数较小,易造成边坡滑动;性脆,施工中容易断裂,不仅影响施工进度,还会降低保温效果;防渗、保温两种材料,分层铺设,施工繁杂,造价偏高。针对这一问题,我们进行了具有防渗保温双重功能的新型卷材(SDM)的研制。

一、研制方法及主要技术经济指标

(一)研制方法

将高分子材料改性,运用交联发泡技术、表层膜塑、多层组合、S形重叠搭接等工艺,研制具有防渗、保温双重功能的新型卷材(SDM),与传统材料(塑膜和聚苯乙烯泡沫板)相比,其防渗、保温效果好,运输、施工方便,工程综合造价低。还可与无纺布复合,使其具有防渗、保温和平面导水等综合功能。

(二)主要技术经济指标

密度,$\geqslant$30 kg/m^3;吸水性,$\leqslant$80 g/m^2;压缩强度(压缩50%),$\geqslant$100 kPa;尺寸稳定性(−40~70 ℃),±1.5%;导热系数,$\leqslant$0.04 W/(m·K)。

二、性能检验

(一)卫生安全性

陕西省疾病预防控制中心对高分子防渗保温卷材进行了卫生安全性检验,结果表明,材料样品浸泡水后,色、浑浊度、臭味、肉眼可见物、pH值、溶解性总固体、耗氧量、砷、汞、镉、铬、铝、铅、钡、锑、锡、三氯甲烷、四氯化碳、挥发酚类等指标均符合《生活饮用水输配水设备及防护材料卫生安全评价规范》(2001)对饮用水输配水设备及防护材料的要求。

(二)物理力学性能

根据水利部西北水利科学研究所实验中心、西安建筑科技大学等单位对 SDM 材料的检测,高分子防渗保温材料主要性能指标见表 4-1。

对材料在不同压缩变形状态下的导热系数进行测试,其结果见表 4-2,从表中可以看出,SDM 材料受压后,在大变形的情况下,导热系数增大不显著,其保温性能受压缩的影响较小。

表 4-1　高分子防渗保温材料主要性能指标

项目			试验结果	试验依据
密度(g/cm³)			0.054	SL/T 235—1999
厚度(mm)			10.8	GB/T 6342—1996
单位面积质量(g/m²)			580	SL/T 235—1999
拉伸强度(kN/m)	纵向		3.94	SL/T 235—1999
	横向		3.49	
断裂伸长率(%)	纵向		172	SL/T 235—1999
	横向		143	
96 h 吸水率(%)	质量		1.34	GB 10801.2—2002
	体积		0.07	
不透水性(MPa)	单层		1.1	GB 18173.2—2000
	复合层面		≥0.8	
	搭接面		≥0.9	
低温弯折性(−40℃,1 h)	纵向		无裂纹	GB 18173.2—2000
	横向		无裂纹	
尺寸稳定性(%)	70℃,48 h	纵向	0.9	GB 10801.2—2002
		横向	0.9	
	−40℃,48 h	纵向	0	
		横向	0	
撕裂强力(N)	纵向		100	SL/T 235—1999
	横向		118	
CBR 顶破强度(N)			370	L/T 235—1999
刺破强度(N)			40	
人工处理后性能变化	冻融 10 循环	强度保持率(%)	纵向 103	SD 105—82 SL/T 235—1999
			横向 108	
		伸长率保持率(%)	纵向 102	
			横向 109	
	5% H₂SO₄ 溶液浸泡 7 d	强度保持率(%)	纵向 105	GB 12952—91 SL/T 235—1999
			横向 110	
		伸长率保持率(%)	纵向 115	
			横向 104	
	Ca(OH)₂ 饱和溶液浸泡 7 d	强度保持率(%)	纵向 114	
			横向 107	
		伸长率保持率(%)	纵向 123	
			横向 103	
	10% NaCl 溶液浸泡 7 d	强度保持率(%)	纵向 104	
			横向 102	
		伸长率保持率(%)	纵向 112	
			横向 110	
导热系数(W/(m·K))			0.038 0	GB 10801.2—2002

为了适应各种水头对材料抗压强度的要求,我们研制了 A、B 两种高分子防渗保温材料,其压缩性试验结果见表 4-3;常规压强、导热系数试验结果见表 4-4。

表 4-2 不同压缩变形状态下导热系数测定结果

压缩变形率(%)	6.67	17.8	36.7	45.6
导热系数(W/(m·K))	0.038 5	0.038 8	0.039 2	0.039 5

表 4-3 材料压缩性试验结果

压强(MPa)		0.01	0.03	0.06	0.09
压缩变形率(%)	A 型	6.67	17.8	36.7	45.6
	B 型	5.4	10.8	21.6	32.4

表 4-4 常规压强、导热系数试验结果

项目	苯板	A 型材料	B 型材料
压缩 50% 的压强(MPa)	0.24	0.11	0.22
导热系数(W/(m·K))	0.038 8	0.038 0	

三、室外试验

(一)保温效果试验

不同厚度的 SDM 板与苯板在不同地下水埋深条件下的地温观测结果见表 4-5。保温层厚度为 1 cm、3 cm 时,苯板下基土温度与 SDM 板下基土温度很接近,以苯板下基土温度略高;保温层厚度为 5 cm、7 cm 时,苯板下基土温度低于 SDM 板下基土温度。从温度变化的总体规律看,随着保温层厚度的增加,SDM 板下基土温度由低于苯板下基土温度,逐渐变为高于苯板下基土温度,并且随保温层厚度的增大,两种保温板下基土温度差值增大。原因是:SDM 板的压缩性大于苯板,在厚度较薄时,由于压缩变形的不均匀性使其保温效果偏低;随着厚度的增加,压缩变形的不均匀性对保温效果的影响逐渐减小,从而形成了上述保温层下基土温度的变化规律。由此可见,SDM 板的保温效果略高于苯板。

(二)抗虫害试验

在苯板保温防冻试验过程中发现,苯板有被虫蛀食的现象,为验证 SDM 板是否也有类似的情况,于 2001 年同时把面积 1.0 m×1.0 m、厚 0.05 m 的两种材料埋置于地下。经过两个夏季,2003 年 10 月刨出,对比虫害情况。

苯板在 10 cm×10 cm 的范围内,虫蛀 5 个大坑,深度 2.0 cm,已经呈连续状。另有 121 个虫蛀食形成的坑,面积大小不等,大的有手指大小,小的有黄豆大小,深度最大的有 0.5 cm。板的一头有 76 cm 被虫蛀食,坑呈连续状,最大深度为 1.8 cm。SDM 板有 3.5 cm×3.5 cm 范围被虫蛀,深度 1.0 cm 左右;另出现 22 个小坑,有黄豆大小。可见 SDM 板抗虫害能力强于苯板。

表 4-5　SDM 板与苯板保温情况的地温观测成果　　　　　　　　（单位：℃）

地下水位埋深(cm)	10		60		100		200	
材料厚度(cm)	1		3		5		7	
材料类别	苯板	SDM 板	苯板	SDM 板	苯板	SDM 板	苯板	SDM 板
混凝土上	−3.65	−3.39	−5.02	−4.57	−5.27	−5.15	−5.80	−6.40
保温层上	−3.79	−3.95	−5.18	−4.95	−5.25	−4.62	−5.93	−6.08
保温层下	−0.23	−0.34	1.82	1.77	2.75	2.83	2.82	2.99
基土 5 cm	0.28	0.32	1.94	1.93	2.88	2.95	2.95	3.13
基土 10 cm	0.62	0.64	2.16	2.10	3.07	3.12	3.09	3.33
基土 15 cm	0.96	0.97	2.42	2.36	3.29	3.34	3.26	3.48
基土 20 cm	1.38	1.33	2.71	2.63	3.53	3.59	3.44	3.68
基土 30 cm	1.99	1.95	3.29	3.17				
基土 40 cm	2.63	2.59	3.80	3.71	4.52	4.6	4.20	4.55
基土 50 cm	3.21	3.22	4.82	4.70				
基土 60 cm					5.47	5.53	5.03	5.37
基土 80 cm					6.41	6.49	5.87	6.22

把 1993 年埋铺的苯板揭开 1.0 m×0.69 m 观察其虫害情况：有三处虫蛀集中条带，蛀食坑洞已经呈连续状，深 2.8 cm，面积分别为 90 cm×10 cm、57 cm×10 cm、40 cm×5 cm，占整块面积的 24.2%。另有直径为 2 cm 的蛀透孔 5 个和宽度 2 cm、深度 1.0 cm、长 10 cm 的深沟 1 条。1993 年埋设的苯板立面裸露部分，被虫蛀食的地方已经连续成片。另揭开 40 cm×35 cm 的苯板，有 4 个蛀透孔和 3 条深约 1.0 cm 的蛀沟，还有面积为 35 cm×10 cm 和 32 cm×6 cm 的蛀食集中带，坑已经成片，4 cm 的板已经被蛀透。

蛀食保温板的害虫为潮虫，揭开呈聚集状；形成规则孔、沟的害虫为蝉的幼虫，在空洞的口有蝉蜕。

试验结果表明，虫蛀对苯板破坏作用很强，长期处于适合潮虫生长的潮湿环境，很难保证苯板的长期有效性。SDM 板的抗虫害的能力优于苯板，其保温有效期也相对较高。

（三）工程应用试验

2003 年在河北省石津灌区徐湾分干渠上进行了 SDM 板与苯板工程应用试验。试验段渠道呈东西走向，全长 40 m，SDM 板与苯板试验段各 20 m。试验段采用 10 cm 厚现浇混凝土板＋保温材料衬砌结构，保温层厚度：阳坡 3 cm；阴坡、渠底 5 cm。主要观测保温层上、下表面及基土温度变化过程。

（1）保温层下基土表面温度变化过程对比：负气温期保温层下基土温度变化过程线见图 4-1。阳坡，SDM 板下基土温度高于苯板下基土温度；阴坡，在进入稳定负气温前，苯板下基土温度比 SDM 板下基土温度稍高一些，进入稳定负气温后，SDM 板下基土温度比苯板下基土温度稍高。可见 SDM 板的保温效果优于苯板。

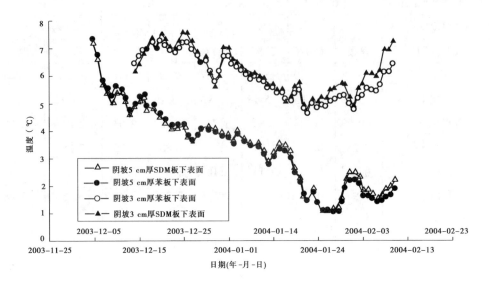

图 4-1　SDM 板与苯板下温度过程线对比

（2）保温层下地温分布：最低温度期保温层下基土温度沿深度分布情况见表 4-6。阳坡 3 cm 厚和阴坡 5 cm 厚两种保温材料对比，SDM 板下基土温度高于苯板下基土温度，可见 SDM 板保温效果优于苯板。

表 4-6　最低温度期保温层下地温分布情况　　　　（单位：℃）

观测位置	阳坡		阴坡	
保温层厚度	3 cm		5 cm	
保温材料	SDM 板	苯板	SDM 板	苯板
保温层下 0 cm	4.68	4.60	1.04	1.02
保温层下 5 cm	4.90	4.71	1.35	1.31
保温层下 10 cm	5.17	4.97	1.60	1.55
保温层下 20 cm	5.74	5.45	2.26	2.09
保温层下 30 cm	6.28	5.93	2.88	2.60
保温层下 40 cm	6.76	6.33	3.52	3.17
保温层下 60 cm	7.63	7.06	4.64	4.30
保温层下 80 cm	8.31	7.67	5.88	5.32

通过室内外试验证明,高分子防渗保温卷材与常规材料(膜料防渗、苯板保温)相比有以下优点:①集良好的防渗、保温双重功能于一体,运输方便,施工简单,易于实施,能加快工程进度,保证工程质量;②吸水率小,保温效果较稳定,耐久性较好;③具有较好的弹性和伸长率,可使渠道防渗结构的受力状况得到改善;④防虫害的能力较强;⑤无毒,耐腐蚀。

经测算,高分子防渗保温材料的铺设施工费用低于苯板和土工膜,工程综合单价较低,见表4-7。

表 4-7　工程综合单价比较

厚度(mm)	复合土工膜 + 苯板(元/m²)	高分子防渗保温材料(元/m²)
3	38.63	38.2
4	44.89	44.5
5	51.14	50.80
6	57.4	57.00
7	63.66	63.30
8	69.91	69.60

通过材料性能的室内外试验、工程实践和工程单价比较,高分子防渗保温材料能满足防渗保温工程的技术要求,具有一定的先进性、实用性和可操作性,可提高工程的耐久性,工程综合造价低,经济效益显著。其性能指标见表4-8。

表 4-8　高分子防渗保温卷材的性能指标

项目		技术指标
密度(kg/m³)		40~60
吸水率(浸水 96 h)(体积百分数,%)		<1.0
不透水性(30 min,无渗漏)(MPa)		≥0.8
断裂拉伸强度(kN/m)		≥3.0(厚度为 1 cm)
断裂伸长率(%)		≥100
CBR 顶破强度(N)		≥300
刺破强度(N)		≥30
压缩强度(压缩 10%)(kPa)		≥30
压缩恢复率(压缩 10%)(%)		≥98
尺寸稳定性(−40~70 ℃)(%)		≤±1.5
冻融 200 次循环	强度保持率(%)	≥95
	伸长率保持率(%)	
导热系数(W/(m·K))		≤0.04

第二节　新型填缝止水材料

　　灌溉渠道一般多用刚性材料进行防渗衬砌,其伸缩缝和接缝止水材料费用,在国外一般占工程总费用的10％左右,国内占3％～4％。在《渠道防渗工程技术规范》(SL 18—19)中规定,刚性材料渠道防渗层的伸缩缝宜用焦油塑料胶泥填筑,或缝下部填筑焦油塑料胶泥,上部用沥青砂浆或水泥砂浆填筑;有特殊要求的伸缩缝,宜采用塑料止水带等材料处理。工程实践证明,焦油塑料胶泥的性能可满足工程要求,价格也适中,但施工繁杂,材料浪费大;聚氯乙烯止水带抗冰冻性能较差。针对这一问题,我们进行了新型填缝止水材料氯化聚乙烯(CPE)止水带(管)的研究。

一、研制方法及特点

　　氯化聚乙烯CPE止水管(带),是以氯化聚乙烯树脂为主体材料配以各种助剂和填料,经塑冻、混炼和挤出或压延等工艺而制成的。该材料为高弹性高分子化合物,与专用胶粘剂配套使用,在－40～80 ℃范围内性能良好;具有抗拉、抗撕裂强度高,延伸率大;抗渗透性、抗穿孔性强,耐腐蚀、耐酸碱、耐臭氧、耐油性、耐老化性以及阻燃性优良等特性;对地基冻胀或沉降、混凝土伸缩变形的适应能力强;重量轻,黏结性能好,可冷施工操作,工序简单,劳动强度小,工效高,造价低。经检测,材料性能符合国家标准《氯化聚乙烯防水卷材》(GB 12953—91)中 I 型合格品级的要求。

二、材料规格和技术性能指标

　　材料规格见表4-9,技术性能指标见表4-10。

表4-9　CPE止水管(带)及其配套材料的规格

材料名称	用途	规格	备注
止水带	止水主体	厚度:1.2～2.0 mm 宽度:120～250 mm 长度:30 m/卷	可按现浇或预制施工方法采用不同形式止水带
止水管	止水主体	外径:11～22 mm 壁厚:1.5～3.0 mm 长度:50 m/卷	按缝宽选用
胶粘剂	粘贴卷材和黏结卷材之间的接头	专用胶粘剂5 kg/桶	若要加速固化,可掺入胶粘剂重量10％的列可钠。 胶粘剂用量:0.7 kg/m²

表 4-10　CPE 止水管(带)的技术性能指标

项目	性能指标	项目		性能指标
外观质量	无气泡、疤痕、裂纹、黏结和孔洞	热老化处理	拉伸强度变化率	+50% −20%
			断裂伸长率变化率	+50% −30%
拉伸强度	不小于 5.0 MPa			
断裂伸长率	不小于 100%		低温弯折性	−20 ℃无裂纹
热处理尺寸变化率	不小于 3.0%	人工候化处理	拉伸强度变化率	+50% −20%
			断裂伸长率变化率	+50% −30%
低温弯折性	−40 ℃无裂纹			
抗渗透性	0.2 MPa/24 h 不渗水		低温弯折性	−20 ℃无裂纹
抗穿孔性	不渗水	水溶液处理	拉伸强度变化率	±30%
剪切状态下的黏合性	不小于 2.0 N/mm		断裂伸长率变化率	±30%
			低温弯折性	−20 ℃无裂纹

三、使用方法

(一)渠道混凝土衬砌板的伸缩变形缝止水

1. 现浇混凝土衬砌板的变形缝止水

现浇混凝土衬砌板变形缝止水施工工序见图 4-2。

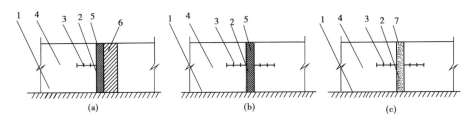

图 4-2　现浇混凝土衬砌板变形缝止水施工工序
1—渠基;2—M2.5 水泥砂浆板条;3—止水带;4—混凝土;5—缝子板;6—模板;7—锯末水泥砂浆

在符合设计要求的渠基上,先立模板,在紧靠模板内侧安设 M2.5 水泥砂浆板条(宽 2 cm,高为衬砌板厚的 1/2)和缝子板,中间按设计尺寸如图 4-2(a)所示夹入止水带,然后浇筑混凝土;待混凝土凝固后,拆除模板,放平止水带,再浇筑侧旁混凝土衬砌板(见图 4-2(b));最后,取出缝子板,填筑锯末水泥砂浆(见图 4-2(c)),即完成。

2.预制混凝土衬砌板的变形缝止水

预制混凝土衬砌板变形缝止水结构见图4-3。

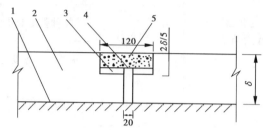

图4-3 预制混凝土衬砌板变形缝止水结构 （单位：mm）

1—渠基；2—混凝土预制板；3—水泥砂浆补平层；

4—止水带；5—C15细粒混凝土或水泥砂浆

（1）基层要求及处理：①粘贴止水带的基层面必须坚实平整、干燥洁净、无错台或凹凸不平、蜂窝麻面、灰渣、油污、泥土等；②平整度用1 cm长的靠尺检查，空隙只允许平缓变化，且不大于5 mm；③平整度不符合要求者，可用凿除的方法处理，或用1∶2.5水泥砂浆填平、抹光；④蜂窝用水泥砂浆填补平整，麻面用水泥净浆填补平整；⑤填补用的水泥砂浆或水泥净浆中，均要添加适量的水溶性胶粘剂（如107胶等），以增加其与填补面的黏结；⑥填补前，要清除填补面的松散层、灰渣、油污、泥土等杂物，并使其湿润；⑦涂刷专用胶粘剂时，基层必须干燥。

（2）止水带的铺贴和封边：将止水带在变形缝旁侧顺长方向展开，在基层和止水带面上同时涂刷专用胶粘剂，要求涂刷均匀，不准有漏刷或堆积现象，晾置5~10 min，待基本干（以不粘手为度）后，即可铺贴。铺贴时，将止水带提起，使胶面朝下，对准变形缝位置，从基面一端逐步推压向另一端进行固定，用特制的板刷，从止水带的中部向两侧压赶空气，不准有皱褶、空洞、起鼓、翘边现象存在，使止水带与基层紧密黏结。然后，用配制好的水泥胶浆（专用胶粘剂掺水泥）进行封边。

（3）止水带的接头或节点处理：纵横向变形缝相交的节点和止水带的接头，应先用对接方式铺贴好，并封边，然后在对接处粘贴一加强层，且要求接缝两侧的搭接长度不小于50 mm。

（4）填塞保护层：止水带铺贴完毕24 h后，采用C15细粒混凝土或水泥砂浆填塞保护层，并要填平抹光。

3.CPE止水管用于混凝土衬砌板的变形缝止水

混凝土衬砌板变形缝止水结构见图4-4。

（1）缝壁要求及处理：与预制混凝土衬砌板的变形缝止水中的基层要求及处理相同，缝宽宜用10 mm，缝底填砂。

（2）止水管的塞置：将止水管在变形缝旁侧顺长方向展开，在缝壁和止水管上同时均匀涂刷专用胶粘剂，晾置5~10 min，待基本干（以不粘手为度）后，用特制的夹具夹起止水管顺直置入缝内，使止水管与缝壁紧密黏结，不准有皱褶、空洞现象存在。

（3）止水管接头或节点处理：止水管的接头，先用外径等于止水管内径的CPE套管将止水管对接，接缝两侧的套接长度不宜小于50 mm，再用配制好的水泥胶浆（专用胶粘剂掺水泥）封缝。纵横向变形缝相交的节点，先用专用胶粘剂黏结，再用水泥胶浆封缝。

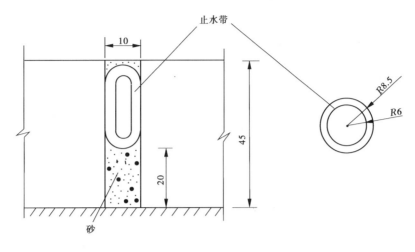

图 4-4　混凝土衬砌板变形缝止水结构　（单位:mm）

(4)填塞保护层:止水管塞置完毕 24 h 后,用水泥砂浆填塞保护层,并要填平抹光。

(二)钢筋混凝土渡槽的伸缩变形缝止水

渡槽变形缝止水结构见图 4-5。

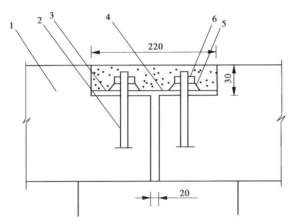

图 4-5　渡槽变形缝止水结构　（单位:mm）
1—槽体;2—锚固螺栓;3—基层;4—止水带;
5—钢压板;6—垫圈和螺帽

(1)基层要求及处理:与预制混凝土衬砌板的变形缝止水类同。

(2)止水带的铺贴和封边:将按设计尺寸打好孔的止水带在变形缝旁侧顺长方向展开,在基层和止水带面上同时涂刷专用胶粘剂,要求涂刷均匀,不准有漏刷或堆积现象,晾置 5~10 min,待基本干(以不粘手为度)后,将止水带提起,使刷胶面朝下,对准变形缝螺栓位置套入,并从槽底中部基面分别向两端逐步推压固定,用特制的板刷,从止水带的中部向两侧压赶空气,不准有皱褶、空洞、起鼓、翘边现象存在,使止水带与基层紧密黏结。再用配制好的水泥胶浆进行封边,然后安设钢压板,套入垫圈,旋紧螺帽。

(3)止水带的接头处理和保护层填塞,与预制混凝土衬砌板的变形缝止水类同。

(三)涵洞的变形缝止水

参照渡槽变形缝止水的方法实施和操作。

(四)水闸的变形缝止水

参照渠道混凝土衬砌板变形缝止水的方法实施和操作。

(五)闸门止水

用 CPE 止水带和专用胶粘剂分别替代常用橡胶止水带和环氧树脂,其止水结构不变。

第三节　新型土壤添加剂

研究将土壤添加剂喷在土渠的渠床表面,使其自然入渗,形成一定厚度的防渗固结层,以达到防渗的目的。新型土壤添加剂是我国渠道化学防渗新材料和先进技术,其特点是:防渗效果好,原料来源容易,生产成本较低,不扰动渠床土,施工简易,综合造价低,易于实施。如瑞典和苏联曾利用含重铬酸钠的木硫酸盐、聚磷酯、聚丙烯酸酯等化合物作为土壤添加剂进行防渗,还有一些国家采用各种聚合物,如聚酯、聚酰胺、聚脲醛、聚烯类浆液、聚氨基甲酸酯泡沫塑胶、硅有机胶体化物等进行防渗,但这些防渗措施的费用都偏高。目前造纸废液已成为我国自然环境的一大公害,而对它的无污处理不仅费工、费时,而且收效甚微。虽然我国曾有人对在造纸工艺过程中用亚硫酸盐处理法生产的纸浆废液(俗称红液)进行防渗的试验研究,并取得一些成果,但现在我国造纸工业中大量使用碱处理法,这种纸浆废液(俗称黑液)中的木质素是一个反应活性很大的混合物。我们直接用造纸废液(黑液)为主要原料,再添加有机化合物发生共聚反应,合成新型土壤添加剂,喷入渠床,可减少渠道渗漏量 60% 以上,生产成本较低,原料来源广,不扰动渠床土,施工简易,有利于生态环境保护,应用推广前景广阔。

一、研制方法

利用造纸废液中的木质素所带的官能团如酚羟基、醇羟基的可反应性,通过共缩聚的方法合成出水溶性的土壤添加剂。

(一)木质素的结构

木质素是由苯基丙烷结构单元构成的天然高分子化合物。它是一种无定形热塑性的三维网状多聚物,其玻璃化温度随木质素分子量和化学结构的不同在 $127\sim193\,℃$ 之间变化。木质素的分子结构复杂,是具有分支的网络状结构分子。基本结构单元中包含的官能基有甲氧基、酚羟基、醇羟基,其结构单元如图 4-6 所示。

(二)反应机理

1. 共缩聚法合成木质素—酚醛树脂

木质素的结构单元上既有酚羟基又有醛基,因此在合成木质素—酚醛树脂时,木质素既可用做酚与甲醛反应,又可用做醛与苯酚反应,既可节约甲醛,又可节约苯酚。如木质素与苯酚先在碱性条件下反应,反应的中间体再与甲醛反应;或者木质素先与苯酚在酸性条件下反应,所得中间体再与甲醛在碱性条件下反应。

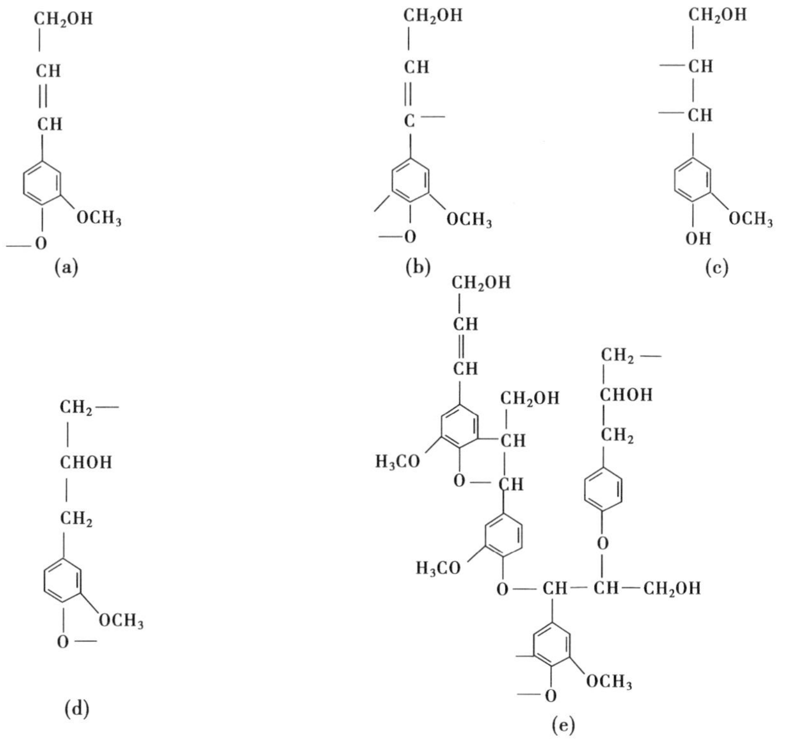

图 4-6　木质素结构单元示意图

2.自由基共聚法合成木质素——丙烯酸酯树脂

利用木质素结构中的双键与丙烯酸酯中的双键发生自由基型共聚反应,合成具有絮凝效果的胶粘剂。由于丙烯酸树脂形成的网络结构具有保水的效果,在抗渗的同时,还可防止水土流失。

3.共缩聚法合成木质素——脲醛树脂

以造纸废液中的木质素与尿素及其他助剂按比例先后掺混,送入反应器中进行改性合成,可得到水溶性的胶粘剂。将其喷洒到土壤的表面,通过控制溶液的酸碱度,在土壤表面形成交联的网络结构,达到防渗的目的。同时木质素——脲醛树脂也是一种木质素氮肥,它具有缓释、长效、抑制脲酶活性、提高氮肥利用率等作用。

(三)测试装置及条件

1.测试装置

测试装置如图 4-7 所示。

2.测试条件

实验室的测试都是在 5 m 高的水压下进行的,测试时土的密度均为 1.4 g/cm^3,渗水面积为 63.6 cm^2。渗水量的计算单位都是 L/(d·m^2)(每天每平方米渗水升数)。

(四)防渗试验

1.不同土壤添加剂的防渗效果

根据以上机理,我们以造纸废液为原料,分别加入不同的有机化合物合成了三种土壤

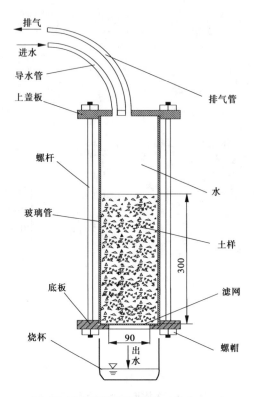

排气

进水

导水管

排气管

上盖板

螺杆

水

玻璃管

土样

300

底板

滤网

烧杯

90

出水

螺帽

图 4-7 测试装置示意图 （单位:mm）

添加剂,分别命名为:1号——造纸废液丙烯酸酯添加剂;2号——造纸废液酚醛树脂添加剂;3号——造纸废液脲醛树脂添加剂。分别将三种添加剂(用量均为 5 L/m²)喷洒到 A 土样(轻粉质壤土)表面,测试其防渗效果,结果见表 4-11 和图 4-8。

表 4-11 不同土壤添加剂的防渗效果

时间(d)	渗水量(10^{-3}L/(d·m²))				防渗效果(%)		
	A原土样	1号添加剂	2号添加剂	3号添加剂	1号添加剂	2号添加剂	3号添加剂
0.04	69.1	25.6	—	—	62.9	—	—
0.13	49.9	24.7	20.1	—	50.4	59.6	—
0.21	43.0	26.1	19.2	13.3	39.4	55.3	69.1
0.29	38.9	24.3	19.2	13.7	37.6	50.6	64.7
0.63	38.1	24.7	17.4	12.8	35.1	54.3	66.3
0.71	39.0	24.7	17.4	12.4	36.6	55.4	68.3
0.79	39.8	25.6	17.9	15.1	35.6	55.2	62.1
0.88	38.5	23.8	19.2	15.1	38.1	50.0	60.7
1.00	38.9	25.6	20.1	14.7	34.1	48.2	62.3
1.58	37.1	26.6	19.2	16.0	26.6	46.8	55.7
1.75	38.5	27.0	18.8	15.6	29.8	51.2	59.5
2.00	39.4	26.1	20.1	15.1	33.7	48.8	61.6
平均防渗效果(%)(计算时未包含前两行数据)					34.7	51.6	63.0

注:测试水的压差为 0.05 MPa。

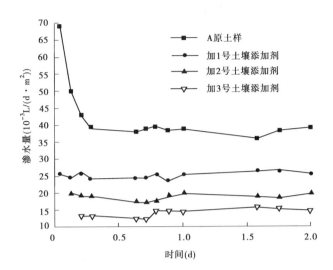

图 4-8 原土样 A 和分别加入三种土壤添加剂后的渗水量曲线

成本的计算(按 5 L/m² 用量计算):

1 号土壤添加剂单位面积原材料价格:2.423 kg(丙烯酸甲酯)×17 元/kg + 0.021 kg(聚乙烯醇)×10 元/kg = 41.40 元。

2 号土壤添加剂单位面积原材料价格:2.657 kg(苯酚)×10 元/kg + 1.357 kg(甲醛)×1.3 元/kg + 0.021 kg(聚乙烯醇)×10 元/kg = 28.54 元。

3 号土壤添加剂单位面积原材料价格:0.626 kg(尿素)×1.2 元/kg + 1.357 kg(甲醛)×1.3 元/kg + 0.021 kg(聚乙烯醇)×10 元/kg = 2.73 元。

对比表 4-11 和图 4-8 可知,3 号添加剂防渗效果最好,并且随时间的增加,防渗效果几乎不发生变化,而 1 号和 2 号土壤添加剂的防渗效果均比 3 号土壤添加剂差,且成本都比 3 号土壤添加剂高许多。因此,从防渗效果、成本、稳定性等方面考虑,3 号土壤添加剂是较为理想的。

2.土壤添加剂用量对防渗效果的影响

土壤添加剂用量不同,对防渗效果也有影响,为了获得最佳的性价比,我们以 B 土样中粉质壤土为对象,对土壤添加剂不同用量的防渗效果进行了研究,其结果分别见表 4-12 和图 4-9。

从表 4-12 中的数据可知,土壤添加剂用量为 5 L/m² 时,其防渗效果接近 60%,基本上能够满足防渗要求,因此后面的土坑试验本应选用这一用量。但由于土坑试验坑表面积较大,造纸废液不够,因此后面的土坑试验的实际用量只有 1.72 L/m²。

从图 4-9 可以看出,当土壤添加剂的用量从 2.5 L/m² 增加到 5 L/m² 时,防渗效果有明显的提高,而当土壤添加剂的用量从 5 L/m² 增加到 7.5 L/m² 时,防渗效果并没有很明显的提高。因此,综合考虑表 4-12 和图 4-9,选择土壤添加剂的最佳用量为 5 L/m²。

3.土壤添加剂对不同土质的防渗效果

(1)土壤颗粒分析。

为了研究土壤添加剂对不同土质防渗效果的影响,分别选用轻粉质壤土(A)、中粉质

表 4-12　土壤添加剂不同用量的防渗效果

时间(d)	渗水量(10^{-3}L/(d·m^2))				防渗效果(%)		
	B原土样	土壤添加剂用量(L/m^2)			土壤添加剂用量(L/m^2)		
		2.5	5.0	7.5	2.5	5.0	7.5
0.13	46.6	34.4	20.2	15.2	26.1	56.7	67.3
0.21	46.0	34.3	19.9	15.5	25.4	56.7	66.0
0.29	46.0	34.3	20.1	15.0	25.5	56.4	67.3
0.63	45.7	34.3	20.4	15.1	24.9	55.3	66.9
0.71	45.7	34.1	20.4	14.9	25.4	55.5	67.1
0.79	45.6	34.2	20.4	14.8	24.9	55.3	67.5
0.88	45.6	34.1	20.1	14.9	25.2	55.9	67.4
1.00	45.9	34.3	20.0	14.7	25.2	56.5	67.9
1.58	45.8	34.1	19.6	14.7	25.5	57.2	68.0
1.75	45.7	34.3	19.7	14.7	24.9	56.9	67.7
2.00	45.7	33.9	19.4	14.6	25.8	57.5	68.0
2.25	45.6	34.1	19.3	14.4	25.2	57.7	68.4
2.33	45.7	34.0	18.9	14.6	25.6	58.6	68.1
2.42	45.7	34.2	19.0	14.4	25.2	58.3	68.4
2.79	45.2	33.9	18.7	14.3	25.0	58.6	68.4
2.92	46.0	34.0	18.9	14.4	26.0	59.0	74.1
3.00	45.9	33.8	18.4	14.3	26.2	60.0	68.8
3.63	46.0	33.8	18.5	14.4	26.6	59.8	68.7
3.71	45.9	33.9	17.8	14.3	26.2	61.2	68.9
3.88	45.9	33.9	17.4	14.2	26.0	62.0	69.0
4.00	45.8	34.0	18.0	14.4	25.8	60.7	68.6
平均防渗效果(%)					25.6	57.9	68.0

注:测试水的压差为 5 m 高水柱。

壤土(B)和粉质黏土(C)进行了对比试验,各种土壤的颗粒分析如表 4-13 及图 4-10 所示。

表 4-13　土壤颗粒分析

土壤分类		粉质黏土	中粉质壤土	轻粉质壤土
实验项目		C土样	B土样	A土样
密度(g/cm^3)		2.72	2.70	2.69
颗粒组成(%)	砂粒(2~0.05 mm)	8.1	19.0	24.3
	粉粒(0.05~0.005 mm)	59.4	65.2	70.7
	黏粒(<0.005 mm)	32.5	15.8	5.0

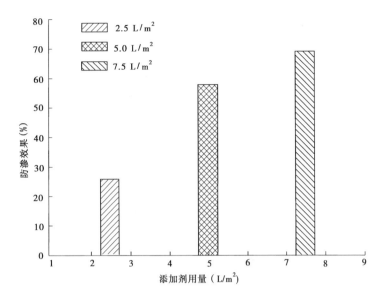

图 4-9 土壤添加剂用量对防渗效果的影响

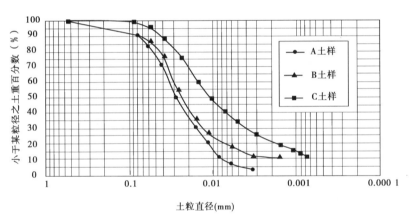

图 4-10 土壤颗粒大小级配曲线

（2）土壤添加剂对不同土质的防渗效果。

土壤成分不一样，土壤添加剂的防渗效果也有差异，为此，采用 3 号土壤添加剂，在相同用量的情况下，对 A、B、C 三种土的防渗效果进行了试验，结果见表 4-14 和图 4-11、图 4-12、图 4-13。

从表 4-14 的数据和图 4-11、图 4-12、图 4-13 中可见，土壤添加剂对 A 土样的防渗效果优于 B 土样和 C 土样，这与土样分析的结果是相符合的。A 土样颗粒大，黏性成分少，因此颗粒间孔隙相对多，在加入相同量土壤添加剂的条件下，土壤添加剂对土壤颗粒孔隙的填充效果较强，因此防渗效果最高。同样，B 土样的颗粒直径大于 C 土样，黏性成分较少，因此土壤添加剂对 B 土样的防渗效果优于 C 土样。C 土样颗粒小，黏性成分多，本身的防渗效果较好。由此，可得出结论，对于不同的土质，要想达到相同的防渗效果，其土壤添加剂用量应不相同,对颗粒直径大、黏性成分少的土壤用量应大于颗粒直径小、黏性成分多的土壤。

表 4-14　土壤添加剂对不同土质的防渗效果

时间(d)	渗水量(10^{-3}(L/(d·m²)))						防渗效果(%)		
	A原土样	A土样加土壤添加剂后	B原土样	B土样加土壤添加剂后	C原土样	C土样加土壤添加剂后	A土样加添加剂	B土样加添加剂	C土样加添加剂
0.04	69.1	—	—	—	7.2	3.7	—		49.0
0.13	49.9	—	46.6	20.2	6.6	3.7	—	56.7	44.8
0.21	43.0	13.3	46.0	19.9	6.6	3.8	69.1	56.7	44.7
0.29	38.9	13.7	46.0	20.1	6.4	3.8	64.7	56.4	40.7
0.63	38.1	12.8	45.7	20.4	6.4	3.8	66.3	55.3	40.0
0.71	39.0	12.4	45.7	20.4	6.5	3.7	68.3	55.5	43.7
0.79	39.8	15.1	45.6	20.4	6.5	3.8	62.1	55.3	42.7
0.88	38.5	15.1	45.6	20.1	6.6	3.8	60.7	55.9	42.1
1.00	38.9	14.7	45.9	20.0	6.4	3.8	62.4	56.5	41.0
1.58	36.2	16.0	45.8	19.6	6.5	3.7	55.7	57.2	43.7
1.75	38.5	15.6	45.7	19.7	6.4	3.7	59.5	56.9	42.1
2.00	39.4	15.1	45.7	19.4	6.6	3.8	61.6	57.5	42.2
平均防渗效果(%)							63.0	56.3	42.6

注:①水的压差为 5 m 高水柱;②土壤添加剂用量为 5 L/m²。

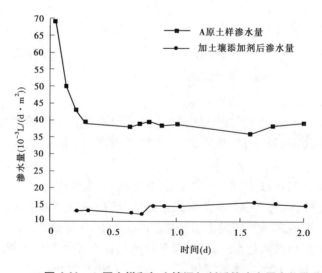

图 4-11　A原土样和加土壤添加剂后的渗水量变化曲线

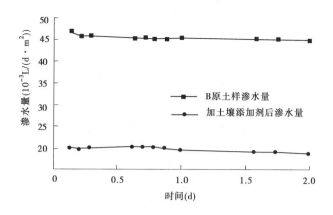

图 4-12　B 原土样和加土壤添加剂后的渗水量变化曲线

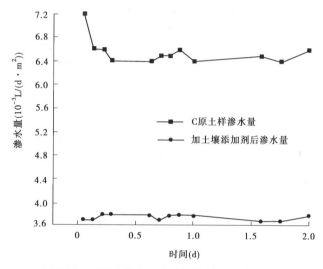

图 4-13　C 原土样和加土壤添加剂后的渗水量变化曲线

4. 室外土坑试验

在以上室内试验的基础上,在室外进行了土坑试验,土坑示意图见图 4-14,测试结果见表 4-15。

从表 4-15 的数据和图 4-15、图 4-16 可以看出,在土坑试验中土壤添加剂的防渗效果平均达到了 48.7%。这个防渗效果与预定的 60% 有些差距,是因为受到三个因素的综合影响:①由于土坑试验坑的表面积大,所需要的土壤添加剂量大,试验中没有准备足够的造纸废液来合成土壤添加剂,致使实际用量比最佳用量(5 L/m²)少很多,只有1.72 L/m²;②虽然土坑试验现场的土与 C 土样大致接近,但是相同量的土壤添加剂对不同土样的防渗效果是不一样的,这已经在前面的试验中得到证实;③实验室的渗水试验是在 5 m 高的水压下进行的,而土坑试验的水压只有不到 1 m,渗水量应减少。根据这三方面的因素,如在试验坑表面喷洒(5 L/m²)足够的土壤添加剂,防渗效果应比实验室的有所提高。

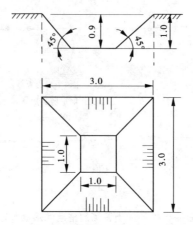

图 4-14 土坑试验示意图 （单位:m）

表 4-15 室外土坑试验结果

时间(d)	渗水量(10^{-3}L/(d·m²))		防渗效果(%)
	原土样渗水量	加土壤添加剂之后渗水量	
0.04	11.7	5.9	49.6
0.13	11.4	5.5	51.8
0.21	11.0	5.5	50.0
0.29	11.0	5.5	50.0
0.38	10.9	5.5	49.5
1.04	10.5	5.6	46.7
1.13	10.6	5.5	48.1
1.21	10.5	5.5	47.6
1.71	10.4	5.4	48.1
1.92	10.3	5.4	47.6
2.00	10.3	5.3	48.5
2.08	10.1	5.1	49.5
2.21	10.2	5.2	49.0
2.29	10.1	5.1	49.5
2.33	10.1	5.1	49.5
2.38	10.3	5.0	51.5
2.71	10.1	5.1	49.5
2.79	10.1	5.1	49.5
3.13	9.9	5.2	47.5
3.21	9.8	5.2	46.9
3.58	9.8	5.0	49.0
3.67	9.8	5.1	48.0
4.00	9.6	5.1	46.9
平均防渗效果(%)			48.9

注:土坑试验测试方法是在坑中立一个标尺,将水面加至 95 cm 处开始计时,待水面下降 10 cm 时再计时,然后换算
　　为每天每平方米渗水量(10^{-3} L/(d·m²)),土壤添加剂用量为 1.72 L/m²。

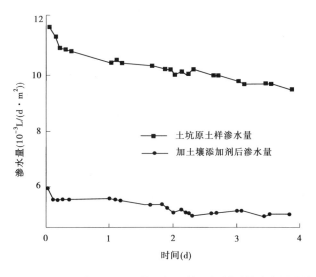

图 4-15 坑试现场原土样和加土壤添加剂后的渗水量曲线对比

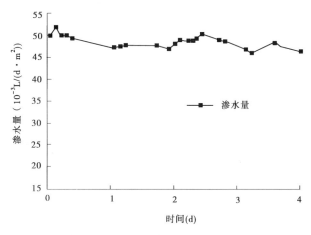

图 4-16 土壤添加剂在土坑试验中的防渗效果曲线

第四节 新型防渗抗冻胀衬砌结构

我国北方严重缺水,渠道防渗是提高渠系水利用率的有效措施,但由于冻害的存在,传统的灰土、浆砌石、水泥土、沥青混凝土、混凝土衬砌破坏损失严重,每年都要花费大量财力用于渠道的维修管理上,而且严重影响了衬砌渠道的使用寿命,造成巨大的经济损失。解决此问题的关键是提高渠道防渗衬砌标准,研究推广新型防渗防冻材料和结构。应用高分子材料作为渠道防渗的主体比传统的浆砌石、混凝土护坡防渗技术防渗效果好、成本低、适应性强。高分子防渗材料具有质轻、适应变形性能好、耐腐蚀、渗透系数小的特性,以及运输和施工方便、造价低的特点,尤其是加糙、宽幅、耐老化、复合高分子膜料的产业化生产,拓宽了该技术的实用性和应用范围。因此,应用高分子材料作为渠道防渗的主体,外加新型结构保护层,可有效解决渠道衬砌冻害,确保防渗效果。

一、结构形式

该新型防渗抗冻胀衬砌结构是一种刚柔相济、适应冻胀变形性能好、施工简单、牢固可靠、成本较低的渠道衬砌结构。其优点是预制板通过连锁结构连接成为一个整体,当基土冻胀抬高时,受顶托预制板跟着上升,但不会单独坍塌,同时防止了刚性衬砌体受冻胀力的影响使预制板遭受到破坏,如图 4-17 所示。

该结构采用 C15 混凝土预制混凝土板,板厚采用 8 cm,板块形状采用图 4-18 中 50 cm×50 cm 的方形,板缝宽度采用 2.5 cm 和 5 cm 两种;连锁结构采用 8 号镀锌铅丝和 Φ6 钢筋制作,制作结构如图 4-18 所示,外露铅丝和钢筋的防腐采用刷防锈漆和外包低温特性较好的油膏等措施解决,连锁结构的抗拉力要求大于 150 kg。

二、工程试验

(一)试验段工程概况

防渗抗冻胀连锁板衬砌结构试验工程位于银川市唐徕渠上,桩号为 70＋283～70＋433 km 处,该段渠堤为半挖半填,长度约为 150 m,坡比为 1:1.5。试验段预制混凝土板有三种形式,分别为花板、预埋 8 号铅丝板和预埋 Φ6 钢筋板。砌护形式有两种,使用了 C20 细石混凝土、M10 水泥砂浆、沥青油膏、胶泥等四种填缝材料。根据试验观测要求,在三种砌护形式的护坡上预留 75 个观测点,并在渠堤外坡打了一眼观测井,依据护坡的长度,在坡顶、坡中、坡角设计安装了三套冻深仪,分别对护坡混凝土板和浆砌石冻胀位移、地下水情况和护坡土壤冻深情况进行观测和分析。

砌护试验段花板砌护长度 42.8 m,坡长 7.92 m,无浆砌石护坡和基础、预制板下铺有土工织物。其中 20.9 m 砌护混凝土板缝填筑胶泥,21.9 m 砌护混凝土板缝填筑 M10 砂浆。观测点按护坡上、中、下间隔分布 5 排,共有观测点 1～25 号。

铅丝板砌护长度 43.6 m,坡长 6.7 m,有浆砌石基础,浆砌石护坡斜长 1.8 m,混凝土板砌护 4.9 m,板下铺 0.3 mm 防渗膜。其中 4.4 m 砌护混凝土板缝填筑沥青油膏,6.6 m 砌护混凝土板缝填筑 C20 细石混凝土,27.3 m 砌护混凝土板缝填筑砂浆,5.3 m 砌护混凝土板缝填筑胶泥,有观测点 26～50 号。

钢筋板砌护长度 44.9 m,坡长 6.7 m,有浆砌石基础,浆砌石护坡斜长为 1.8 m,混凝土板砌护 4.9 m,砌护混凝土板缝填筑 C20 细石混凝土,有观测点 51～75 号。

普通板砌护 11.3 m,砌护形式与铅丝板、钢筋板砌护相同。

(二)观测数据分析

1．花板砌护观测分析

根据观测要求,从观测数据上可看出,在花板砌护 1～25 号观测点中,冬灌结束后的高程平均值与刚停水后 12 月 1 日的高程之差小于 0.5 cm 的有 11 个观测点,占 44%;差值大于 0.5 cm 小于 1 cm 的有 10 个观测点,占 40%。从观测数据看,花板砌护的高程变化不大,另外,观测位移平均值与 10 月 18 日观测值之差 X 坐标小于 5 cm 的有 15 个观测点,占 60%,大于 5 cm 小于 10 cm 的有 9 个观测点,占 36%;Y 坐标小于 5 cm 的有

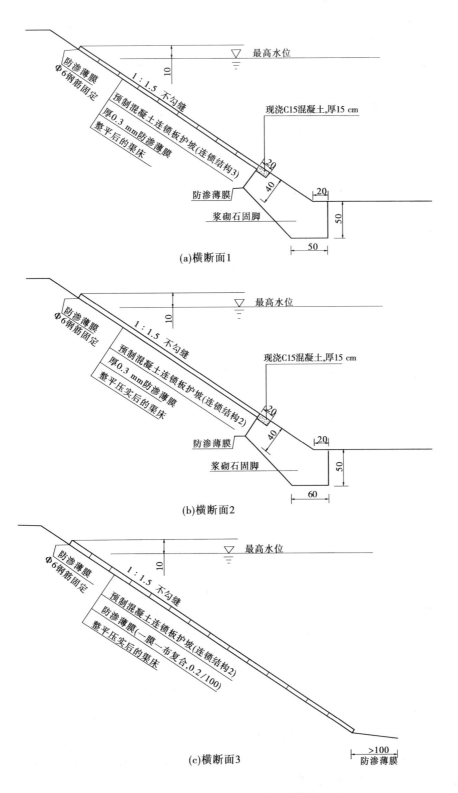

图 4-17　渠道连锁板衬砌结构形式 （单位:cm）

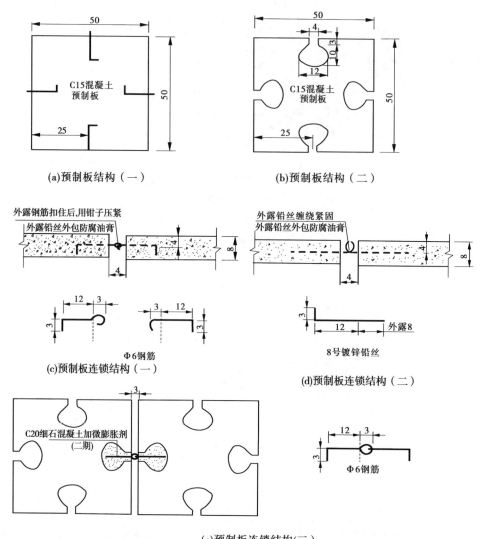

(a)预制板结构（一） (b)预制板结构（二）

(c)预制板连锁结构（一）

(d)预制板连锁结构（二）

(e)预制板连锁结构(三)

图 4-18 连锁板结构形式 （单位:cm）

13个观测点,占52%,大于5cm小于10 cm的有11个观测点,占44%。考虑到观测数据误差因素的影响,根据观测数据分析可得出花板砌护冻胀情况很小,这与施工时混凝土板砌护结构形式和渠道内坡土壤为回填的砂土有关。

2．铅丝板砌护观测分析

铅丝板砌护中26～50号观测点冬灌结束后的高程平均值与刚停水后12月1日的观测高程之差小于0.5 cm的有4个观测点,占16%;差值大于0.5 cm小于1 cm的有11个观测点,占44%,特别是观测点42号为3.8 cm,43号为3.7 cm,44号为11.7 cm,它们的冻胀情况明显,所处位置同坡中的冻深仪基本处于一条水平线上,此段施工时渠堤内坡土壤为干黄土。另外,观测位移平均值与10月13日观测值之差 X 坐标小于5 cm的有17个观测点,占68%,大于5 cm小于10 cm的有5个观测点,占20%;Y 坐标差值小于5 cm

的有 14 个观测点,占 56%,大于 5 cm 小于 10 cm 的有 8 个观测点,占 32%。从观测数据上看,考虑到观测数据误差因素的影响,除个别差值较大外,因冻胀破坏引起的位移不太明显。

3．钢筋板观测分析

钢筋板砌护中 51~75 号观测点冬灌结束后高程观测平均值与 12 月 1 日的观测高程之差小于 0.5 cm 的有 5 个观测点,占 20%,大于 0.5 cm 小于 1 cm 的有 5 个观测点,占 20%,个别地方冻胀明显。另外,观测位移平均值与 10 月 18 日观测值之差 X 坐标小于 5 cm 的有 11 个观测点,占 44%,大于 5 cm 小于 10 cm 的有 7 个观测点,占 28%；Y 坐标小于 5 cm 的有 6 个观测点,占 24%,大于 5 cm 小于 10 cm 的有 8 个观测点,占 32%。从观测数据和实际情况看,考虑到观测数据误差因素的影响,除个别数值较大外,因冻胀破坏引起的位移不太明显。

4．观测冻深仪、地下水、气温对冻胀的影响分析

根据观测数据分析,冻深仪在 2001 年 1 月初至 2 月上旬气温最低时,在护坡中部的冻深仪显示冻深最大,而铅丝板和钢筋板砌护段内少量发生冻胀的混凝土板所处位置就在护坡斜长的中部,这与观测高程数据显示相符合。

根据观测地下水情况看,11 月下旬冬灌停水后,12 月 29 日地下水高程比 12 月 1 日的地下水高程下降了 0.826 m,此时坡中冻深仪显示冻深 33.2 cm,坡上为 0,地下水高程比花板设计底高程 9.146 m 高 0.945 m。2 月 9 日坡中冻深仪显示冻深 60.8 cm,地下水位高程为 9.03 m,比 12 月 1 日的地下水位高程下降 1.436 m,也比花板设计底高程低0.115 m,说明在大填方和半挖半填渠道中,地下水位对渠堤的冻胀破坏有很大影响。

三、试验结果

(1)通过两年的观测,渠道阴坡 3 个测点的平均冻胀量比对照减少 44%(见表 4-16),其中上部没有差别,中部减少 44.4%,下部减少 43.1%。

表 4-16　冻胀量及回落后上抬量试验结果　　　　　　　　　　　(单位:cm)

测点	位置	冻胀量	对照冻胀量	回落后上抬量	对照上抬量
1	阴坡上部	0.6	1.1	0	0
2	阴坡中部	2.2	3.4	0.25	0.45
3	阴坡下部	4.8	6.6	0.29	0.51

(2)经过试验运行比较,证明花板砌护防渗抗冻效果最好,见表 4-17。

(3)砌护时要避免复合土工膜或防渗膜被损坏,干渠停水后要及时填充被水冲刷掉的胶泥,避免阳光照射防渗膜而减少材料寿命。

(4)在易引起冻胀的挖方渠道和渠堤土壤含水量较大的地段,应结合实际情况采取换土措施。特别是护坡斜长中间以下部分,因为此处冻胀较厉害。

(5)地下水埋深低于渠底越大时,对护坡的冻胀破坏越小,因此冬灌结束后尽可能减

少渠道内存水,避免冻胀破坏加重。

(6)花板砌护中采用砂浆和胶泥填缝,既节约工时又省资金,防渗防冻胀效果较好,可在一定范围推广使用,以观后效。

(7)根据砌护试验的施工情况和观测结果,建议混凝土板尺寸由 50 cm×50 cm×8 cm 改为 40 cm×40 cm×8 cm,将 C20 细石混凝土填缝改为预制的 M10 水泥砂浆块进行安装,这样渠道护坡发生冻胀,土壤化冻后,混凝土板易恢复原状。

表 4-17　工程试验结构比较

结构形式	不同护坡形式优缺点		防渗抗冻效果
	预制混凝土板	砌护混凝土板	
花板	模具较复杂,预制中板易损坏,施工难度较大	单块板重较轻,易砌筑,便于施工	混凝土板四边连接柔性好,抗冻胀能力强
铅丝板	预制时增加制安铅丝的工序	单块板重较重,增加拧铅丝工序,易砌筑	混凝土板四边连接牢固,结构拉劲,冻胀时易形成"包",化冻后不易恢复原状
钢筋板	预制时增加制安钢筋的工序	单块板重较重,增加安装工序,砌筑较困难	混凝土板四边连接牢固,结构拉劲,冻胀时易形成"包",化冻后不易恢复原状
普通板	模具简单,便于预制	单块板重较重,便于施工操作	冻胀后填缝易脱落,混凝土板下滑,影响渠道输水安全

(8)根据目前浆砌石与混凝土板复合结构砌护形式来看,浆砌石护坡与混凝土板间的填缝为水平通缝,当砌护经过几年冻胀破坏,浆砌石护坡与混凝土板间的 C20 细石填缝混凝土易脱落,造成混凝土板滑塌,砌护就遭到破坏。建议在浆砌石护坡和最下一层混凝土预制板中预留 8 号铅丝,双方的铅丝拧紧后再填筑 C20 细石混凝土。

第五节　混凝土 U 形槽和平板预制构件机

渠道防渗新技术的研究及推广是与施工机械的研制及应用分不开的。为了保证施工质量,美国、日本等国已基本上全部采用机械化施工的方法修建渠道防渗工程,这是施工技术的发展方向。目前我国已研制出了小型 U 形渠道开渠机、混凝土浇筑机、混凝土喷射机、预制块压块机以及 U 形渠槽预制构件机等系列机械。我国目前生产的 U 形渠槽预制构件机主要有垂直振动、水平振动加垂直挤压和卷板成型等机型。水平振动加垂直挤压和卷板成型机生产的混凝土构件质量不稳定。垂直振动机的工作原理科学合理,构件质量稳定,但存在只能生产 0.5 m 长的预制渠槽,生产效率低,且渠道接缝多,防渗效果差,增加工程造价 18%,施工速度慢,不利于机械化施工等问题。为此,我们进行了新型的能制成 1 m 混凝土 U 形槽或 1 m² 平板构件的 U 形渠槽和平板预制机具的研制。

一、预制构件机的组成

混凝土 U 形槽和平板预制构件机由机架、水平调节部件、振动平台、气动升降及水平推出机构、控制装置、运输托架、模具及其支撑部件组成。如图 4-19 所示。

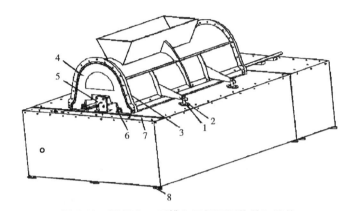

图 4-19　混凝土 U 形槽和平板预制构件机结构
1—机架;2—水平调节部件;3—振动平台;4—气动升降及水平推出机构;
5—控制装置;6—运输托架;7—模具;8—支撑部件

(1)机架。通过减振装置对振动平台起支撑作用,在空间允许的情况下尽量降低高度,以便于上料和搬动预制构件,本样机设计高度为 280 mm,采用 40405 的方钢焊接而成。

(2)振动平台。由 30304 方钢焊接而成,通过减振装置安装在下支架上,外形尺寸 1.5 m×1.4 m,在面板下部安装 1.5 kW 的振动器一台,在平台上安装四个行程 150 mm 升降气缸的一个行程 1 020 mm 的推出缸和两根间距 378 mm 的圆形导轨。该设计保证了振动平台上下垂直振动,符合构件成型的力学原理,升降缸的均衡分布保证了外模的平稳升降和压紧均匀。

(3)铁托模。为减小塑膜厚度和材料用量,保证塑膜在加载的情况下有必要的刚度(不变形而设置的),用 5 mm 钢板制作而成,下部安装水平行走轮,置于振动平台上的水平圆形导轨上,同水平推出缸用螺母连接成一体。工作时塑膜置于其上,起托架支撑作用,当构件成型后连同塑膜一并推出。该设计的滚动推出能减小推出阻力。

(4)外模。用 5 mm 钢板焊制而成,通过斜托架与立柱相连在振动平台上,外模上部开有 940 mm×390 mm 的进料口,端部和下部外沿安有止浆密封。该密封材料采用了帆布包裹圆形海绵条,作用是在混凝土振动过程中止浆密封,不使水泥浆外逸,该材料的允许变形量较大,加工的外模、托模只需板成型即可,无需精加工,既降低了加工成本,又能保证止浆效果。

(5)塑膜。是混凝土 U 形槽成型的模具,材料用改性的 PE 料能保证构件易脱模,表面光洁。

(6)支撑架。通过导轨与振动平台连接,下部四条腿安有四个升降调节螺栓,满足与振动平台导轨平稳对接,以减小振动平台面板和整机的外形尺寸。

(7)操作面板。控制装置安装在下支架的前部,与振动平台分离,面板上安装有气动控制阀、振动器控制阀和电源开关。

二、样机的主要技术参数

整机质量:1.00 t;

配套动力:1.5 kW;

工作效率:120 m/台班;

顶升力:3 MPa;

推出的推出力:3 MPa;

顶升缸行程:150 mm;

推出缸行程:1 020 mm;

外形尺寸:1 460 mm×2 360 mm×800 mm。

三、混凝土U形槽构件成型工艺流程

启动气泵,当气泵达到3 MPa时,将模具放到平台上,推入振动平台的外模下,按下气动控制按钮,使外模下降并压紧,上料,至1/5构件高度时,开始边上料边振动,料上满后,再振动一段时间,直至振捣密实,按下控制按钮,升起外模,推出混凝土构件和模具,操作按钮使铁托模复位,并用小车将混凝土构件连同PE塑模拉至养护室养护,在铁托模上再另行安放塑模。工艺流程见图4-20。

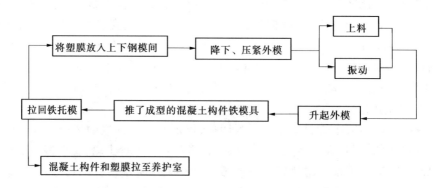

图4-20 混凝土U形槽构件成型工艺流程

四、混凝土U形槽的试制

(一)配合比试验

混凝土设计强度等级为C20,水泥品种及标号为P.O32.5,砂料采用当地中砂,石料采用当地卵石,最大粒径2.0 cm,配合比为水泥:水:砂:石=1:0.49:1.77:3.60。

经混凝土试件28天龄期抗压强度为25.8 N/mm²,相当于设计强度等级的129%,按此配合比制出的构件,可在24 h内脱模,表面光滑,密实度均匀。

(二)混凝土U形槽成型试验

将塑模放置于铁托模上,将其拉回,压紧外模,上料至构件深度的1/5时,开始振捣,边上料边振动,直至上满料后,再整体振动 1 min,升起外模,推出铁托模和混凝土构件,一个完整的 1 m 长的混凝土 U 形渠槽构件即告完成成型,平均需时 3 min。

经初步测试结果:混凝土 U 形渠槽长 1 m,尺寸误差小于 ±2 mm(见表 4-18);强度等级大于 C25(见表 4-19);抗渗等级大于 W4,抗冻等级大于 F100。

表 4-18 预制构件尺寸误差

构件号	宽(mm)		对角(mm)		长(mm)	
1	515	517	1 100	1 090	975	973
2	517	516	1 100	1 100	978	978
3	515	515	1 110	1 110	975	975
4	518	515	1 105	1 115	974	978
5	515	518	1 105	1 105	975	973

表 4-19 试件混凝土强度值

序号	部位	平均回弹值(mm)	非水平检测修正值(mm)	试件混凝土强度值(MPa)
1	下部	31.2	34.6	28.9
	上部	30.0	33.5	28.2
2	下部	30.0	33.5	28.2
	上部	30.2	33.7	28.6
3	下部	31.0	34.5	28.7
	上部	28.8	32.4	25.6
4	下部	29.8	33.3	26.9
	上部	29.6	33.1	26.7
5	下部	32.6	36.1	31.4
	上部	30.4	33.9	27.8

五、预制构件的优点

混凝土 U 形渠槽预制构件成套机具是为克服市场上现有机具存在的缺陷而设计研制的,具有以下优点:生产效率高(每 3 min 可生产 1 m 混凝土 U 形渠槽),造价较低;构件表面光滑,强度等级可达 C25,防渗效果好,抗冰冻能力强,使用寿命长;构件断面标准,尺寸误差小于 ±2 mm,可减少混凝土用量,节省工程投资;机械结构简单,轻便灵活,易于操作,可一机多用,耗能少。该机与其他机械配套使用,能极大地加快 U 形渠槽施工安装速度,提高施工效率,从而降低工程造价。

第五章　渠道防渗防冻胀技术研究

我国渠道防渗防冻胀技术的研究,始于20世纪60年代初期,70年代末至90年代初得到了迅速发展,研究成果大量涌现,出版了有关期刊、图书和技术培训教材,制定了《渠道防渗工程技术规范》、《渠系工程抗冻胀设计规范》和《水工建筑物抗冰冻设计规范》。在不断总结工程实践的基础上,提出了防渗结构"允许一定冻胀位移量"的设计标准和"回避、适应、削减或消除冻胀"的防冻胀设计原则,并提供了渠道冻深和冻胀预报以及基土冻胀性分级的方法。这套技术适合国情,成效显著。

近20多年来,渠道防渗防冻胀技术由于各地重视而得到较迅速的发展,逐步形成了一条适合国情、因地制宜、力求高效益低经费投入的技术发展路线。与国外依靠高经费投入修建渠道防渗防冻胀工程显然不同。我国当前经济基础还较薄弱,必须继续沿着这条技术发展路线,在工程材料、设计方法、施工和管理维修技术等方面进一步深化研究,从而形成各种更加精确、系统和成套的渠道防渗防冻胀工程技术,并加强其推广和应用,以提高防渗防冻胀工程建设质量,促进渠道防渗工程快速发展。

第一节　渠道的冻深与冻胀量预报

一、冻深预报

(一)冻深预报的理论基础

冻深预报属于具有相变和质量迁移的不稳定热传导问题。在天然条件下,一般作为一维问题处理。冻深预报方法可分为数学物理分析法和数理统计法两类。

(1)数学物理分析方法。首推著名的斯蒂芬(Stefen,1889)公式:

$$Z_f = \sqrt{\frac{2\lambda |t_{cp}| \cdot T}{Q_e}} \tag{5-1}$$

式中　Z_f——冻土层厚度;

　　　　λ——冻土导热系数;

　　　　t_{cp}——冻结期地表平均负温;

　　　　T——冻结时间;

　　　　Q_e——单位土体冻结时释放的结晶潜热。

数理分析法在式(5-1)推导过程中作了许多简化和假设,致使计算结果存在一定偏差。而且公式中的λ、t_{cp}和Q_e值很难确定。因此,数理分析法多用于理论研究,工程实践中一般不用。

(2)数理统计法。是根据长期的观测资料,考虑影响冻深的主要因素,通过统计分析得到经验公式。冻深预报公式的一般形式为：

$$Z_f = \alpha \sqrt{I} \qquad\qquad (5-2)$$

式中 Z_f——不考虑积雪影响的冻土层厚度，m；

    α——冻深系数；

    I——负气温指数，负温期内日平均气温的累计值，℃·d。

当 I 为年负气温指数时，Z_f 为年最大冻深；当 I 为多年负气温指数的平均值时，Z_f 为多年冻深平均值。

数理统计法方法简单且有足够的精度，在工程实践中常被采用。《渠系工程抗冻胀设计规范》(SL 23—91)规定，在无冻深实测资料时，可使用式(5-2)依据气温资料计算冻深。但是，数理统计法中的冻深系数 α 因地而异，负气温指数的计算方法也有所区别。

本项试验研究工作以数理统计法为基础，通过试验观测资料的统计分析，确定南温带气候区的冻深预报方法。

(二)冻深预报研究方法

众所周知，影响冻深的主要因素是土质、水分和负气温等。

土质条件包括土的颗粒组成及其液限、塑限和干容重等。

水分条件包括地下水埋深、冻前含水量等。在封闭系统中，基土冻前含水量是影响冻深发展的主要水分条件；在开敞系统中，基土冻前含水量受到地下水的影响，地下水埋深是影响冻深发展的主要水分条件。

负气温条件除负气温值大小外，负气温的变化过程也是影响冻深发展的重要因素。降温速度快，冻深发展迅速，不利于水分迁移，冻深较大；降温速度慢，冻深发展缓慢，利于水分在冻结过程中的迁移，冻深相对较小。南温带气候区的冬季降温速度慢，有利于水分迁移，冻深较小。这是南温带气候区不同于中温带及高原气候区基土冻结冻胀规律的原因所在。

据上所述，开展南温带气候区冻深预报方法的研究，主要考虑下列因素：①不同土质对冻深发展的影响。主要考虑不同土的颗粒组成和物理特性(液限、塑限等)，土的干密度控制在工程允许范围内。②不同水分条件对冻深发展的影响。对封闭系统，主要考虑基土冻前含水量；对开敞系统，主要考虑地下水埋深。③气候条件对冻深发展的影响。在南温带气候区的不同年份，冬季降温速度也是不同的，但冻深预报研究的目的是确定代表南温带气候区的冻深预报方法，所以不再考虑不同年份气候条件的差异，对南温带气候区冻深、冻胀量多年现场观测结果的综合分析，就涵盖了该气候区对冻深影响的因素，不再进行更细致的研究。

(三)冻深预报研究成果

通过不同土质(沙壤土、轻粉质壤土、重粉质壤土、粉质黏土等)、不同地下水埋深(0.05～2.0 m)和大于 3.0 m 条件下的试验观测数据分析，冻深系数 α 存在一个变化范围，它受到冻结过程(负气温变化过程)、地下水埋深、冻前含水量、土的物理特性等因素的影响。

对于封闭系统，当基土干密度变化范围较小时，冻深系数 α 与土颗粒组成、冻前含水量、塑限含水量等因素有关。其关系式为：

$$\alpha = a \cdot \omega^{-b} \cdot \omega_p^c \qquad (5\text{-}3)$$

式中　ω——冻前含水量(%)；

　　　ω_p——塑限含水量(%)；

　　　a、b、c——系数，按表 5-1 取值。

表 5-1　a、b、c 值

土质	a	b	c
沙壤土	0.030 9	0.062	0.026
粉质壤土	0.007 6	0.067	0.547
粉质黏土	0.032 3	0.737	0.715

对于开放系统，冻深系数 α 主要与地下水埋深有关。冻深系数 α 与地下水埋深的关系式为：

$$\alpha = \frac{1}{a_1 + b_1 \times e^{-Z_w}} \qquad (5\text{-}4)$$

式中　Z_w——冻结期平均地下水埋深，m；

　　　a_1、b_1——系数，取值范围如表 5-2 所示。

表 5-2　a_1、b_1 值

土质	a_1	b_1
沙壤土	34.48	36.58
轻粉质壤土	37.82	28.96
中、重粉质壤土	29.99	34.27
粉质黏土	34.91	27.87

式(5-3)、式(5-4)分别与式(5-2)组合，即分别是封闭系统和开放系统无遮阴情况的冻深预报式。

(四)渠基设计冻深

根据工程邻近气象站的气温观测资料、计算点的土质、地下水埋深、冻结前含水量、日照及遮阴情况，按下式确定计算点的设计冻深：

$$Z_d = \alpha \psi_d \sqrt{I_d} \qquad (5\text{-}5)$$

式中　Z_d——设计冻深，m；

　　　I_d——设计采用的负气温指数，℃·d，Ⅳ、Ⅴ级工程取邻近工程地点气温条件相近的气象台(站)气温资料系列出现频率为 10% 的负气温指数，Ⅰ、Ⅱ、Ⅲ级工程取出现频率为 5% 的负气温指数；

　　　ψ_d——日照与遮阴程度系数，依照《水工建筑物抗冰冻设计规范》(SL 211—98)附录B计算；

α——冻深系数,无地下水补给的封闭系统,按式(5-3)计算;有地下水补给的开敞系统,按式(5-4)计算取值。

二、冻胀预报

(一)冻胀预报的理论基础

冻胀预报方法有数理分析法与数理统计法。

数理分析法,由于水分迁移理论的复杂性和自然条件的多变性,不仅计算方法不同得出的冻胀量差异较大,而且这类计算式的有关参数难以确定,假设条件存在一定偏差。因此,至今没有能够使用的方法。

数理统计法是依据产生冻胀的基本要素,用大量的室内外试验数据进行统计分析,提出冻胀量预报的经验式。

目前较成熟的冻胀预报式的形式为：

$$h = \frac{f \cdot Z_f}{100} \tag{5-6}$$

式中　h——冻胀量,m;

　　　Z_f——冻土层厚度,m;

　　　f——土的平均冻胀强度(%),是冻胀量与冻土层厚度(冻深 + 冻胀量)之比。

本项研究工作以式(5-6)为基础,通过在南温带气候区大量试验观测资料的统计分析,得出适合南温带气候条件的冻胀强度计算式。

(二)冻胀预报研究方法

众所周知,产生冻胀的基本要素是冻胀性土质、水分、负温度等。因此,冻胀量预报的研究,应考虑土的颗粒组成和物理特性、基土冻前含水量及地下水埋深等因素。年际间不同气温变化对冻胀的影响,以多年冻胀量资料的分析涵盖。

(三)冻胀预报研究成果

通过不同土质、不同水分条件下的试验观测数据的统计分析,对于封闭系统,冻胀强度主要与冻前含水量、塑限含水量有关,其关系式为：

$$f = \alpha_0(\omega - \beta_0 \omega_p) \tag{5-7}$$

式中　f——平均冻胀强度(%);

　　　ω——冻前含水量(%);

　　　ω_p——塑限含水量(%);

　　　α_0、β_0——参数,取值范围见表5-3。

表5-3　α_0、β_0 值

土质	α_0	β_0
沙壤土	0.305	0.439
粉质壤土	0.430	0.740
粉质黏土	0.578	0.822

对于开放系统,不同土质的平均冻胀强度主要与冻结期平均地下水埋深有关,其关系式为:

$$f = \alpha_1 e^{-\beta_1 Z_w} \qquad (5\text{-}8)$$

式中　f——平均冻胀强度(%);

　　　Z_w——冻结期平均地下水埋深,m;

　　　α_1、β_1——系数,取值方法见表5-4。

表5-4　α_1、β_1 值

土质	α_1	β_1
重沙壤土	39.91	1.617
粉质壤土	43.55	0.979
粉质黏土	47.83	1.518

式(5-7)、式(5-8)分别与式(5-6)组合,则分别是封闭系统和开放系统的基土冻胀预报式。

(四)渠基冻胀预报

根据计算点的土质、地下水埋深、冻前含水量等资料,将式(5-6)中的冻深 Z_f 用设计冻土层厚度 Z_d 代替,得冻胀量计算式:

$$h = \frac{f \cdot Z_d}{100} \qquad (5\text{-}9)$$

式中　h——冻胀量,m;

　　　Z_d——设计冻土层厚度,m,按式(5-5)计算确定;

　　　f——平均冻胀强度(%)。

土的平均冻胀强度 f 按冻结期平均地下水埋深的大小,分为地下水深埋($Z_w \geqslant Z_0 + 0.5$)、浅埋($Z_w \leqslant Z_0$)、深埋到浅埋的过渡($Z_0 \leqslant Z_w \leqslant Z_0 + 0.5$)三种情况,分别进行计算。$Z_0$ 为地下水对冻结层无显著影响的临界深度,根据不同土质,按表5-5确定。

表5-5　Z_0 值

土类	黏土、粉质黏土	重、中粉质壤土	轻粉质壤土、沙壤土	沙
Z_0(m)	2.5	2.0	1.5	1.0

当地下水浅埋时,平均冻胀强度按式(5-8)计算。

当地下水深埋时,平均冻胀强度按式(5-7)进行计算。

当地下水属浅埋到深埋的过渡情况时,平均冻胀强度应分别按式(5-8)与式(5-7)进行计算,取用两种计算结果的大值。

对于地下水位高出渠底、渠底有积水(冰)或有旁渗水补给的渠段,确定其冻胀量时,在水(冰)面或旁渗水逸出点以上 0.5 m 范围内的边坡,按地下水埋深 $Z_w = 0$ 计算。

第二节　渠道防渗防冻胀结构

一、渠道防渗衬砌结构冻害原因分析

(一)衬砌结构对基土冻胀的作用

根据基土产生冻胀的土壤、水分、温度三个要素和衬砌结构荷载对基土冻胀的抑制作用,当基土土质一定时,衬砌结构对基土冻胀的作用主要表现在下列三个方面:

(1)保温结构的作用。保温结构可削减或消除冻深,从而达到削减或消除冻胀的目的。通常混凝土衬砌板的导热系数比细颗粒土的导热系数要大,不能起到保温作用。而保温结构对削减或消除基土冻深和冻胀具有显著的作用。

(2)防渗结构的作用。防渗结构可减少或杜绝向渠基的渗水,从而削减渠基土的冻胀。用混凝土衬砌板防渗时,要求混凝土板有较强的抗渗性和较大的板块尺寸;混凝土板块之间的分缝,有良好的止水。板块较小的衬砌结构(如预制混凝土板衬砌),分缝止水不易做好,防渗性能较差。混凝土板加防渗膜的衬砌结构具有较好的防渗效果。

(3)结构荷载的作用。试验表明,结构荷载对基土冻胀有一定的抑制作用。但渠道衬砌结构的厚度较薄,其自身重力对基土冻胀的抑制作用较小。

(二)衬砌结构冻胀破坏原因分析

通过不同衬砌结构的防冻胀效果观测,衬砌结构产生冻胀破坏的原因主要有下列几个方面:

(1)基土冻胀并具有较大的不均匀性。由于基土水分和土质条件的差异,日照与遮阴程度的影响等,渠基土常产生不均匀冻胀,当其超出衬砌结构的适应能力时,衬砌结构就遭到破坏。

(2)衬砌冻胀位移受到约束。渠基土冻胀时,衬砌结构受到约束,包括建筑物的约束,渠底、渠坡的相互约束,衬砌板块之间的约束,以及冰盖压力、基土冻结力的约束等,致使衬砌结构不能随基土冻胀自由位移而造成破坏。

(3)衬砌结构适应冻胀变位的能力差。衬砌结构强度低或板块过大,基土不均匀冻胀致使衬砌结构破坏。

渠基土的冻胀性确定后,衬砌结构是否冻胀破坏,主要决定于衬砌结构适应基土冻胀变形的能力。衬砌结构形式刚度大、强度较高时,适应冻胀的能力较大。如肋梁板、中厚板、空心板、楔形板等。衬砌结构分块较小、柔性较好时,易于适应基土冻胀变位,不易产生结构破坏。柔性较好的衬砌结构如预制混凝土加防渗膜、沥青混凝土板等。

(三)衬砌结构的防冻胀效果分析

(1)现浇混凝土板＋土工膜衬砌结构。其防基土冻胀的作用主要体现在土工膜的防渗性方面。土工膜减少了渗入基土的水量,从而减少了基土的冻胀量。此种结构适宜封闭系统采用。

(2)现浇混凝土板＋复合土工膜(一布一膜或两布一膜)的衬砌结构。复合土工膜的防渗作用与土工膜相同,土工布主要是保护土工膜和平面导水,其保温作用甚微。此种结构工程造价较高,适应于有导水要求的工程。

(3)现浇混凝土板+土工布的衬砌结构。主要是平面导水、反滤,保温作用甚微。此种结构适应于有反滤、导水要求的工程。

(4)现浇混凝土+苯板衬砌结构。苯板的导热系数不大于 0.040 W/(m·K),利用其保温隔热性能,可削减或消除基土冻结层,从而达到防止冻胀的目的。但由于苯板有一定的吸水性,在潮湿环境中,保温隔热效果逐年下降;另外,苯板运输不便,施工中容易破坏,有待进一步改进。

(5)现浇混凝土肋梁板衬砌结构。采用该衬砌结构的目的是通过提高混凝土板的刚度,加强其抗基土冻胀的能力。实际观测发现,该衬砌结构尽管提高了混凝土板的整体抗力,但仍发生了冻胀破坏,并产生较大的裂缝。实践表明,混凝土衬砌板分块较大,在加肋梁的情况下,除强度满足防冻胀要求外,还应结合其他措施采用。

二、衬砌结构适应基土冻胀变位能力分析

(一)衬砌结构未被破坏的认定标准

衬砌结构在基土冻胀作用下发生位移,如符合下列要求时,可视为衬砌结构未发生冻胀破坏:

(1)衬砌板块未产生裂缝;

(2)衬砌结构没有隆起、错缝等表观现象,板块之间未产生滑塌等;

(3)衬砌结构的功能(防冲、防渗、减糙等)未改变;

(4)基土融化后衬砌结构能基本复位,残留位移量甚微或不存在。

(二)衬砌结构适应基土冻胀变位能力的指标

在基土冻胀作用下,衬砌结构能适应基土冻胀变位的大小,称为衬砌结构适应基土冻胀变形的能力。

经衬砌结构位移观测资料的分析,致使衬砌结构破坏,不是绝对位移量的大小,而是相邻点之间相对位移量的大小,即基土不均匀冻胀作用的大小。所以,衬砌结构适应变位能力可以用允许不均匀变位系数作衡量指标。不均匀变位系数是某两点之间的绝对位移量之差与两点间距离之比:

$$\eta = \frac{\Delta h_1 - \Delta h_2}{L} \tag{5-10}$$

式中　　η——不均匀冻胀系数(%);

　　　　Δh_1——1 点冻胀位移量,m;

　　　　Δh_2——2 点冻胀位移量,m;

　　　　L——1 点与 2 点间的距离,m。

衬砌结构允许不均匀变位系数的影响因素主要有分块大小、板块厚度、强度、结构形式(等厚板、楔形板、肋梁板、空心板等),以及板块与基土的冻结力等。不同的衬砌结构,其允许不均匀变位系数不同,板块较小,柔性较大的结构形式,允许不均匀变位系数较大;板块较大,柔性较小的结构形式,允许不均匀变位系数较小。

(三)衬砌结构适应基土冻胀变位的能力

经对 3.0 m×4.0 m×0.1 m、3.2 m×3.7 m×0.1 m、3.0 m×3.4 m×0.1 m 的现浇混凝土衬砌板,以及 0.5 m×0.5 m×0.06 m 的预制混凝土衬砌板的不均匀变位观测和衬砌表面的观察结果,其现浇混凝土衬砌板的允许不均匀变位系数为 0.5%;预制混凝土衬砌板的允许不均匀变位系数为 1.0%。

研究衬砌结构的允许不均匀变位系数,其目的是要控制基土不均匀冻胀的大小,在实际工程中,要采取对策,使基土不要产生大于衬砌结构允许不均匀变位系数的不均匀冻胀,从而防止衬砌结构产生破坏。

(四)衬砌结构的允许最大冻胀变位

衬砌结构在满足允许不均匀变位系数的同时,还应对最大冻胀位移量加以控制,以防止衬砌结构产生较大冻胀位移不能恢复原位而出现残余位移量,并经其多次累积,最后致使衬砌结构的破坏。

《水工建筑物抗冰冻设计规范》(SL 211—98)规定了渠道衬砌结构允许法向位移值,见表 5-6。当断面深度大于 3.0 m 的渠道,当衬砌板单块尺寸大于 5.0 m 或边坡陡于 1:1.5 时,取表中小值;断面深度小于 3.0 m 的渠道,当衬砌板单块尺寸小于 2.5 m 或边坡缓于 1:1.5 时,取表中大值;1、2、3 级工程取小值。

表 5-6　渠道衬砌结构允许法向位移值 （单位:mm）

断面形式	混凝土	浆砌石	沥青混凝土
梯形断面	5～10	10～30	30～50
弧形断面	10～20	20～40	40～60
弧形底梯形	10～30	20～50	40～60
弧形坡脚梯形	10～30	20～50	40～60
整体式 U 形槽或矩形槽	20～50	30～60	—
分离挡墙式矩形断面的底板	40～50	50～60	70～80

三、渠道断面形式及防渗防冻胀结构

经过工程试验观测及冻害调查的成果分析,要防止渠道衬砌结构冻胀破坏,可从适应和削减冻胀入手,选择适应不均匀冻胀的断面形式,并采取适应或削减冻胀的衬砌结构。

(一)渠道断面形式

适应不均匀冻胀能力较优的渠道断面形式是:大型渠道宜用弧形坡脚梯形断面,小型渠道宜用 U 形渠槽、中型渠道宜用抛物线形或弧形渠底梯形断面。

(二)适应冻胀结构

适应冻胀结构主要为预制混凝土衬砌结构和沥青混凝土衬砌结构。当衬砌结构的不均匀变位系数超出允许不均匀变位系数不多,而最大冻胀位移量未超出允许最大冻胀位移量时,应调整渠道断面形式和衬砌结构板块的大小,以增大衬砌结构的允许变位系数。

(三)削减冻胀结构

根据产生冻胀的土壤、水分、温度三要素,削减冻胀的结构措施有防渗、保温、置换等措施。

1．防渗衬砌结构

防渗衬砌结构可减少或完全杜绝渗入基土的水量，从而减少基土冻胀量。此种结构适宜封闭系统采用。

南温带气候区以混凝土防渗、膜料防渗、砌石防渗为主，其中膜料作防渗层，混凝土板作保护层的防渗衬砌结构较普遍。在此，我们以膜料防渗＋混凝土保护层的防渗结构和混凝土防渗结构为研究对象。

1）膜料防渗＋混凝土保护层的防渗结构

a．防渗膜料与厚度的选择

防渗膜料有聚乙烯、聚氯乙烯、氯化聚乙烯、沥青玻璃丝布油毡等膜料。聚乙烯膜耐低温性较好，在－50 ℃时还能保持较好的柔性，但抗拉强度和抗穿透力较弱。聚氯乙烯膜耐低温性较差，适用于不低于－15 ℃的条件，抗拉强度较聚乙烯高，抗穿透力较强。所以，在严寒和寒冷地区，可优先选用聚乙烯膜；在芦苇丛生地区，可优先选用聚氯乙烯膜。深色塑膜透明度较差，能抑制塑膜下芦苇及杂草的生长；在同样的保护层下，深色膜料较浅色膜的吸热量大，可提高地温，有利于防治冻害，所以膜料应选用深色塑膜。如沥青玻璃纤维布油毡的玻璃纤维含有碱金属，遇水易溶解，使强度和耐久性降低，加速老化。为提高沥青玻璃纤维布油毡的抗老化能力，延长工程寿命，应选用无碱或中碱玻璃纤维布制作的油毡。

膜料厚度的选择，应考虑下列因素：①防渗性；②承受水压的能力；③耐久性；④施工操作要求；⑤渠道的规模；⑥投资与效益。依据材料性能和这些因素的综合分析，中小型渠道宜用厚度0.18～0.22 mm的深色塑膜或厚度0.6～0.65 mm的无碱或中碱沥青玻璃纤维布油毡；大型渠道应选用0.3～0.5 mm的深色塑膜。特种土基，结合基土处理情况，采用厚度0.2～0.6 mm的深色塑膜。

b．膜料的铺设

根据渠道大小将膜料加工成大幅现场铺设，也可不加工直接在施工现场边铺设边连接。膜料铺设按先下游后上游的顺序，上游幅压下游幅，接缝垂直于水流方向进行。膜层应张弛适度，紧贴渠基，膜下空气应完全排出。施工人员应穿胶底鞋或软底鞋，谨慎施工，避免人为对膜料的破坏。

c．膜料的接缝方法

（1）电热楔焊接法。电热楔在两层被焊膜料之间将膜料加热，热楔向前移动时，两辊轮一起向前移动，将两膜压合在一起。两膜叠合宽度约为1.5 cm，焊缝宽为1.0～1.2 cm。可焊接0.2～2 mm的聚乙烯膜或聚氯乙烯膜。焊缝抗拉强度为12 MPa以上。焊接工效为100 m/h左右。当膜片厚度为0.2～1.0 mm时可用ZPR型焊接机，其优点是操作简单，体积小，便于携带，价格较低。

（2）电烙铁焊接法。把膜料搭接50～60 mm，下垫木板或钢板，用电烙铁机沿缝移动，机中电烙铁将膜加热熔化，滚筒随着施压，使搭接的两片膜熔接成一体。焊接温度和移动速度视被焊膜料的种类和厚度而定。宜用较为先进的自动调温热焊机。

（3）胶接法。聚氯乙烯膜宜用聚氯乙烯胶及聚氨酯类胶（铁锚101胶或902胶）进行黏结。其方法是将聚氯乙烯膜边宽5～8 cm用砂布打毛擦净，将铁锚101胶的甲、乙两组胶以 10∶1～10∶5 调和均匀,在刷毛的膜上涂布两遍,待第一遍胶稍干,再涂第二遍胶,呈风干状态时立即黏合,用滚筒压两遍,固化 24 h。

复合式土工膜中的聚氯乙烯膜也用上述方法黏结,两面的丙纶土工布可用 LDJ246 氯丁橡胶黏结。将土工布表面尘屑清除干净,并用酒精擦拭后,涂布 LDJ246 胶两遍,待第一遍胶稍干,再涂第二遍胶,呈风干状态时立即黏合,然后滚压两遍,固化 12 h。

聚乙烯膜宜用 KS 热溶胶黏结,方法是:将胶水现场加热,膜下垫一块平木板,用一金属刮片将胶水涂抹在膜片上,然后用橡胶锤子敲击膜面,使两胶面充分结合。

油毡多用热沥青或沥青玛瑞脂黏结。其黏结工艺和塑膜类同。沥青玛瑞脂的配比为沥青∶矿粉＝1∶1～1∶4。

d.膜料接缝质量检查

膜料接缝的质量检查,是保证膜料防渗效果的重要手段。膜料接缝方法的不同,接缝质量检测的方法也不同。常用的检查方法有:

(1)外观检查。焊缝应清晰、透明(呈玻璃态),无夹渣、气泡,无漏点、熔点、焊缝跑边。黏结缝透明,无两边相通的水晕状的胶水黏结痕。

(2)双焊线充气加压检测。接缝为双焊线者,可向双焊线之间的空腔充气。充气压力约为 200 kPa,充气长度为 50～60 m。充气后 10～20 min,压力无明显下降,表明焊缝不漏气,在此气压下,焊缝未脱开,表明焊缝强度合格。如漏气脱缝,则需补焊。

(3)双焊线注水加压检测。用 0.05 MPa 压力水针在双焊线间注入彩色水,不漏为质量合格。

(4)火花试验。焊接时将金属丝放在缝内或放在其背后,试验用的金属刷充高压电流(15～30 kV),将此金属刷沿焊缝移动,在焊缝漏焊处,金属丝无土工膜焊接材料包裹,与空气连接,则与金属刷之间发生火花。此种试验仪器可记录发生火花的位置,以便按位置补焊。

(5)超声波探测。超声波发射仪沿焊缝发射超声波,脉冲从膜料底部反射回来,用传感器测得发射波与反射波的时差,如果焊缝有漏焊,则反射波返回快,时差缩短,仪器的荧光屏上显示反射波,借以测定时差,探明漏焊部位以便补焊。

e.混凝土保护层

采用膜料防渗＋混凝土保护层的防渗结构,在混凝土保护层与膜料之间应设置过渡层。在南温带气候区,其过渡层材料宜选用砂浆,厚度为 2～3 cm。混凝土板的厚度、结构形式和设计指标(混凝土厚度、强度等级、抗渗等级、抗冻等级等),按《渠道防渗工程技术规范》有关规定设计。

2)混凝土防渗结构

不设膜料防渗层,以混凝土板作为防渗主体的防渗结构,对混凝土厚度、强度等级、抗渗等级、抗冻等级以及结构形式,按《渠道防渗工程技术规范》要求设计。混凝土防渗结构,除保证混凝土板本身的防渗性和完整性外,做好伸缩缝止水是保证其防渗效果的重要环节。伸缩缝止水宜采用 CPE 止水带或止水管止水。

2.隔热保温

在衬砌体下铺设保温材料,阻隔大气与基土的热量交换,从而保持衬砌体下基土温度,达到削减或消除冻深的目的。衬砌结构距地下水位较近,基土含水量较大,容易发生较大的冻胀量。当地下水位高于渠底,需向渠内排水时,主要是防止基土冻胀,宜采用保温衬砌结构,即衬砌板下加保温层。当地下水浅埋于渠底以下时,应采用防渗保温衬砌结构。即在衬砌板下设塑膜与保温材料组合的防渗保温层。

1)保温材料及其性能

保温材料的种类很多,目前以苯板应用较广泛。苯板具有导热系数小、抗压缩性能好等特点。其物理力学性能要求见表5-7。工程实践证明,苯板保温效果良好,但由于其具有一定的吸水性,经长期应用,其保温效果逐年降低,所以使用时应考虑保温效果衰减的影响。

高分子防渗保温卷材具有防渗保温双重功效,吸水性小,可保证保温效果的长期有效性;还具有良好的弹性,可改善衬砌结构的受力状况;无毒,耐腐蚀,防虫害能力较好等。其物理力学性能要求见表5-7。经实际应用,防渗保温效果显著。

表5-7 不同保温材料物理力学性能

保温材料	密度 (kg/m³)	吸水率 (浸泡96 h) (体积%)	压缩强度 (压缩10%) (kPa)	尺寸稳定性 (−40~70℃) (%)	导热系数 (W/(m·K))
苯板	≥20	<2.0	≥50	±1.5	≤0.04
高分子防渗保温卷材	≥30	<1.0	≥30	±1.5	≤0.04

2)保温层的厚度

保温层的厚度按本节"四、保温层厚度计算"中的计算方法确定。

3)保温隔热措施的一般要求及注意事项

保温范围:渠道冬季无水,且不满足衬砌结构允许最大冻胀位移量和允许不均匀变位系数要求的部位,均应进行保温。考虑到渠道工程冬季施工、建成后冬季无水以及冬季非正常运用等情况,按冬季渠道输水与无水两种情况计算保温层厚度。当地下水位高于渠底时,渠底可不进行保温。渠内蓄水深度不应小于0.5 m。

衬砌范围内,基土保温与非保温交界面两侧的冻胀位移量应进行验算,以保证衬砌结构允许不均匀变位系数的要求。

渠堤顶部盖板下的保温层应延伸到盖板以外0.8倍冻深。

实践证明,苯板在水的长期浸泡下,其保温效果会逐年降低,因此保温防渗衬砌结构的防渗层应设置在保温层与混凝土之间。

3.置换冻胀性土

置换是把冻胀性土用非冻胀性土(砂砾等)置换,以达到削减或消除冻胀的目的。

1)置换厚度的确定

基土置换厚度应满足被置换后基土冻胀量不大于衬砌结构允许最大冻胀位移值的要求。假设冻胀沿冻土层均匀分布且平均冻胀强度为 f,衬砌结构(混凝土)厚度为 δ_0,则最小置换厚度可按下式近似计算:

$$Z_n = Z_d - \frac{100 \cdot \Delta h_允}{f} - \frac{1}{4}\delta_0 \qquad (5\text{-}11)$$

式中 Z_n——置换厚度,m;

$\quad\quad Z_d$——置换部位的设计冻深,m;

$\quad\quad \Delta h_允$——允许冻胀位移量,m,可根据渠道断面形式及渠道大小,按表 5-6 取值,但须同时满足衬砌结构允许不均匀变位的要求;

$\quad\quad f$——基土的平均冻胀强度(%);

$\quad\quad \delta_0$——衬砌结构(混凝土)厚度,m。

式(5-11)中,$\frac{1}{4}\delta_0$ 是衬砌结构为混凝土时减少冻土层的厚度,由热工计算,混凝土衬砌结构可以削减的冻深(冻胀量较小的冻土)为混凝土板厚的 1/3.9,取折减系数为 1/4。渠道混凝土衬砌厚度一般较薄,所以其削减冻深的作用可以忽略,则:

$$Z_n = Z_d - \frac{100 \cdot \Delta h_允}{f} \qquad (5\text{-}12)$$

2)置换冻胀性土的要求及注意事项

(1)换填砂砾料的粒径要求。河北省王村实验场冻胀试验采用土料的粒径组成为:0.5~2 mm 占 1%,0.25~0.5 mm 占 3%,0.075~0.025 mm 占 88%,0.05~0.075 mm 占 8%,不论有无地下水补给,都产生了冻胀量。无地下水补给的最大冻胀量达到 28 mm,已超过了衬砌允许冻胀位移量 20 mm。所以,我们认为,除施工中应注意保护换填料不被细粒土污染和淤塞外,还应提高换填土料粒径要求。建议换填土料粒径小于 0.75 mm 的质量占换填料总质量的百分数不超过 6%。

(2)换填范围。渠道断面冬季无水且不满足衬砌结构允许最大冻胀位移量和允许不均匀变位系数要求的部位,均应进行换填。考虑到渠道工程冬季施工、建成后冬季无水以及冬季非正常运用等情况,应按全断面防冻胀考虑,按冬季渠道输水与无水两种情况计算换填厚度。当地下水位高于渠底时,渠底可不进行换填。据河北省雄县新盖房水文站的观测,历年最大冰厚为 0.42 cm,因此渠内蓄水深度不应小于 0.5 m。

衬砌范围内基土换填与非换填交界面两侧的冻胀位移量应进行验算,以保证衬砌结构允许不均匀变位系数的要求。

衬砌顶部盖板下的换填范围应大于盖板尺寸。

(3)当换填层有被细粒土污染和淤塞危险时,应设置土工布保护。

(4)当换填料饱水时,应保证冻结期换填体有畅通的排水出路。

(5)应严格按换填设计要求施工,保证施工质量。

四、保温层厚度计算

(一)保温层厚度计算的理论基础

保温层厚度计算的理论基础是热阻等效原理。假设基土与大气的热交换过程中,保温基础下暖土层与天然冻土层下暖土层的温度改变对热量交换的影响较小而忽略不计,则当保温基础下温度刚好为 0 ℃时,天然冻土层在冻结过程中的阻热作用应与保温基础的阻热作用等效,即保温基础的总热阻 R_b 与天然冻土层的总热阻 R_d 相等。

保温基础总热阻由三部分组成,第一部分为地表热阻,第二部分为基础(衬砌结构)热阻,第三部分为保温层热阻,用公式表示为:

$$R_b = R_d = \frac{1}{\alpha} + \frac{S}{\lambda_s} + \frac{\delta_0}{\lambda_h} \qquad (5-13)$$

对式(5-13)进行整理,可得保温层厚度的计算公式为:

$$S = \lambda_s \left(R_d - \frac{1}{\alpha} - \frac{\delta_0}{\lambda_h} \right) \qquad (5-14)$$

天然冻土层的总热阻由两部分组成,一部分为地表热阻,另一部分为冻土层热阻(在冻结过程中包括相变潜热影响在内的热阻),用公式表示为:

$$R_d = \frac{1}{\alpha} + \frac{Z}{\lambda^*} \qquad (5-15)$$

式(5-13)与式(5-15)相等,整理得:

$$\frac{Z}{\lambda^*} = \frac{S}{\lambda_s} + \frac{\delta_0}{\lambda_h} \qquad (5-16)$$

对式(5-16)整理得保温层厚度的计算公式:

$$S = \lambda_s \left(\frac{Z}{\lambda^*} - \frac{\delta_0}{\lambda_h} \right) \qquad (5-17)$$

式中　Z——天然冻土层厚度,m;

　　　R_d——冻土层总热阻,m$^2 \cdot$K/W;

　　　R_b——保温基础总热阻,m$^2 \cdot$K/W;

　　　α——地表放热系数,与当地平均风速相关的系数,$\alpha = 15.119 \sqrt{V}$,V 为基础表面平均风速,m/s;

　　　S——保温层厚度,m;

　　　λ^*——冻土层等效导热系数,W/(m$\cdot$K);

　　　λ_s——保温层导热系数,W/(m$\cdot$K);

　　　δ_0——混凝土基础(衬砌)厚度,m;

　　　λ_h——混凝土导热系数,W/(m$\cdot$K)。

由式(5-14)可知,求得所需保温基础的总热阻,即冻土层的总热阻,就可求得保温层的厚度。由式(5-17)可知,求得天然冻土层的等效导热系数,就可求得保温层厚度。因此,研究保温层厚度计算的问题,转化为求保温基础总热阻(即天然冻土层总热阻)或求冻土层等效导热系数的问题。本项试验研究工作是以热阻等效原理为基础,利用数理统计法,求得保温基础的总热阻或冻土层等效导热系数。

(二)保温层厚度计算的研究方法

本项试验研究,利用数理统计方法,通过不同土质、水分条件下,不同保温层厚度保温效果的观测资料分析,求得不同气候寒冷程度(负气温指数)时,所需保温基础总热阻(冻土层总热阻)。建立保温基础总热阻与负气温指数的相关关系,求得保温基础总热阻的计算公式。建立冻土层等效导热系数与地下水埋深的相关关系,求得冻土层等效导热系数的计算式。

(三)保温层厚度计算法研究成果

1．由负气温指数计算保温基础总热阻

对冻土层总热阻与相应的负气温指数进行相关分析,其关系式如下:

$$R_b = R_d = 0.307\ 3\ln(I_{max}) - 0.537\ 4 \qquad (5-18)$$

式中　R_b——保温基础总热阻,$m^2 \cdot K/W$;

　　　R_d——冻土层总热阻,$m^2 \cdot K/W$;

　　　I_{max}——年最大负气温指数,$℃ \cdot d$。

当所需保温基础总热阻由式(5-18)确定以后,即可根据式(5-14)计算所需保温层厚度。

2．由地下水埋深计算冻土层等效导热系数

根据重粉质壤土不同水分条件、不同厚度苯板保温试验观测数据分析结果,影响冻土层等效导热系数 λ^* 的主要因素为地下水埋深。对重粉质壤土冻土层等效导热系数与相应地下水埋深进行相关分析,其关系式如下:

$$\lambda^* = 0.220\ 8e^{0.384\ 8Z_w} \qquad (5-19)$$

式中　Z_w——冻结期平均地下水埋深,m,大于 2.0 m 时,按 2.0 m 取用;

　　　其他符号含义同前。

根据地下水埋深条件,由式(5-19)确定冻土层等效导热系数后,按式(5-17)计算保温层厚度。

(四)保温层厚度的确定

1．不允许保留冻土层的保温层厚度

当保温层下不允许保留冻土层时,保温层厚度按式(5-18)与式(5-14)计算,应用中将式(5-18)中的 I_{max} 改换为设计采用的负气温指数 I_d;或按式(5-19)与式(5-17)计算,应用中将式(5-17)中的 Z 改换为设计冻土层厚度 Z_d。

2．允许一定冻土层的保温层厚度

保温结构在衬砌板不被破坏的情况下,可允许保留一定的冻土层,以降低工程造价,提高防冻胀设计的经济合理性。其保温层厚度按下式计算:

$$S_1 = \frac{S(Z_d - Z_1)}{Z_d} \qquad (5-20)$$

$$Z_1 = \frac{100 \cdot \Delta h_{允}}{f} \qquad (5-21)$$

式中　S_1——保留一定冻土层的保温层厚度,m;

　　　Z_1——允许保留的冻土层厚度,m;

　　　$\Delta h_{允}$——衬砌板允许位移量,m;

　　　其他符号含义同前。

第六章　渠道量水新技术研究

　　渠道量水是灌区灌溉用水管理的基本条件,是促进节约用水、提高灌水质量和灌溉效率的有力措施,是实行计划用水和精确引水、输水、配水、灌水的重要手段,也是核定和计收水费的主要依据。20世纪90年代后期,随着对节水认识的提高,量水工作作为节约用水的一个重要环节逐步引起人们的普遍重视。水利部1999年下发了《关于全面加强节约用水的指导意见》,明确要求逐步完善计量设施,实行按用水量计量收费。财政部、国家计委、农业部2000年下发的《关于取消农村税费改革试点地区有关涉及农民负担的收费项目的通知》要求按实际供水量和规定的水费标准收取,严禁按田亩或人头强行向农民摊派等不规范的收费行为,以减轻农民负担。因此,加大渠道量水设施的研究和推广应用,是我国农业节水的一项重要内容。在渠道量水方面,现有的量水设施主要有量水堰、量水槽和量水计三大类。量水堰有薄壁堰、宽顶堰、三角剖面堰、平坦V形堰等;量水槽有适用于各种断面的长喉道量水槽、矩形或梯形断面的巴歇尔量水槽和无喉道量水槽等,量水计有超声波流量计、电磁流量计、蜗轮流量计等。从经济实用、稳定可靠角度看,槽类量水建筑物,尤其是长喉道量水槽最适合在灌区大范围推广应用,但是传统的槽类量水建筑物流量显示不直观,不能直接显示用水量,实际使用技术要求高,灌区普通用户一般难以接受,在实际应用中很难大范围推广。为了解决这一问题,我们研究开发了水量、水位数字式长喉道量水计。

第一节　数字式长喉道量水计的结构

　　数字式长喉道量水计由长喉道量水槽、球形磁性液位计和流量积算仪三大部分组成。长喉道量水槽一般由上游收缩段、喉道段和下游扩散段组成。水流经喉道段产生收缩,形成临界流,在自由出流情况下,水流流量与行近渠道的水头成单一函数关系,测出水头值,就可算得流量值。球形磁性液位计是测量行近渠道水头的传感器,水头变化引起传感器电阻的变化,将电阻信号输出给流量积算仪,通过事先录入水头(电阻)与流量函数关系的微处理器,将瞬时流量和累积流量显示出来。图6-1为数字式长喉道量水计结构示意图。

　　一、长喉道量水槽的结构

　　长喉道量水槽一般由上游收缩段、喉道段和下游扩散段组成,图6-2为一梯形断面长喉道量水槽。上游收缩段的形式以不产生明显的流动分离为基本原则,底部和两侧边墙可以做成圆弧或斜坡形式,不同的形式对水头损失和上游壅水有显著影响,对流量几乎没有影响,为便于施工,一般做成斜坡形式。喉道段的控制断面形式,可根据渠道流量的变化幅度,采用矩形、梯形、U形、三角形等形状。流量变化幅度小时,常采用矩形、梯形;流量变化幅度大时,常采用三角形,以保证各种水位、流量下都有较高的测流精度。下游扩

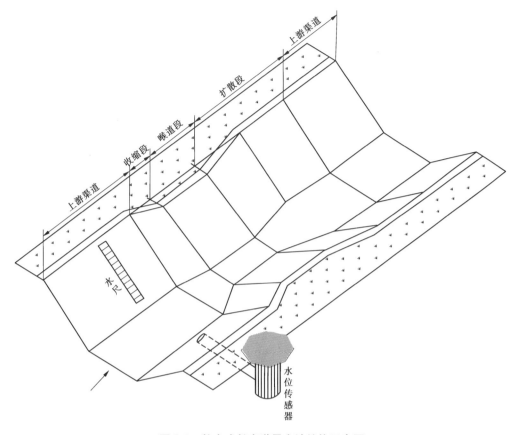

图 6-1　数字式长喉道量水计结构示意图

散段可采用突扩、渐扩的过渡形式,具体形式主要由量水槽最小水头损失决定。

为了保证长喉道量水槽有一个稳定的水头流量关系,喉道堰顶的长度 L 不宜过小,下游出流必须为自由出流。

上游水头量测断面到收缩段的行近渠道长度 $L_a \geqslant H_{1max}$,H_{1max} 为上游最大全水头,收缩段长度 $L_b = 1 \sim 2H_{1max}$,喉道堰顶的长度 $L = 1 \sim 2H_{1max}$,下游扩散段长度 $L_d = 0 \sim 6p_2$,喉道堰顶上游高度 $p_1 = 0 \sim 0.5H_{1max}$。

喉道堰顶上下游高度 p_1 和 p_2 可以不等,也可以相等,也可以都等于 0,成为平底长喉道量水槽。在流量、上游堰高、喉道断面形状尺寸一定的情况下,下游堰高越小,下游出现淹没出流的可能性就越大。长喉道量水槽下游过渡段形式对水头损失、下游出流形式有显著影响,过渡段扩散比 EM 越大,水头损失就越小,临界淹没比就越大,下游出现淹没出流的可能性就越小。$EM = 5$ 时临界淹没比可达 80%,$EM = 20$ 时临界淹没比高达 94%。但 EM 太大会造成过渡段过长,增加工程量。为了获得较高的临界淹没比,同时过渡段又不至于太长,实际应用中常取 $0 \leqslant EM \leqslant 6.0$。

在满足喉道堰顶长度要求和自由出流条件下,长喉道量水槽的堰顶水头与流量的函数关系只取决于上游行近渠道断面形状尺寸、喉道上游堰顶高度和堰顶长度、喉道段断面形状尺寸。长喉道量水槽上游水头与流量的率定曲线可根据已建成的量水槽实际尺寸直接计算得到,简单易行,精确可靠。

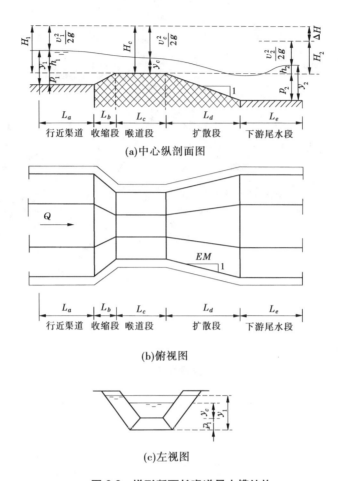

(a)中心纵剖面图

(b)俯视图

(c)左视图

图 6-2　梯形断面长喉道量水槽结构

二、磁性液位计的结构

磁性液位计的结构如图 6-3 所示。主导检测管内装有一系列干簧管及精密电阻组成的磁性传感器。当管外装有磁性材料的浮子随液位上下变化时,检测管内位于液面处的干簧管依次接通,使传感器电阻发生变化。传感器内的电压、电流转换电路将阻值的变化转换成电流的变化,此变化的电流信号,一方面能在传感器内由广角度表直接现场显示液位,另一方面把二线制 4~20 mADC 标准信号输出给显示仪表。

磁性液位计可以做到高密封、防泄漏,能适应高温、高压、高低温巨变和腐蚀性条件下的液位测量。与其他液位传感器相比,磁性液位计没有"零漂"、"温漂"等问题,测量稳定可靠、精度高,非常适合野外长期使用。

磁性液位计的传感器可采用不锈钢、聚氯乙烯、聚四氟乙烯等多种材质,应用时可根据具体情况选择。

三、流量积算仪的结构

流量积算仪在接收了磁性液位计输出的电信号后,通过事先录入水头(电阻)与流量

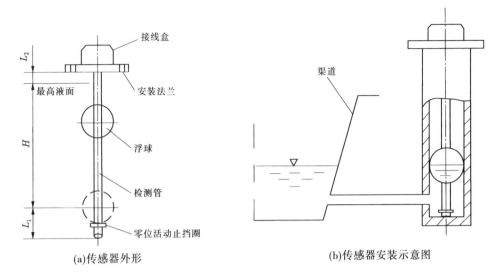

(a)传感器外形　　　　　　　　　(b)传感器安装示意图

图 6-3　磁性液位计结构示意图

函数关系的微处理器,最终将流经长喉道量水槽的瞬时流量和累积流量显示出来。图6-4为流量积算仪的结构框图。

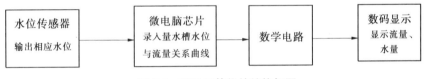

图 6-4　流量积算仪的结构框图

第二节　长喉道量水槽的测流理论

一、量水原理

长喉道量水槽通过进口收缩段,使水流在侧向或垂向产生收缩,并在喉道段形成临界水流,使流量与上游堰顶水头构成稳定单一的函数关系,从而达到测流的目的。

(一)流量与上游水头的关系

假定堰顶水流流线近似为平行的直线,上游行近渠道及堰顶控制断面处的水流流速均匀分布,不计进口收缩段的水头损失,对行近渠道断面和堰顶控制断面列能量方程(见图 6-2),得到理想条件下的流量为:

$$Q_1 = A_c[2g(H_1 - y_c)]^{0.50} \tag{6-1}$$

根据临界流条件,又有:

$$y_c = H_1 - A_c/(2B_c) \tag{6-2}$$

式中　y_c——堰顶控制断面临界水深;

　　　A_c、B_c——与 y_c 对应的过水断面面积和水面宽度;

　　　H_1——上游行近渠道测量断面堰顶总水头,$H_1 = h_1 + \alpha_1 v_1^2/(2g)$。

实际水流一般都不能严格满足上述三个假定条件,为了修正这些假定所带来的计算误差,将实际流量写成如下形式:

$$Q = C_d Q_1 \qquad (6\text{-}3)$$

式中　C_d——流量系数。

(二)流量系数 C_d

流量系数的数值由下式确定:

$$C_d = Q/Q_i \qquad (6\text{-}4)$$

流量系数 C_d 用来修正因下列三个理想化的假设给流量计算造成的偏差:①忽略从上游量测断面到收缩控制断面的摩阻水头损失;②上游量测断面和收缩控制断面处的流线为平行的直线;③上游量测断面和收缩控制断面处的流速服从均匀分布。影响流量系数大小的主要因素是水头损失和流线的曲率,这两个因素都可以用无量纲量 H_1/L 来反映。H_1/L 较小时,摩阻水头损失取决于 H_1,H_1 减小时摩阻损失相对增大,因而造成 C_d 随 H_1/L 的减小而减小;H_1/L 较大时,喉道堰顶水流的流线向下弯曲,从而导致 C_d 的增大。

大量的试验结果表明,为了控制 H_1/L 较小时堰顶粗糙度和 H_1/L 较大时流线曲率变化对流量的影响,实际应用中 H_1/L 的值应满足:$0.1 \leqslant H_1/L \leqslant 1.0$。在此范围内,流量系数 C_d 可以采用如下形式的回归方程:

$$C_d = 0.93 + 0.10 H_1/L \qquad (6\text{-}5)$$

由此经验方程计算的流量系数 C_d,其在95%置信水平下的误差限可由下式确定:

$$X_c = \pm (3 \mid H_1/L - 0.55 \mid^{1.5} + 4)\% \qquad (6\text{-}6)$$

二、流量水头率定关系的迭代计算

流量 Q 与上游堰顶水头 h_1 的率定关系,在已知上游行近渠道及喉道断面形状尺寸、喉道上游堰高 p_1 和堰顶长度 L 的情况下,可采用迭代方法计算。具体计算程序如图6-5所示。

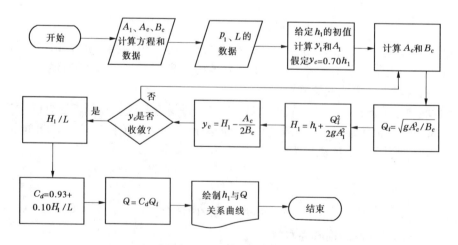

图6-5　流量水头率定关系的计算程序框图

三、水头损失

长喉道量水槽的流量与水头的关系可写成如下幂函数形式：

$$Q = C_d K H_1^u = C_d C_v K h_1^u \tag{6-7}$$

式中　K——有量纲的常数，由量水槽的具体形式、尺寸决定；

　　　C_v——行近流速系数；

　　　u——指数，由式(6-8)确定。

$$u = \frac{h_1}{Q} \cdot \frac{dQ}{dh_1} \tag{6-8}$$

长喉道量水槽的最小总水头损失 ΔH 由上游收缩段的水头损失 $H_1 - H_c$、下游扩散段的沿程水头损失(摩阻损失)ΔH_f 和局部水头损失(紊动损失)ΔH_d 三部分组成：

$$\Delta H = H_1 - H_2 = H_1 - H_c + \Delta H_f + \Delta H_d \tag{6-9}$$

$$H_1 - H_c = H_1(1 - C_d^{1/u}) \tag{6-10}$$

$$\Delta H_f = \frac{1}{3} L \left(\frac{nQ}{A_c R_c^{2/3}}\right)^2 + \frac{1}{3} L_d \left(\frac{nQ}{A_d R_d^{2/3}}\right)^2 + \frac{1}{3} L_e \left(\frac{nQ}{A_2 R_2^{2/3}}\right)^2 \tag{6-11}$$

$$\Delta H_d = \zeta \frac{(v_c - v_2)^2}{2g} \tag{6-12}$$

式中　$A_d = (A_c + A_2)/2$；

　　　$L_e \approx 5 y_2$；

　　　ζ——下游局部阻力系数，其与下游过渡段底部或边壁扩散比 EM 的关系如图6-6所示。

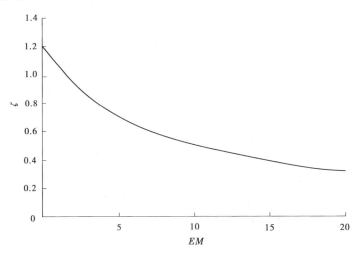

图6-6　局部阻力系数 ζ 值与下游过渡段底部或边壁扩散比 EM 的关系

长喉道量水槽的临界淹没度为：

$$ML = (H_2/H_1)_{ML} = C_d^{1/u} - \Delta H_f/H_1 - \zeta(v_c - v_2)^2/(2gH_1) \tag{6-13}$$

四、设计步骤

在给定渠道断面形状尺寸、底坡 S_b、糙率 n、渠道最大允许水深 y_{1max} 及测流范围 $Q_{min} \sim Q_{max}$ 的条件下,设计长喉道量水槽的基本步骤是:

(1)根据使用时间长短和 Q_{max},确定是建造移动式、临时式还是永久式量水槽;

(2)根据实际应用要求,给定 Q_{min} 和 Q_{max} 的测量允许误差;

(3)由 $r = Q_{max}/Q_{min}$ 的数值,选择喉道控制断面的具体形式($r < 35$ 选矩形,$r > 35$ 选梯形、U 形、复合形、三角形等);

(4)按均匀流初步估算出 $Q \sim y_2$ 的关系;

(5)由 y_{1max} 算出上游行近渠道断面面积 A_1 和 Fr_1,查图 6-7 所示的 $Fr_1 \sim A^*/A_1$ 经验曲线,得到与 y_{1max} 对应的喉道控制断面面积 A^*;

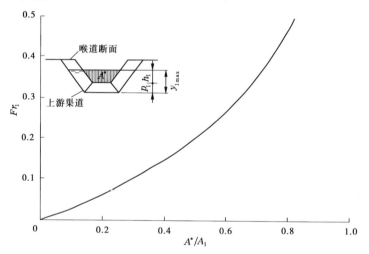

图 6-7 A^*/A_1 上限值与最大流量时上游行近渠道佛汝德数 Fr_1 的关系

(6)由 A^* 及断面形式,初步确定喉道控制断面尺寸和上游堰高 p_1;

(7)根据初算的上游堰顶总水头 H_{1max},估算出喉道长度 L,使得各种流量下满足 $0.1 \leqslant H_1/L \leqslant 1.0$;

(8)根据初步确定的喉道断面尺寸和上游堰高,用迭代法计算出 $Q \sim h_1$ 的关系,并据此确定与 Q_{min}、Q_{max} 和对应的水头 h_{1min}、h_{1max};

(9)由流量系数误差 $X_c = \pm (3 \mid H_1/L - 0.55 \mid^{1.5} + 4)\%$、流量误差 $X_Q = [X_c^2 + (uX_{h_1})^2]^{0.50}\%$ 及上游水头误差 $\Delta h_1 = (h_1 \times X_{h_1}) \times 100$,计算与 Q_{min}、Q_{max} 测量允许误差对应的上游最小、最大水头测量误差 Δh_{1min}、Δh_{1max},如果实际水头测量设备不能满足上述精度要求,缩小喉道断面底宽尺寸,返回(6);

(10)按条件 $p_2 + (ML \times h_1) > y_1$,确定自由出流下与 Q_{min} 和 Q_{max} 对应的上游水头 h'_{1min} 和 h'_{1max},其中临界淹没度 ML,对行近渠道中的量水槽,可取 0.85 试算,对下游连接宽广渠道或水库的量水槽,可取 0.60 试算;

(11)比较 h_{1min} 和 h'_{1min},若 $h_{1min} < h'_{1max}$,则提高堰高 p_1,为满足第(5)步 A^* 的要

求,喉道断面底宽也应相应加大,返回(7);

(12)比较 h_{1max} 和 h'_{1max},若 $h_{1max} \geqslant h'_{1max}$,则喉道断面尺寸、堰高及上下游过渡形式满足要求;

(13)用式(6-13)精确计算 Q_{min} 和 Q_{max} 情况下的临界淹没度 ML,返回(10)再验证(11)和(12);

(14)根据最后确定的量水槽尺寸,计算绘制 $h_1 \sim Q$ 关系曲线,并在同一图上绘出 $y_1 \sim Q$ 和 $y_2 \sim Q$ 的关系曲线。

第三节　长喉道量水槽的现场试验

为了对长喉道量水槽的实际测量精度进行评估,我们选择 2 个梯形渠道和 1 个 U 形渠道上的长喉道量水槽做了现场试验。

一、试验方法

采用流速法测量渠道流量。选择的 2 个梯形渠道和 1 个 U 形渠道均为有混凝土衬砌的规则渠道。由于现场水流很难达到恒定流状态,为尽量减小非恒定流对测流精度的影响,用流速法测量一种流量的历时应尽可能地短。

如何在较短的时间内迅速通过测量过水断面上几点的流速,得到较高精度的流量值?为解决这一问题,我们在实验室较为严格的恒定流条件下,利用曾经做过试验的水工模型,对一段规则的断面为梯形的渠道进行了测试。梯形断面的底宽等于0.8 m,边坡系数等于1.0,水深为0.2~0.5 m。断面测点分别取 1 点、3 点、4 点、6 点和 9 点。1 点的位置取在中垂线 1/2 水深处,3 点的位置是中垂线及与之相距 $B/4$ 的两侧垂线上水深等于 $y/2$ 处,4 点如图 6-8 所示,6 点和 9 点为上述三条垂线两等分、三等分的中点。几种方案的测试结果表明,1 点和 3 点的误差相对较大,6 点和 9 点的误差较小,4 点的误差比 9 点略大一些,与 6 点没有明显差别。按图 6-8 所示 4 点测得流速,与所在面积相乘,最后累加得到通过整个断面的流量。测得的流量与用矩形薄壁堰测得的流量相对误差,在试验的各种流量下均不超过 3%。

长喉道量水槽现场试验中,均采用 4 点流速法测流量。梯形渠道和 U 形渠道的 4 点位置见图 6-8 和图 6-9。

具体的试验步骤是:

(1)精确测量长喉道量水槽上游量测断面的各种几何尺寸。

(2)精确测量长喉道量水槽喉道断面的各种几何尺寸及喉道底坎沿水流方向的长度。

(3)用水准仪测定长喉道量水槽上游量测断面底部高程和喉道底堰顶部高程,以喉道底堰顶部作为基准面,对位于量测断面处的水尺零点作精确定位。

(4)放水,待水位较稳定时开始测试。

(5)用率定后较准确的 CSY 型直读式多功能流速仪测量流速。

(6)读水位,测 4 点流速,各测点随机读取 3 次读数。

(7)计算流量:

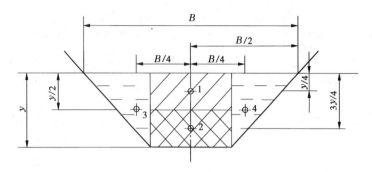

图 6-8　梯形断面测点位置

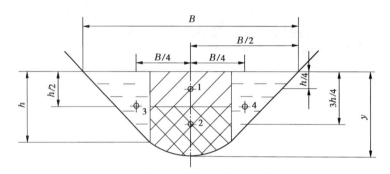

图 6-9　U 形断面测点位置

$$Q = \sum_{i=1}^{4} \overline{u_i} A_i \qquad (6\text{-}14)$$

式中　$\overline{u_i}$——一个测点 3 次读数的平均值。

(8)根据长喉道量水槽上游量测断面尺寸、喉道断面尺寸、喉道底坎长度和上游高度，计算得出长喉道量水槽的水头—流量关系曲线，由水位查出流量值。

(9)分析长喉道量水槽的测量误差、上游进口形式和材质、粗糙度等对流量的影响。

(10)分析上游佛汝德数与水位稳定之间的关系等。

二、试验的量水槽形式、尺寸

现场试验选在一个电灌区的一条梯形干渠、一条梯形支渠和一条 U 形支渠进行，这三条渠道均为有混凝土衬砌的规则渠道，在各渠道上分别建有长喉道量水槽，每个长喉道量水槽的上游量测断面和喉道断面的形状见图 6-10，其尺寸及喉道堰顶长度、堰顶高度见表 6-1。

三、试验结果分析

在梯形干渠和支渠上各测量了 4 种水位对应的流量值，在 U 形支渠上测量了 7 种水位对应的流量，测量结果见图 6-11、图 6-12、图 6-13 和表 6-2，表 6-2 中堰顶水深为长喉道量水槽上游量测断面处超过喉道底坎的水深，测点流速是 3 次读数的平均值，测点所在面积按图 6-8 和图 6-9 的分割方式计算，实测流量由下式计算得到：

$$Q_0 = \sum_{i=1}^{4} u_i A_i \qquad (6-15)$$

长喉道量水槽的理论流量 Q 按各自率定拟合曲线方程计算得出,相对误差为 $(Q - Q_0)/Q_0$。

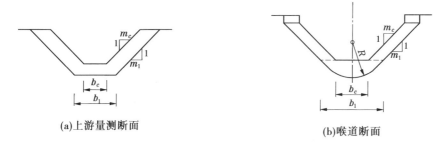

(a)上游量测断面   (b)喉道断面

图 6-10 上游量测断面和喉道断面形状

表 6-1 三种量水槽的主要尺寸

量水槽	上游量测断面			喉道断面		上游堰高 p_1(m)	堰顶长度 L(m)
	底宽 b_1 (m)	边坡系数 m_1	圆弧半径 R (m)	底宽 b_c	边坡系数 m_c		
梯形干渠	0.50	0.95		0.26	1.01	0.10	0.90
梯形支渠	0.45	0.93		0.20	0.95	0.10	0.91
U 形支渠	0.70	1.00	0.50	0.31	0.99	0.14	0.75

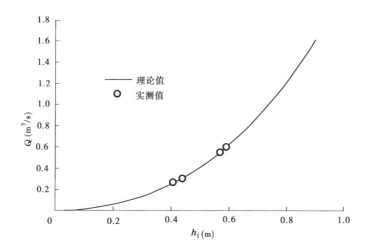

图 6-11 梯形干渠长喉道量水槽堰顶水深 h_1 与流量 Q 的率定曲线

将表 6-2 中的相对误差数据作为一个系列分析,相对误差绝对值最大值为 4.34%,绝对值最小值为 0.14%,相对误差平均值等于 0.42%,标准差等于 1.92%,在 95% 置信水平下的误差限为 3.85%。由此可见,按要求设计的各种形式长喉道量水槽,其水位流量理论关系具有足够高的测流精度,可以满足灌区各类渠道的测流精度要求。另外,几种量水槽的收缩进口形式各不相同,从试验结果看,进口形式的差异对水位流量率定关系没有显著影响。

表 6-2 长喉道量水槽流量实测结果

量水槽	堰顶水深 h_1(m)	测点流速(m/s)				测点所在面积(m²)				实测流量 Q_0(m³/s)	理论流量 Q(m³/s)	相对误差(%)
		u1	u2	u3	u4	A1	A2	A3	A4			
梯形干渠	0.41	0.516	0.522	0.518	0.513	0.128	0.128	0.124	0.124	0.259 6	0.258 2	-0.55
	0.44	0.548	0.549	0.518	0.499	0.135	0.135	0.139	0.139	0.288 9	0.301 5	4.16
	0.57	0.726	0.712	0.719	0.711	0.168	0.168	0.213	0.213	0.545 8	0.545 0	-0.14
	0.59	0.802	0.733	0.716	0.735	0.173	0.173	0.226	0.226	0.592 9	0.598 4	0.93
梯形支渠	0.28	0.325	0.314	0.322	0.318	0.086	0.086	0.067	0.067	0.097 7	0.097 3	-0.42
	0.31	0.348	0.353	0.356	0.347	0.092	0.092	0.078	0.078	0.119 8	0.120 7	0.73
	0.37	0.435	0.419	0.411	0.413	0.106	0.106	0.103	0.103	0.175 2	0.177 5	1.28
	0.38	0.426	0.433	0.417	0.434	0.108	0.108	0.107	0.107	0.184 2	0.179 6	-2.54
U形干渠	0.29	0.362	0.368	0.371	0.364	0.102	0.173	0.042	0.042	0.131 2	0.135 9	3.43
	0.32	0.418	0.426	0.421	0.412	0.112	0.183	0.051	0.051	0.167 6	0.166 4	-0.72
	0.36	0.480	0.477	0.481	0.479	0.126	0.197	0.065	0.065	0.216 8	0.213 0	-1.81
	0.37	0.483	0.476	0.468	0.461	0.130	0.201	0.068	0.068	0.221 7	0.225 7	1.76
	0.40	0.511	0.513	0.518	0.498	0.140	0.211	0.080	0.080	0.261 3	0.266 4	1.93
	0.41	0.544	0.540	0.537	0.541	0.144	0.215	0.084	0.084	0.284 7	0.280 8	-1.38
	0.45	0.581	0.590	0.591	0.585	0.158	0.229	0.101	0.101	0.345 7	0.342 7	-0.87

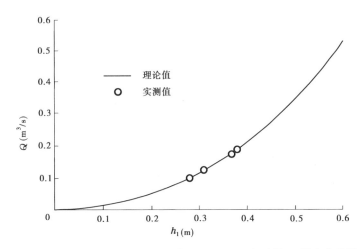

图 6-12 梯形支渠长喉道量水槽堰顶水深 h_1 与流量 Q 的率定曲线

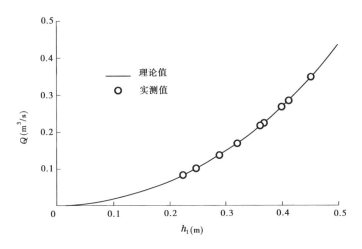

图 6-13 U 形支渠长喉道量水槽堰顶水深 h_1 与流量 Q 的率定曲线

第四节 流量积算仪的率定试验

为了对研制的流量积算仪的稳定性、一致性和精度进行检测,我们选择了用于梯形干渠和梯形、U 形支渠长喉道量水槽流量显示的流量积算仪进行率定试验。每种型号的流量积算仪,按同样的方法、同样的元件、同样的水头流量率定曲线制作 3 只,分两次完成。第一次制作分度号为 LIN0~800 Ω、测量范围在 0~1.206 m³/s 和分度号为 LIN0~500 Ω、测量范围在 0~0.346 m³/s的荧光数显流量积算仪各1只,制作分度号为LIN200~500 Ω、测量范围在 0.06~0.45 m³/s的液晶数显流量积算仪 1 只,输入的水头流量率定曲线如图 6-10、图 6-11 和图 6-12 所示,它们分别用于干渠和支渠量水槽。第二次再按上面的做法各制作 2 只。

一、试验方法

流量积算仪输入的是电阻信号,输入 1 Ω 电阻就相当于长喉道量水槽堰顶水深 1 mm,输出的是瞬时流量和累积流量。试验时,先在流量积算仪信号输入端输入一系列已知数值的电阻,然后直接由显示表头读出相应的瞬时流量值,与理论流量相比较。

二、测试结果

表 6-3～表 6-11 是试验测量的结果,输入水头值(单位:mm)就是输入电阻值(单位:Ω),理论流量是由长喉道量水槽水头流量率定曲线计算得到的流量,显示流量就是由流量积算仪表头读出的瞬时流量值。

为了表示方便,将分度号为 LIN0～800 Ω、测量范围在 0～1.206 m³/s 的流量积算仪称为 A 表,3 只同型号的表分别称为 A1、A2、A3 表;将分度号为 LIN0～500 Ω、测量范围在 0～0.346 m³/s 的流量积算仪称为 B 表,3 只同型号的表分别称为 B1、B2、B3;将分度号为 LIN200～500 Ω、测量范围在 0.06～0.45 m³/s 的流量积算仪称为 C 表,3 只同型号的表分别称为 C1、C2、C3。A1、B1、C1 是第一次制作的,A2、A3、B2、B3 和 C2、C3 是第二次制作的。

表 6-3 流量积算仪 A1 的试验结果

输入水头 (mm)	理论流量 (m³/s)	显示流量 (m³/s)	流量绝对误差 (m³/s)	流量相对误差 (%)
0	0	0	0	
99.7	0.009 8	0.010 0	0.000 2	2.04
199.7	0.059 9	0.060 0	0.000 1	0.17
302.3	0.137 0	0.137 0	0	0
402.9	0.251 4	0.250 0	−0.001 4	−0.56
503.6	0.411 0	0.411 0	0	0
603.0	0.619 2	0.616 0	−0.003 2	−0.52
654.2	0.748 0	0.741 0	−0.007 0	−0.94
705.4	0.893 0	0.889 0	−0.004 0	−0.45
754.6	1.048 0	1.038 0	−0.010 0	−0.95
805.8	1.225 7	1.223 0	−0.002 7	−0.22

注:分度号,LIN0～800 Ω;测量范围,0～1.206 m³/s;编号,010724042。

表 6-4 流量积算仪 A2 的试验结果

输入水头 （mm）	理论流量 （m³/s）	显示流量 （m³/s）	流量绝对误差 （m³/s）	流量相对误差 （%）
0	0	0	0	
99.7	0.009 8	0.010 0	0.000 2	2.04
199.7	0.059 9	0.061 0	0.001 1	1.84
302.3	0.137 0	0.137 0	0	0
402.9	0.251 4	0.252 0	0.000 6	0.24
503.6	0.411 0	0.413 0	0.002 0	0.49
603.0	0.619 2	0.619 0	−0.000 2	−0.03
654.2	0.748 0	0.747 0	−0.001 0	−0.13
705.4	0.893 0	0.895 0	0.002 0	0.22
754.6	1.048 0	1.045 0	−0.003 0	−0.29
805.8	1.225 7	1.232 0	0.006 3	0.51

注:分度号,LIN0~800 Ω;测量范围,0~1.206 m³/s;编号,10927007。

表 6-5 流量积算仪 A3 的试验结果

输入水头 （mm）	理论流量 （m³/s）	显示流量 （m³/s）	流量绝对误差 （m³/s）	流量相对误差 （%）
0	0	0	0	
99.7	0.009 8	0.010 0	0.000 2	2.04
199.7	0.059 9	0.061 0	0.001 1	1.84
302.3	0.137 0	0.138 0	0.001 0	0.73
402.9	0.251 4	0.252 0	0.000 6	0.24
503.6	0.411 0	0.413 0	0.002 0	0.49
603.0	0.619 2	0.620 0	0.000 8	0.13
654.2	0.748 0	0.747 0	−0.001 0	−0.13
705.4	0.893 0	0.895 0	0.002 0	0.22
754.6	1.048 0	1.046 0	−0.002 0	−0.19
805.8	1.225 7	1.232 0	0.006 3	0.51

注:分度号,LIN0~800 Ω;测量范围,0~1.206 m³/s;编号,010927008。

表 6-6 流量积算仪 B1 的试验结果

输入水头 （mm）	理论流量 （m³/s）	显示流量 （m³/s）	流量绝对误差 （m³/s）	流量相对误差 （%）
0	0	0	0	
51.1	0.004 8	0.005 0	0.000 2	4.17
100.4	0.013 4	0.013 0	−0.000 4	−2.99
151.6	0.029 1	0.029 0	−0.000 1	−0.34
199.7	0.049 4	0.049	−0.000 4	−0.81
250.9	0.078 1	0.075 0	−0.003 1	−3.97
302.3	0.114 9	0.113	−0.001 9	−1.65
351.7	0.158 8	0.157 0	−0.001 8	−1.13
402.9	0.213 6	0.212 0	−0.001 6	−0.75
454.1	0.278 8	0.278 0	−0.000 8	−0.29
502.2	0.350 2	0.348 0	−0.002 2	−0.63

注:分度号,LIN0~500 Ω;测量范围,0~0.346 m³/s;编号,010724041。

表 6-7 流量积算仪 B2 的试验结果

输入水头 （mm）	理论流量 （m³/s）	显示流量 （m³/s）	流量绝对误差 （m³/s）	流量相对误差 （%）
0	0	0	0	
51.1	0.004 8	0.005 0	0.000 2	4.17
100.4	0.013 4	0.013 0	−0.000 4	−2.99
151.6	0.029 1	0.029 0	−0.000 1	−0.34
199.7	0.049 4	0.050 0	0.000 6	1.21
250.9	0.078 1	0.075 0	−0.003 1	−3.97
302.3	0.114 9	0.114 0	−0.000 9	−0.78
351.7	0.158 8	0.158 0	−0.000 8	−0.50
402.9	0.156 6	0.213 0	0.056 4	36.02
454.1	0.178 9	0.280 0	0.101 1	56.51
502.2	0.201 3	0.350 0	0.148 7	73.87

注:分度号,LIN0~500 Ω;测量范围,0~0.346 m³/s;编号,010927009。

表 6-8　流量积算仪 B3 的试验结果

输入水头 （mm）	理论流量 （m³/s）	显示流量 （m³/s）	流量绝对误差 （m³/s）	流量相对误差 （％）
0	0	0	0	
51.1	0.004 8	0.005 0	0.000 2	4.17
100.4	0.013 4	0.013 0	−0.000 4	−2.99
151.6	0.029 1	0.029 0	−0.000 1	−0.34
199.7	0.049 4	0.050 0	0.000 6	1.21
250.9	0.078 1	0.076 0	−0.002 1	−2.69
302.3	0.114 9	0.114 0	−0.000 9	−0.78
351.7	0.158 8	0.159 0	0.000 2	0.13
402.9	0.213 6	0.213 0	−0.000 6	−0.28
454.1	0.278 8	0.280 0	0.001 2	0.43
502.2	0.350 2	0.350 0	−0.000 2	−0.06

注:分度号,LIN0～500 Ω;测量范围,0～0.346 m³/s;编号,010927006。

表 6-9　流量积算仪 C1 的试验结果

输入水头 （mm）	理论流量 （m³/s）	显示流量 （m³/s）	流量绝对误差 （m³/s）	流量相对误差 （％）
199.7	0.067 3	0.069 2	0.001 9	2.82
250.9	0.101 9	0.102 0	0.000 1	0.10
302.3	0.148 0	0.141 6	−0.006 4	−4.32
351.7	0.202 8	0.211 5	0.008 7	4.29
402.9	0.270 5	0.282 7	0.012 2	4.51
454.1	0.349 4	0.358 9	0.009 5	2.72
502.2	0.433 7	0.420 9	−0.012 8	−2.95

注:分度号,LIN200～500 Ω;测量范围,0.06～0.45 m³/s;编号,011125001。

表 6-10　流量积算仪 C2 的试验结果

输入水头 （mm）	理论流量 （m³/s）	显示流量 （m³/s）	流量绝对误差 （m³/s）	流量相对误差 （%）
199.7	0.067 3	0.070 1	0.002 8	4.16
250.9	0.101 9	0.100 7	−0.001 2	−1.18
302.3	0.148 0	0.143 7	−0.004 3	−2.91
351.7	0.202 8	0.211 5	0.008 7	4.29
402.9	0.270 5	0.279 6	0.009 1	3.36
454.1	0.349 4	0.361 6	0.012 2	3.49
502.2	0.433 7	0.424 5	−0.009 2	−2.12

注：分度号，LIN200～500 Ω；测量范围，0.06～0.45 m³/s；编号，020315002。

表 6-11　流量积算仪 C3 的试验结果

输入水头 （mm）	理论流量 （m³/s）	显示流量 （m³/s）	流量绝对误差 （m³/s）	流量相对误差 （%）
199.7	0.067 3	0.068 7	0.001 4	2.08
250.9	0.101 9	0.103 3	0.001 4	1.37
302.3	0.148 0	0.141 6	−0.006 4	−4.32
351.7	0.202 8	0.206 2	0.003 4	1.68
402.9	0.270 5	0.281 2	0.010 7	3.96
454.1	0.349 4	0.343 0	−0.006 4	−1.83
502.2	0.433 7	0.430 2	−0.003 5	−0.81

注：分度号，LIN200～500 Ω；测量范围，0.06～0.45 m³/s；编号，020315003。

三、一致性检验

从试验过程和结果看,流量积算仪性能稳定。在给定电阻值一定时,显示的瞬时流量和累积流量都是稳定的,没有出现漂移现象。下面重点就流量积算仪的产品一致性和量测精度进行分析。

采用秩和检验法对 A、B、C 表分别作一致性检验,秩和检验法的步骤和思想是:

(1)把两个子样(容量分别为 n_1 和 n_2)的观测值合并成一个混合子样,排列成序后,写出这 $n_1 + n_2$ 个的秩。以如此得到的秩代替原来的子样观测值,使得两个子样如下:

$$r_{h_1}, r_{h_2}, r_{h_3}, \cdots, r_{h_{n1}}; r_{k_1}, r_{k_2}, r_{k_3}, \cdots, r_{k_{n2}}$$

(2)比较两个子样的容量,选其中较小的一个;如果 $n_1 = n_2$,任选一个。为不失一般性,设 $n_1 \leqslant n_2$,取容量为 n_1 的那个子样,把这个子样的秩加起来,得秩和

$$T = \sum_{j=1}^{n_1} r_{h_j} \tag{6-16}$$

显然

$$n_1(n_1 + 1)/2 \leqslant T \leqslant n_1(n_1 + 2n_2 + 1)/2 \tag{6-17}$$

用秩和 T 这个统计量来检验原假设

$$H_0: \quad F_1(x) = F_2(x)$$

因为在 H_0 成立(即两个子样无显著差异)下,第一个子样的秩一定随机地分散在开头 $n_1 + n_2$ 个自然数中,而不会过度集中在较小的或较大的数中,从而知秩和 T 不会太靠近不等式(6-17)两端的值。

(3)在显著水平给定为 α 时,可以根据秩和检验表查出临界值 t_1 和 t_2,当 $t_1 < T < t_2$ 时,接受原假设;当 $T \leqslant t_1$,或 $T \geqslant t_2$ 时,拒绝原假设。

下面用秩和检验法对 A、B、C 表作一致性检验。检验 A 表时,选 A1、A2 作为一组,A2、A3 作为另一组检验,前者不是同一次生产的,后者是同一次生产的。检验 B、C 表时与上面一样,选 B1、B2(C1、C2)作为一组,B2、B3(C2、C3)作为另一组检验。以各表的实际测量值作为子样,A、B 表每组各个子样的容量都是 10,C 表每组各个子样的容量都是 7,把每组两个子样混在一起组成一个子样,分别求出对应的秩以及各组第一个子样的秩和。具体结果见表 6-12~表 6-17。

表 6-12 流量积算仪 A1、A2 的子样及其秩

秩	1	2	3	4	5	6	7	8	9	10
A1	0.010		0.060		0.137		0.250		0.411	
A2		0.010		0.061		0.138		0.252		0.413
秩	11	12	13	14	15	16	17	18	19	20
A1	0.616		0.741		0.889		1.038		1.223	
A2		0.620		0.747		0.895		1.046		1.232

注:第一个子样(A1 表)的秩和:$T = \sum\limits_{j=1}^{10} r_{h_j} = 1 + 3 + 5 + 7 + 9 + 11 + 13 + 15 + 17 + 19 = 100$。

表 6-13 流量积算仪 A2、A3 的子样及其秩

秩	1	2	3	4	5	6	7	8	9	10
A2	0.010		0.061			0.138	0.252		0.413	
A3		0.010		0.061	0.137			0.252		0.413
秩	11	12	13	14	15	16	17	18	19	20
A2		0.620	0.747		0.895			1.046	1.232	
A3	0.619			0.747		0.895	1.045			1.232

注:第一个子样(A2 表)的秩和:$T = \sum\limits_{j=1}^{10} r_{h_j} = 1 + 3 + 6 + 7 + 9 + 12 + 13 + 15 + 18 + 19 = 103$。

表 6-14 流量积算仪 B1、B2 的子样及其秩

秩	1	2	3	4	5	6	7	8	9	10
B1	0.005		0.013		0.029		0.049		0.075	
B2		0.005		0.013		0.029		0.050		0.076
秩	11	12	13	14	15	16	17	18	19	20
B1	0.113		0.157		0.212		0.278		0.348	
B2		0.114		0.159		0.213		0.280		0.350

注:第一个子样(B1 表)的秩和:$T = \sum_{j=1}^{10} r_{h_j} = 1 + 3 + 5 + 7 + 9 + 11 + 13 + 15 + 17 + 19 = 100$。

表 6-15 流量积算仪 B2、B3 的子样及其秩

秩	1	2	3	4	5	6	7	8	9	10
B2	0.005		0.013		0.029		0.050			0.076
B3		0.005		0.013		0.029		0.050	0.075	
秩	11	12	13	14	15	16	17	18	19	20
B2	0.114			0.159	0.213		0.280		0.350	
B3		0.114	0.158			0.213		0.280		0.350

注:第一个子样(B2 表)的秩和:$T = \sum_{j=1}^{10} r_{h_j} = 1 + 3 + 5 + 7 + 10 + 11 + 14 + 15 + 17 + 19 = 102$。

表 6-16 流量积算仪 C1、C2 的子样及其秩

秩	1	2	3	4	5	6	7
C1	0.069			0.102	0.142		0.212
C2		0.070	0.101			0.144	
秩	8	9	10	11	12	13	14
C1			0.283	0.359		0.421	
C2	0.212	0.280			0.362		0.425

注:第一个子样(C1 表)的秩和:$T = \sum_{j=1}^{7} r_{h_j} = 1 + 4 + 5 + 7 + 10 + 11 + 13 = 51$。

表 6-17　流量积算仪 C2、C3 的子样及其秩

秩	1	2	3	4	5	6	7
C2		0.070	0.101			0.144	
C3	0.069			0.103	0.142		0.206

秩	8	9	10	11	12	13	14
C2	0.212	0.280			0.362	0.425	
C3			0.281	0.343			0.430

注:第一个子样(C2 表)的秩和: $T = \sum_{j=1}^{7} r_{h_j} = 2 + 3 + 6 + 8 + 9 + 12 + 13 = 53$。

由子样容量 $n_1 = n_2 = 10$、显著水平 $\alpha = 0.05$,查秩和检验表得临界值 $t_1 = 79$, $t_2 = 131$,A1 和 A2、A2 和 A3、B1 和 B2、B2 和 B3 的秩和 T 分别等于100、103、100、102,都满足 $t_1 < T < t_2$,原假设成立,各组两子样之间没有显著差异,即 A 表、B 表无论是同批次还是不同批次产品之间没有显著差异。由子样容量 $n_1 = n_2 = 7$、显著水平 $\alpha = 0.05$,查秩和检验表得临界值 $t_1 = 37$、$t_2 = 68$,C1 和 C2、C2 和 C3 的秩和 T 分别等于51、53,都满足 $t_1 < T < t_2$,原假设成立,各组两子样之间没有显著差异,即 C 表无论是同批次还是不同批次产品之间没有显著差异。因此可以得出这样的结论:开发研制的流量积算仪,无论是荧光数显形式还是液晶数显形式,按现有的设计、制作要求生产的产品都具有很好的一致性,产品质量是稳定的,具备了批量生产的水平。

四、精度分析

流量积算仪 A 和 B 都是荧光数显形式,供电电源均为220 VAC或24 VDC,电路结构、芯片类型也相同,两者只是量程不同。流量积算仪 C 是液晶数显形式,供电电源为4.5 VDC,电路结构、芯片类型与 A、B 不同。

由表 6-3～表 6-11 中的误差数据可以看出,流量积算仪 A 的最大相对误差绝对值等于2.04%,流量积算仪 B 的最大相对误差绝对值等于4.17%,流量积算仪 C 的最大相对误差绝对值等于4.51%,三类流量积算仪的相对误差都在 ±5% 以内。表 6-18～表 6-20给出了流量积算仪 A、流量积算仪 B 和两类流量积算仪合在一起的相对误差绝对值的统计分析结果。由于流量积算仪 A 的量程较大,其相对误差明显比流量积算仪 B 要小,但两者的误差分布情况还是相似的,绝大部分情况的相对误差小于 ±1%。两类流量积算仪误差数据合在一起统计,得出平均相对误差绝对值等于1.045%。表 6-21 给出了流量积算仪 C 的相对误差绝对值的统计分析结果,平均相对误差绝对值等于2.821 9%。

从误差分析结果可以清楚地看出,我们研制开发的流量积算仪具有很高的显示精度,完全能够满足灌区量水的精度要求。

表 6-18　流量积算仪 A 的误差统计分析结果

相对误差绝对值	<1%	1%~2%	2%~3%	3%~4%	4%~5%
落在对应范围内的点数	25	2	3	0	0

注:测点总数为 30。相对误差绝对值的平均值 $E_A = 0.605\,3$。

表 6-19　流量积算仪 B 的误差统计分析结果

相对误差绝对值	<1%	1%~2%	2%~3%	3%~4%	4%~5%
落在对应范围内的点数	17	4	4	2	3

注:测点总数为 30。相对误差绝对值的平均值 $E_B = 1.484\,7$。

表 6-20　流量积算仪 A+B 的误差统计分析结果

相对误差绝对值	<1%	1%~2%	2%~3%	3%~4%	4%~5%
落在对应范围内的点数	42	6	7	2	3

注:测点总数为 60。相对误差绝对值的平均值 $E = 1.045\,0$。

表 6-21　流量积算仪 C 的误差统计分析结果

相对误差绝对值	<1%	1%~2%	2%~3%	3%~4%	4%~5%
落在对应范围内的点数	2	4	6	3	6

注:测点总数为 21。相对误差绝对值的平均值 $E_C = 2.821\,9$。

第五节　数字式长喉道量水计的现场试验

为了对研制开发的各种数字式长喉道量水计的整体测量精度作一评价,我们作了一系列的现场试验研究。

一、试验方法

现场试验在一小型电灌区进行。灌区干渠渠首建一处电灌站——天池泵站,泵站装有两台 14 英寸❶ 混流泵。在距离泵站约 50 m 的干渠上安装一个分离式 220 VAC 荧光数显长喉道量水计,在离泵站较近的一条 U 形支渠上安装了分离式 24 VDC 太阳能荧光数显、分离式 4.5 VDC 液晶数显两个长喉道量水计,两个量水计的量水槽尺寸相同,相距约 50 m。所有测试渠道都是混凝土衬砌渠道。

试验分三部分进行:①测定安装在干渠上的分离式 220 VAC 荧光数显长喉道量水计

---

❶　1 英寸 = 2.54 cm。

的整体精度,采用流速法测量渠道流量,所用仪器为近期率定过的 CSY 型直读式多功能流速仪,具体测流方法同本章第三节。另外,在泵站的一台水泵出水管上还安装了一个管道超声波流量计,用于渠道流量的测量对比。测定开一台水泵和两台水泵同时开两种流量情况。②测定安装在 U 形支渠上的分离式24 VDC太阳能荧光数显、分离式4.5 VDC液晶数显两个长喉道量水计的整体精度,采用流速法测量渠道流量。开一台水泵,运用干渠上的闸门控制调节测流流量的大小。③在 U 形支渠上测定整体式液晶数显长喉道量水计的精度,方法同②。

为了提高测量精度,在测试过程中,应尽量保持水位、流量相对稳定,长喉道量水槽下游出流为自由出流,长喉道量水槽所在渠段应无杂物、杂草,测试人员分工明确、相对固定,一个量水计的率定试验应在一连续时段内完成。

分离式 220 VAC 荧光数显长喉道量水计和分离式 24 VDC 太阳能荧光数显长喉道量水计既可显示瞬间流量也能显示累积流量,分离式 4.5 VDC 液晶数显长喉道量水计和整体式 4.5 VDC 液晶数显长喉道量水计只显示累积流量,测试时视具体情况记录瞬间流量或累积流量。

二、试验结果和精度分析

四种流量计的测试结果见表 6-22～表 6-25。表中的堰前水深是指量水槽上游水位测量断面处的水深,测点流速取 3 次读数的平均值,实测流量是按本章第三节方法由实测流速计算得到的瞬时流量,显示流量是流量计显示的瞬时流量,显示累积流量为流量计在测试时段内始末累积流量读数之差。

由表 6-24 的测试结果可以看出,在相同测量时段内(42 min),装在水泵出水管上的超声波流量计的实测累积流量等于751.22 m^3,采用本章第三节的流速法测得的累积流量等于745.08 m^3,相对偏差等于 0.82%,两种方法的测试结果吻合很好,说明用流速法作为数字式长喉道量水计测流率定的方法是可靠的。

对分离式 220 VAC 荧光数显长喉道量水计,共进行了 2 个不同流量(对应于开一台水泵和开两台水泵两种情况)的现场测试,累积流量的相对误差分别等于 − 2.25%、−1.01%。分离式 24 VDC 太阳能荧光数显长喉道量水计和分离式 4.5 VDC 液晶数显长喉道量水计的率定同时进行,共做了 4 个不同流量的测试。分离式 24 VDC 太阳能荧光数显长喉道量水计的 4 次累积流量相对误差分别等于1.51%、− 3.95%、− 5.19%、−0.39%,分离式 4.5 VDC 液晶数显长喉道量水计的 4 次累积流量相对误差分别等于6.92%、−4.55%、2.75%、−4.75%。对整体式4.5 VDC液晶数显长喉道量水计,共进行了 2 个不同流量的测试,测试在 U 形支渠上进行,2 次测得的累积流量相对误差分别等于3.53%和−2.43%。在上述所有测试中,绝大多数情况的累积流量相对误差小于 ±5%,最大的累积流量相对误差为 6.92%。

通过对各种类型的长喉道量水计在不同流量下的现场测试结果可以看出,我们研制开发的新型量水计具有较高的测流精度,能够满足灌区量水精度的要求。

表 6-22 分离式 220 VAC 荧光数显长喉道量水计测试结果

	堰前水深 y(m)	测点流速 (m/s)				测点所在面积 (m²)				实测流量 (m³/s)	理论流量 (m³/s)	相对误差 (%)
		u1	u2	u3	u4	A1	A2	A3	A4			
测试 1	0.540	0.557	0.548	0.534	0.531	0.135	0.135	0.139	0.139	0.297	0.289	−2.6
	0.540	0.561	0.557	0.529	0.534	0.135	0.135	0.139	0.139	0.298	0.289	−3.02
	0.535	0.554	0.551	0.526	0.532	0.134	0.134	0.136	0.136	0.292	0.287	−1.71
	测量开始时间	下午 3:30		测量结束时间	下午 4:12			测流历时 (min)		42		
	开始时累积流量读数	1 130.35		结束时累积流量读数	1 858.63			显示累积流量 (m³)		728.28		
	实测平均瞬时流量 (m³/s)	0.296		实测累积流量 (m³)	745.08			累积累积流量相对误差 (%)		−2.25		

超声波流量计测试结果

	开始时累积流量读数	2 608.94		结束时累积流量读数	3 360.16			实测累积流量 (t)		751.22		
	堰前水深 y(m)	测点流速 (m/s)				测点所在面积 (m²)				实测流量 (m³/s)	理论流量 (m³/s)	相对误差 (%)
		u1	u2	u3	u4	A1	A2	A3	A4			
测试 2	0.680	0.745	0.739	0.733	0.736	0.170	0.170	0.220	0.220	0.575	0.579	0.70
	0.685	0.752	0.750	0.744	0.735	0.171	0.171	0.223	0.223	0.587	0.581	−1.02
	0.690	0.766	0.763	0.753	0.754	0.173	0.173	0.226	0.226	0.604	0.584	−3.31
	测量开始时间	下午 4:30		测量结束时间	下午 5:06			测流历时 (min)		36		
	开始时累积流量读数	2 479.15		结束时累积流量读数	3 737.89			显示累积流量 (m³)		1 258.74		
	实测平均瞬时流量 (m³/s)	0.589		实测累积流量 (m³)	1 271.52			累积流量相对误差 (%)		−1.01		

表6-23 分离式24 VDC太阳能荧光数显量长喉道量水计测试结果

	堰前水深 y(m)	测点流速(m/s)				测点所在面积(m²)				实测流量 (m³/s)	理论流量 (m³/s)	相对误差 (%)
		u1	u2	u3	u4	A1	A2	A3	A4			
测试1	0.370	0.312	0.304	0.307	0.298	0.079	0.151	0.026	0.026	0.086	0.090	4.65
	0.370	0.319	0.319	0.296	0.284	0.079	0.151	0.026	0.026	0.088	0.090	2.27
	0.375	0.331	0.317	0.295	0.313	0.081	0.153	0.027	0.027	0.092	0.091	−1.09
	测量开始时间	上午8:30			测量结束时间	上午9:01			测流历时(min)	31		
	开始时累积流量读数	826.53			结束时累积流量读数	993.93			显示累积流量(m³)	167.40		
	实测平均瞬时流量(m³/s)	0.089			实测累积流量(m³)	164.92			累积流量相对误差(%)	1.51		

	堰前水深 y(m)	测点流速(m/s)				测点所在面积(m²)				实测流量 (m³/s)	理论流量 (m³/s)	相对误差 (%)
		u1	u2	u3	u4	A1	A2	A3	A4			
测试2	0.430	0.384	0.382	0.376	0.363	0.101	0.172	0.041	0.041	0.135	0.130	−3.70
	0.440	0.393	0.388	0.374	0.376	0.104	0.175	0.044	0.044	0.142	0.135	−4.93
	0.445	0.395	0.387	0.361	0.365	0.106	0.177	0.046	0.046	0.143	0.137	−4.20
	测量开始时间	上午9:20			测量结束时间	上午9:46			测流历时(min)	26		
	开始时累积流量读数	1 034.63			结束时累积流量读数	1 244.41			显示累积流量(m³)	209.78		
	实测平均瞬时流量(m³/s)	0.140			实测累积流量(m³)	218.40			累积流量相对误差(%)	−3.95		

续表 6-23

测试 3

堰前水深 y(m)	测点流速 (m/s)				测点所在面积 (m²)				实测流量 (m³/s)	理论流量 (m³/s)	相对误差 (%)
	u1	u2	u3	u4	A1	A2	A3	A4			
0.485	0.452	0.456	0.437	0.440	0.120	0.191	0.059	0.059	0.193	0.182	-5.70
0.490	0.437	0.442	0.436	0.431	0.121	0.193	0.060	0.060	0.190	0.183	-3.68
0.495	0.448	0.453	0.441	0.447	0.123	0.195	0.062	0.062	0.198	0.185	-6.57

测量开始时间	上午 10:10	测量结束时间	上午 10:39	测流历时(min)	29
开始时累积流量读数	1 479.55	结束时累积流量读数	1 799.03	显示累积流量(m³)	319.48
实测平均瞬时流量 (m³/s)	0.194	实测累积流量(m³)	336.98	累积流量相对误差(%)	-5.19

测试 4

堰前水深 y(m)	测点流速 (m/s)				测点所在面积 (m²)				实测流量 (m³/s)	理论流量 (m³/s)	相对误差 (%)
	u1	u2	u3	u4	A1	A2	A3	A4			
0.530	0.505	0.507	0.493	0.499	0.135	0.207	0.075	0.075	0.248	0.251	1.21
0.540	0.511	0.510	0.507	0.503	0.139	0.210	0.079	0.079	0.258	0.256	-0.78
0.540	0.517	0.514	0.511	0.507	0.139	0.210	0.079	0.079	0.260	0.256	-1.54

测量开始时间	上午 11:10	测量结束时间	上午 11:42	测流历时(min)	32
开始时累积流量读数	2 122.74	结束时累积流量读数	2 611.06	显示累积流量(m³)	488.32
实测平均瞬时流量 (m³/s)	0.255	实测累积流量(m³)	490.24	累积流量相对误差(%)	-0.39

表6-24 分离式4.5 VDC 液晶数显量长喉道量水计测试结果

	堰前水深 y(m)	测点流速 (m/s)				测点所在面积 (m²)				实测流量 (m³/s)
		u1	u2	u3	u4	A1	A2	A3	A4	
测试1	0.370	0.312	0.304	0.307	0.298	0.079	0.151	0.026	0.026	0.086
	0.370	0.319	0.319	0.296	0.284	0.079	0.151	0.026	0.026	0.088
	0.375	0.331	0.317	0.295	0.313	0.081	0.153	0.027	0.027	0.092
	测量开始时间	上午8:30		测量结束时间	上午9:01		测流历时(min)			31
	开始时累积流量读数	0		结束时累积流量读数	176.33		显示累积流量(m³)			176.33
	实测平均瞬时流量(m³/s)	0.089		实测累积流量(m³)	164.92		累积流量相对误差(%)			6.92

	堰前水深 y(m)	测点流速 (m/s)				测点所在面积 (m²)				实测流量 (m³/s)
		u1	u2	u3	u4	A1	A2	A3	A4	
测试2	0.430	0.384	0.382	0.376	0.363	0.101	0.172	0.041	0.041	0.135
	0.440	0.393	0.388	0.374	0.376	0.104	0.175	0.044	0.044	0.142
	0.445	0.395	0.387	0.361	0.365	0.106	0.177	0.046	0.046	0.143
	测量开始时间	上午9:20		测量结束时间	上午9:46		测流历时(min)			26
	开始时累积流量读数	0		结束时累积流量读数	208.46		显示累积流量(m³)			208.46
	实测平均瞬时流量(m³/s)	0.140		实测累积流量(m³)	218.40		累积流量相对误差(%)			-4.55

测试3

堰前水深 y(m)	测点流速(m/s)				测点所在面积(m²)				实测流量(m³/s)
	u1	u2	u3	u4	A1	A2	A3	A4	
0.485	0.452	0.456	0.437	0.440	0.120	0.191	0.059	0.059	0.193
0.490	0.437	0.442	0.436	0.431	0.121	0.193	0.060	0.060	0.190
0.495	0.448	0.453	0.441	0.447	0.123	0.195	0.062	0.062	0.198

测量开始时间	上午10:10	测量结束时间	上午10:39	测流历时(min)	29
开始时累积流量读数	0	结束时累积流量读数	346.24	显示累积流量(m³)	346.24
实测平均瞬时流量(m³/s)	0.194	实测累积流量(m³)	336.98	累积流量相对误差(%)	2.75

测试4

堰前水深 y(m)	测点流速(m/s)				测点所在面积(m²)				实测流量(m³/s)
	u1	u2	u3	u4	A1	A2	A3	A4	
0.530	0.505	0.507	0.493	0.499	0.135	0.207	0.075	0.075	0.248
0.540	0.511	0.510	0.507	0.503	0.139	0.210	0.079	0.079	0.258
0.540	0.517	0.514	0.511	0.507	0.139	0.210	0.079	0.079	0.260

测量开始时间	上午11:10	测量结束时间	上午11:42	测流历时(min)	32
开始时累积流量读数	0	结束时累积流量读数	466.95	显示累积流量(m³)	466.95
实测平均瞬时流量(m³/s)	0.255	实测累积流量(m³)	490.24	累积流量相对误差(%)	-4.75

表6-25　整体式4.5 VDC液晶数显长喉道量水计测试结果

	堰前水深 y(m)	测点流速(m/s)				测点所在面积(m²)				实测流量 (m³/s)
		u1	u2	u3	u4	A1	A2	A3	A4	
测试1	0.460	0.416	0.411	0.409	0.411	0.111	0.182	0.050	0.050	0.162
	0.465	0.423	0.419	0.413	0.408	0.113	0.184	0.052	0.052	0.167
	0.460	0.420	0.423	0.415	0.144	0.111	0.182	0.050	0.050	0.165

测量开始时间	下午3:30	测量结束时间	下午4:03	测流历时(min)	33
开始时累积流量读数	0	结束时累积流量读数	337.56	显示累积流量(m³)	337.56
实测平均瞬时流量 (m³/s)	0.165	实测累积流量(m³)	326.04	累积流量相对误差(%)	3.53

	堰前水深 y(m)	测点流速(m/s)				测点所在面积(m²)				实测流量 (m³/s)
		u1	u2	u3	u4	A1	A2	A3	A4	
测试2	0.510	0.483	0.481	0.476	0.471	0.128	0.200	0.067	0.067	0.222
	0.515	0.490	0.488	0.481	0.483	0.130	0.202	0.069	0.069	0.229
	0.515	0.487	0.491	0.475	0.477	0.128	0.200	0.067	0.067	0.225

测量开始时间	下午4:30	测量结束时间	下午4:57	测流历时(min)	27
开始时累积流量读数	0	结束时累积流量读数	356.17	显示累积流量(m³)	356.17
实测平均瞬时流量 (m³/s)	0.225	实测累积流量(m³)	365.04	累积流量相对误差(%)	-2.43

第七章　渠灌区管网输水系统水力计算及模拟仿真技术研究

　　灌溉管网是一个结构复杂、规模庞大、用水随机性强、控制为多目标的网络系统,为满足农业生产的需要,其改建和扩建工作较频繁,并且费用很高。同时,在日常的灌溉供水系统管理中,不注意对管网系统进行测试及数据的收集和整理工作,所以管网信息资料比较零乱,管网的改建、扩建和维护工作也比较盲目,造成大量的人力、物力和财力的浪费。因此,针对目前国内灌溉管网的这一现状,为更好地对管网进行建设和维护,我们在目前国内外给水管网水力分析算法的研究基础上,运用 GIS 技术,利用 MapBasic 开发环境,编制出了一套管网计算分析软件。它可以对管网进行计算分析,并结合地理信息模拟管网的运行状况。该软件用户界面友好,操作方便,获取数据直观、快速、准确,为管网规划、设计、优化控制和科学管理提供了可靠的信息来源,为计算机在管网中的应用开阔了思路。

第一节　国内外管网计算理论的发展状况

　　管网水力分析计算起始于 1936 年,Hardy Cross 在环状网的水力计算中,提出了至今仍普遍应用的方法 Hardy Cross 法,它以能量方程的水头损失平衡为准则,并引进校正流量的概念而导出非线性方程组,然后将其线性化来求解。但该法在线性化的过程中简化过多,忽略了环与环的相互影响,其收敛速度慢,且初始值对收敛的影响较大。

　　在 20 世纪 70 年代后,网络(图论)技术逐步得到应用和发展,加上计算机技术不断完善,为管网水力计算创造了有利条件。利用图论来构造给水管网的节点方程和环方程,简洁明了的矩阵描述方式,使人们对系统、方程本身的性质及其应用的了解更直观、深刻。并且,随着计算机的出现及其应用软件的发展,管网计算有了突飞猛进的发展,求解这些方程的各种方法在计算机上得以完成和实现。

　　田一梅、汪泳等就城市供水管网故障工况下运行状态模拟进行了研究。首先在对现状管网正常运行状态和事故运行状态水力分析、模拟仿真的基础上,分别确定模拟管网供水量、供水压力及管网监测点压力两种状态的相关关系;其次,以实际管网正常运行状态宏观模型为基础,结合所求出的模拟管网两种状态的相关关系,建立实际管网事故运行状态宏观模型。但由于实际管网的复杂性,管网水力计算都是建立在简化模型的基础上。管网简化后,管网的结构发生变化,计算值与实际值很难吻合。

　　吴学伟、赵洪宾等通过试验,在测量数据的基础上对实验室模拟管网进行了计算,取得一定的精度,初步证明了试验方法的可行性,为进一步深入研究提供了便利条件。但在实验室建立物理模型进行管网工况的研究,一方面要耗费大量的人力、物力和财力,另一方面由于通过模型试验获得的数据的局限性,不能更深刻、更全面地反映管网的内在特性。

阎晓涛等从系统的角度出发,运用黑箱理论,不涉及供水管网的细微结构,而从系统外部输入、输出的变化关系中探求系统内在的变化规律,就是用某种数学模型模拟系统输出对输入的反应规律。针对兰州地区供水实际情况,提出了适用于多水源供水系统的压力分布数学模型,并对其运行状况进行了模拟仿真。

以上的研究都是建立在给水管网理论基础之上的,并不完全适用于灌溉管网。首先,灌溉管网与给水管网相比,结构比较简单,一般不存在管网简化的问题。其运行方式也不同于给水管网,一般存在以下三种方式:①续灌方式。在地形平坦且流量和系统容量足够大时,可采用续灌方式。②轮灌方式。在一次灌溉期间,灌溉系统内部不是所有管道同时通水,而是将输配水管分组,以轮灌组为单元轮流灌溉。③随机方式。随机方式是指管网系统各个出水口的启闭在时间和顺序上不受其他出水口工作状态的约束,管网系统随时都可以供水,用水单位可随时取水灌溉。这种运行方式多在用水单位较多、作物种植结构复杂及取水随意性大的大灌区中采用。不同的灌溉工作制度在管网各管段中产生不同的流量分配模式。

龚时宏等根据丘陵区管道水力特征,采用管网非恒定流代数解法,建立丘陵区封闭及半封闭管网压力分布特征计算的数学模型,提出了相应的简化计算方法及收敛判据。林中卉从系统的观点出发,分析了水泵直接加压式喷灌压力管网系统的组成,继而运用图示模拟技术,着重研究了计算各类水力单元直至全系统水力特性的模拟模型,并针对一个规模较大、地形较为复杂的坡地喷灌工程,具体介绍了运用该模型进行图示模拟计算的方法和步骤。

第二节　渠灌区管网输水系统的水力学计算模型的建立

管网水力状态实时模拟计算时,由于用户用水量的变化,管网供水量和供水压力是随时间变化的。为了便于水力学计算,本项研究把图论应用于管网模拟计算中。图论理论是网络分析的主要工具,现用于管网的水力平衡计算,既充分发挥了图论理论的优势,使计算变得简便、迅捷,又可将管网附件加入计算,使结果更准确、更符合实际。采用峰阵输入管网结构,使输入数据的工作量大大减少,易于编制程序,计算大型的复杂管网。

将灌溉管网中的管段概化成一条线段,将有附件的管段看成图中的特殊管段。边与边由节点相连。这样,一个供水系统的管网图就转化为图论中的网络图。而且管道中的水流是有方向的,所以管网图是有向连通图。因而在灌溉管网分析中,把已经确定管段水流方向的管网图称为有向管网图。管段和节点之间的相互关系是拓扑关系,这种关系可以通过管网的关联矩阵来进行描述,关联矩阵 A_e 可用下式定义:

$$M(i,j)=\begin{cases} 1 & \text{表示节点 } i \text{ 与管段 } j \text{ 相连,且 } i \text{ 为管段 } j \text{ 的起点,即流量从节点 } i \text{ 流入} \\ -1 & \text{表示节点 } i \text{ 与管段 } j \text{ 相连,且 } j \text{ 为管段 } j \text{ 的终点,即流量从节点 } j \text{ 流出} \\ 0 & \text{表示节点 } i \text{ 与管段 } j \text{ 不相连} \end{cases}$$

某灌区管网的有向图如图 7-1 所示,其关联矩阵 A_e 的转置矩阵 A_e^{T} 为:

$$A_e^{\mathrm{T}} = \begin{bmatrix} 1 & -1 & 0 & 0 & 0 & 0 & 0 & 0 & 0 & 0 \\ 0 & 1 & -1 & 0 & 0 & 0 & 0 & 0 & 0 & 0 \\ 0 & 0 & 1 & -1 & 0 & 0 & 0 & 0 & 0 & 0 \\ 0 & 0 & 0 & 1 & -1 & 0 & 0 & 0 & 0 & 0 \\ 0 & 0 & 0 & 0 & 1 & -1 & 0 & 0 & 0 & 0 \\ 0 & 1 & 0 & 0 & 0 & 0 & -1 & 0 & 0 & 0 \\ 0 & 0 & 0 & 0 & 0 & 0 & 1 & -1 & 0 & 0 \\ 0 & 0 & 0 & 0 & 0 & 0 & 0 & 1 & -1 & 0 \\ 0 & 0 & 0 & 0 & 0 & 0 & 0 & 0 & 1 & -1 \end{bmatrix}$$

图7-1中,管段视为网络图中的对应边,管段的直径、管长、管道流量、摩损系数等作为管段对应边的权。

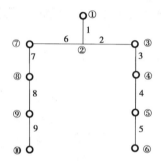

图7-1 某灌区灌溉管网示意图

①~⑩为节点号,1~9为管段号

完全关联矩阵与管段流量列向量 q 以及节点流量列向量 Q 可组成管网节点方程(7-1)(即连续方程):

$$M_{ij} \times q + Q = 0 \tag{7-1}$$

$$q = (q_1, q_2, q_3, q_4, q_5, q_6, q_7, q_8, q_9)^{\mathrm{T}}$$

$$Q = (Q_1, Q_2, Q_3, Q_4, Q_5, Q_6, Q_7, Q_8, Q_9, Q_{10})^{\mathrm{T}}$$

关联矩阵的行号对应节点号,而列号则对应管段号。通过关联矩阵可以计算出各节点相关联管段和节点,并可以根据正负号判别流向。因此,可从水源节点开始,根据管段的流向能够逐级搜索出该水源的供水区域以及供水路径。

同时,为了更方便地表示节点和管段的拓扑关系,引用图论中有关度数的概念。在图论中,和顶点 v 关联的边数称为 v 的度数。在灌溉管网中,水源点和各干、分支的末端节点的度数为1,干、支管段相交的节点度数为3,其余节点的度数为2。

任何管道的水力计算都可以用管段流量 q、水头损失 h、管径 D、管长 L 和管壁条件 C 等5个因素来描述。一般 D、L 和 C 为已知条件,只有 q 和 h 未知。因此,求解一个管网的水力平衡问题,可从两方面考虑:一是利用 q 和 h 的关系,消去 h,以 q 为未知量来计算,求出 q 后,反求 h;二是首先消去 q,以 h 为未知量计算,解出 h 之后,再反求 q,图论法也可从这两方面入手。

管道水力计算采用传统的连续方程和能量方程。

单个出水口出水,管道进口断面 1—1 及管道出口断面 2—2 断面能量方程为:

$$H + \frac{\alpha_1 {v_0}^2}{2g} = \frac{\alpha_1 v^2}{2g} + h_{w1-2}$$

$$H_0 = \frac{\alpha_1 {v_0}^2}{2g} + h_f + \sum h_j = (1 + \lambda \frac{l}{d} + \sum \zeta) \frac{v^2}{2g} \tag{7-2}$$

管中流速:

$$V = \frac{1}{\sqrt{1 + \lambda \dfrac{l}{d} + \sum \zeta}} \sqrt{2gH_0} \tag{7-3}$$

通过管道的流量:

$$Q = vA = \frac{1}{\sqrt{1 + \lambda \dfrac{l}{d} + \sum \zeta}} A \sqrt{2gH_0} = \mu_c A \sqrt{2gH_0} \tag{7-4}$$

有两个出水口时:

$$H_{02} = \lambda_1 \frac{l_1}{d_1} \frac{\alpha_1 {v_1}^2}{2g} + \lambda_2 \frac{l_2}{d_2} \frac{\alpha_1 {v_2}^2}{2g} + \sum \zeta_1 \frac{\alpha_1 {v_1}^2}{2g} + \sum \zeta_2 \frac{\alpha_2 {v_2}^2}{2g} + \frac{\alpha_2 {v_2}^2}{2g}$$

$$= \left[1 + \sum \lambda_i \frac{l_i}{d_i} \left(\frac{Q_i A_2}{Q_i A_i}\right)^2 + \sum \zeta_i \left(\frac{Q_i A_2}{Q_i A_i}\right)^2 \right] \frac{{v_2}^2}{2g} \tag{7-5}$$

管中流速:

$$v_2 = \frac{\sqrt{2gH_0}}{\left[1 + \sum \lambda_i \dfrac{l_i}{d_i} \left(\dfrac{Q_i A_2}{Q_i A_i}\right)^2 + \sum \zeta_i \left(\dfrac{Q_i A_2}{Q_i A_i}\right)^2 \right]^{1/2}} \tag{7-6}$$

通过出水口 2 的流量:

$$Q_2 = v_2 A = \frac{A \sqrt{2gH_0}}{\left[1 + \sum \lambda_i \dfrac{l_i}{d_i} \left(\dfrac{Q_i A_2}{Q_2 A_i}\right)^2 + \sum \zeta_i \left(\dfrac{Q_i A_2}{Q_2 A_i}\right)^2 \right]^{1/2}}$$

$$= \mu_c A \sqrt{2gH_0} \tag{7-7}$$

式中　A——管道的过水断面面积;

$\dfrac{\alpha_1 {v_0}^2}{2g}$——行近流速水头,一般很小,可以忽略不计。

由数学归纳法可知,任一个出水口流量都可表示为:

$$q_i = \mu_{ci} A_i \sqrt{2gH_i} \tag{7-8}$$

对于管网系统中的任一节点,由连续性方程可得:

$$\sum_{i=1}^{m} Q_i + q_j = 0 \qquad j = 1,2,3,\cdots,n \tag{7-9}$$

式中　Q_i——管段流量;

m——与节点 j 相连的管段数;

q_i——节点流量;

n——节点数。

通过联立式(7-5)和式(7-6)就可解得任一出水口的流量,进而解出所有管段流量以及节点的压力。

一、出水口流量与出水口自由水压的关系模型

在管网出水口的前后断面,应用能量方程,得出出水口流量与压力的关系模型:

$$Q = \mu\omega\sqrt{2gH} \tag{7-10}$$

式中　μ——出水口的流量系数;

　　　ω——出水口的断面积。

二、管网中任一出水口和调压井的自由水压模型

$$H = \Delta Z + h_f + h_j = \Delta Z + 10.29\frac{n^2 Q^2 l}{D^{5.33}} + \zeta_i\frac{8Q^2}{g\pi^2 D_i^4} \tag{7-11}$$

式中　ΔZ——出水口与水源地的高程差;

　　　h_f——出水口与水源地的沿程水头损失;

　　　h_j——管段的局部水头损失;

　　　n——管段的粗糙系数;

　　　D——管段管径;

　　　l——管段长度;

　　　ζ_i——管段局部水头损失系数。

三、溢流堰溢流流量与自由水压的数学模型

$$Q = Mb H_0^{1.5} \tag{7-12}$$

式中　M——堰的流量系数;

　　　b——堰顶长度;

　　　H_0——堰上水头。

四、各出水口流量之间的关系模型

节点方程也称连续性方程,即连接于任何节点的所有管段流量其代数和为零。其矩阵表示为:

$$AQ = q \tag{7-13}$$

式中　A——管网图的基本关联矩阵;

　　　$Q = (Q_1, Q_2, \cdots, Q_N)^T$, Q_i 为管段 i 的流量; $q = (q_1, q_2, \cdots, q_M)^T$, q_i 为节点 i 的节点流量。

在连续性方程中规定,任意节点的流进流量为负值,流出流量为正值。节点方程中每

个节点有一个连续性方程。

节点自由水压约束：

$$H_i \geqslant H_{i\min} \quad i = 1, 2, 3, \cdots, n$$

式中　　H_i——节点 i 的自由水压；

　　　　$H_{i\min}$——节点 i 允许的最小自由水压。

五、以一个简单管网为例，建立数学模型

对图 7-2 所示的管网建立如下数学模型：

$$Q_1 = \mu_1 \omega_1 \sqrt{2gH_1} = \mu_1 \omega_1 \sqrt{2g} \sqrt{\Delta Z_1 + K_0 Q^2 + K_1 Q_1^2} \tag{7-14}$$

$$Q_2 = \mu_2 \omega_2 \sqrt{2gH_2} = \mu_2 \omega_2 \sqrt{2g} \sqrt{\Delta Z_2 + K_0 Q^2 + K_2 Q_2^2} \tag{7-15}$$

$$Q = Q_1 + Q_2 \tag{7-16}$$

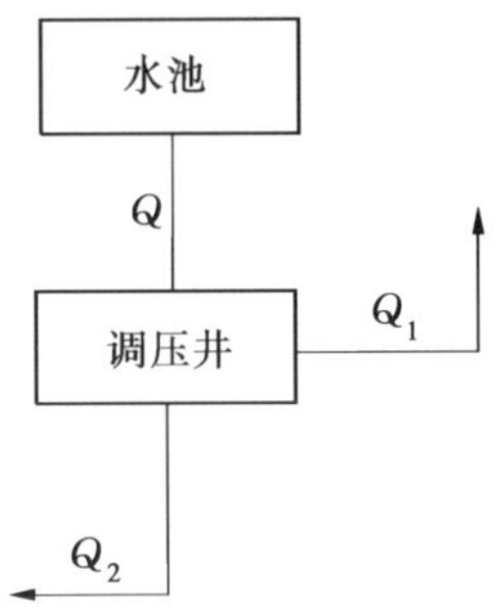

图 7-2　管网示例

对 Q、Q_1、Q_2 进行数据初始化，计算调压井的压力，若得出的调压井的压力小于调压井堰顶高程，则联立式(7-14)、式(7-15)、式(7-16)，解非线性方程组，即可求出管网各出水口的流量。若得出的调压井的压力大于调压井堰顶高程，则：

$$Q = Q_1 + Q_2 + Q_{调压井} \tag{7-17}$$

联立式(7-12)、式(7-14)、式(7-15)、式(7-17)，解非线性方程组，即可求解。

六、管网数学模型的求解

解非线性方程组的牛顿—拉夫森法就是把非线性方程组线性化，然后求解线性方程组即可求解。先以一个二阶非线性方程组为例，设方程组的一组初始近似值 x_0、y_0，则：

$$\begin{cases} x = x_0 + \Delta x \\ y = y_0 + \Delta y \end{cases} \tag{7-18}$$

设 f_1、f_2 对 x、y 的二阶偏导数存在且连续，利用泰勒公式，在近似值邻近将非线性函数 f_1、f_2 用如下线性函数来近似：

$$f_1(x, y) \approx f_1(x_0, y_0) + \frac{\partial f_1(x_0, y_0)}{\partial x}(x - x_0) + \frac{\partial f_1(x_0, y_0)}{\partial y}(y - y_0) \tag{7-19}$$

$$f_2(x, y) \approx f_2(x_0, y_0) + \frac{\partial f_2(x_0, y_0)}{\partial x}(x - x_0) + \frac{\partial f_2(x_0, y_0)}{\partial y}(y - y_0) \tag{7-20}$$

其中 $\dfrac{\partial f_1(x_0, y_0)}{\partial x}$ 表示 $f_1(x, y)$ 对 x 的一阶偏导数在 (x_0, y_0) 处的取值。于是得到一线性方程组：

$$\begin{cases} \dfrac{\partial f_1(x_0, y_0)}{\partial x} \Delta x + \dfrac{\partial f_1(x_0, y_0)}{\partial y} \Delta y = -f_1(x_0, y_0) \\[2mm] \dfrac{\partial f_2(x_0, y_0)}{\partial x} \Delta x + \dfrac{\partial f_2(x_0, y_0)}{\partial y} \Delta y = -f_2(x_0, y_0) \end{cases} \tag{7-21}$$

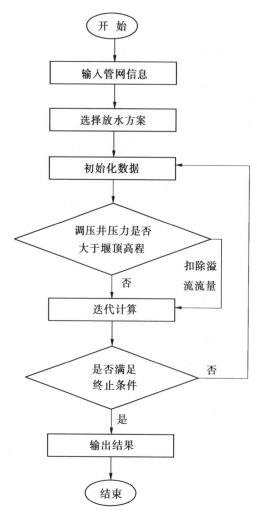

图 7-3　管网数学计算框图

流程图文字:
开　始
输入管网信息
选择放水方案
初始化数据
调压井压力是否大于堰顶高程
扣除溢流流量
否
迭代计算
是否满足终止条件
否
是
输出结果
结束

这时,若方程组系数矩阵

$$
\begin{bmatrix}
\dfrac{\partial f_1(x_0,y_0)}{\partial x} & \dfrac{\partial f_1(x_0,y_0)}{\partial y} \\[3mm]
\dfrac{\partial f_2(x_0,y_0)}{\partial x} & \dfrac{\partial f_2(x_0,y_0)}{\partial y}
\end{bmatrix}
\tag{7-22}
$$

非奇异,则可解出$(\Delta x、\Delta y)$,即得:

$$
\begin{cases}
x_1 = x_0 + \Delta x \\
y_1 = y_0 + \Delta y
\end{cases}
\tag{7-23}
$$

以此作为非线性方程组解的一个新近似值,并以(x_1,y_1)代替(x_0,y_0),重复上述过程,那么当矩阵

$$
\begin{bmatrix}
\dfrac{\partial f_1(x,y)}{\partial x} & \dfrac{\partial f_1(x,y)}{\partial y} \\[3mm]
\dfrac{\partial f_2(x,y)}{\partial x} & \dfrac{\partial f_2(x,y)}{\partial y}
\end{bmatrix}
\tag{7-24}
$$

在解的邻近非奇异时,可得到一系列的近似值(x_n,y_n),$n=1,2,\cdots$,这时,若相临两次近似值(x_n,y_n)和(x_{n+1},y_{n+1})满足条件:

$$\max(\delta_x,\delta_y) < \varepsilon$$

或　　$\max(|f_1|,|f_2|) < \varepsilon$

其中$\delta_x = |x_{k+1}-x_k|$,$\delta_y = |y_{k+1}-y_k|$,ε为容许误差。将最后得到的近似值(x_{n+1},y_{n+1})即为要求的解。

其计算程序框架图如图 7-3 所示。

第三节　系统设计

一、系统的设计目标

系统设计的目标有三项:一是能够运用地理信息系统(GIS)技术绘制管网设计图;二是实现管网优化功能;三是建立面向灌区用水的仿真模拟。集灌溉相关技术方法和现代数据库技术、计算机可视化技术为一体,能为管网设计、管网优化、灌区管网仿真模拟、制定科学灌溉制度提供有效信息,从而实现科学管理,做到运用管理措施节水,实现最佳社会效益和经济效益。

二、系统功能需求分析

系统开发的目的是为灌区管网设计和用水管理提供服务,管理涉及的信息种类多、数量大且时效性强,须通过空间数据与属性数据的有机结合及多目标功能分析及处理,才能达到对信息进行全方位、高效率地提取和分析的目的。

三、系统设计原则

系统设计满足"完备"原则,在分析系统设计目标的基础上,确保数据及模型的完备性,保证数据库信息和功能模块能适应系统日常工作的需要。系统设计遵循"开放"原则。以管网设计和模拟中数据流的管理为核心,充分应用 GIS 成熟技术,将管网设计、管网优化和仿真模拟中各种流程、数据和图形有效结合。系统设计具备"扩展性和可维护"原则。尽量采用专门的 GIS 矢量化工具,缩短维护周期,确保空间数据的一致性和完整性。

四、系统设计

(一)系统总体设计

数据库是按一定结构组织在一起的相关数据的集合。当一个数据库的数据通过指定字段的关键字和另一个数据库相关联时,结果就是关系数据库。关系数据库服务器提供了桌面数据库所具备的丰富功能和数据开放性,同时在处理能力和吞吐能力上又超过桌面数据库和记录管理程序。通过集合操作,关系数据库可以在服务器计算机上处理成千上万,甚至数百万的记录,再将少量的结果传送给客户机。为了满足水力计算、实时模拟、CAD 图形以及成果图表达的需求,灌溉管网水力计算模型数据库主要包含以下数据表及其字段名称:

(1)主干管资料表:干管编号、干管管径、长度、比阻、管段起点高程、管段终点高程、局部水头损失系数等。

(2)支管资料表:支管编号、支管管径、长度、比阻、管段起点高程、管段终点高程、局部水头损失系数等。

(3)出水口资料表:出水口编号、出水口直径、出水口高程、出水口局部水头损失系数、控制的灌溉面积、控制区的灌水定额等。

(4)调压井资料表:调压井编号、溢流堰堰顶高程、溢流堰堰宽、井底高程等。

(5)水源资料表:水源地高程。

(6)节点计算结果表:出水口编号、出水口压力、出水口流量等。

根据对系统的目标分析,整个系统从功能上可分为灌区管网 GIS 子系统、管网优化子系统、灌区管网仿真模拟子系统以及图表管理子系统等。

(二)子系统分析设计

灌区管网 GIS 子系统——灌溉管网 GIS(Geographic Information System,地理信息系统):主要是满足管网设计的绘图功能,并把灌区的地理位置与灌溉管网系统设施结合在一起,用于设施的图形管理。水力计算模型数据库从 GIS 图形数据库中提取节点、调压井、水源等的平面位置坐标和地面高程、管段长度和直径、管材等数据信息。

管网水力状态实时模拟计算:在特定供水条件下根据连续性方程和能量方程,求解管网中管段流量、节点压力、水源地流量,使管理及决策人员了解管网对供水需求的符合程度,检验管网设计和运行质量,为水源设计和运行、管网运行与扩建、管网优化调度提供依据。由于用户用水量的变化,管网供水量和供水压力是随时间变化的。

(三)水力计算成果表达

水力计算成果表达主要有两种形式:一种是图形显示,根据数据库绘制实时曲线图,如各管段流量曲线图;第二种是以统计报表形式显示各管段、节点、泵站等的数据。水力计算结果均可由打印机输出。

(四)系统实现

在利用地理信息系统(GIS)专用开发语言 MapBasic 基础上,采用对象连接嵌入自动化技术,配合 GIS 数据库功能以专业的表现形式和数据处理方式,进行数据库编程。

第四节 基于 GIS 技术的管网仿真模拟软件

一、软件主界面

软件主界面如图 7-4 所示,包含文件、管网绘制、管网基本资料、管网优化、系统模拟计算、计算结果显示。

图7-4 软件主界面

二、管网绘制功能介绍

管网绘制的主界面如图 7-5 所示。在地图化操作中绘图和编辑操作是十分频繁的,绘图工具提供了一套完整的绘图和编辑命令。使用这些工具,用户可以方便地在地图上绘制和修改各种地图对象,还可以自定义地图的颜色、填充图案、线样式、符号样式及文本样式。

(一)绘制直线

(1)单击绘图工具条中的直线按钮。

(2)将鼠标指针移到开始绘制直线的位置。

(3)按住鼠标不放,拖动鼠标指针,屏幕上出现一条线,其长度随着鼠标指针的移动而

图 7-5　管网绘制的主界面

变化。

(4)松开鼠标键。在绘制直线时按住 Shift 键,可将直线限制为水平线、垂直线或 45°斜线。

(二)绘制圆或椭圆

(1)单击绘图工具条中的椭圆按钮,出现椭圆工具光标。

(2)将椭圆工具移动到开始创建椭圆的位置,该点将成为椭圆的中心。

(3)按住鼠标键不放,拖动鼠标,屏幕上出现椭圆形状,其大小和比例随着鼠标指针的移动而变化,得到所需形状的图形时松开鼠标键。

(三)设置线样式

单击绘图工具条中的线样式按钮,"线样式"对话框就会显示出来。在"线样式"对话框中可以设置线对象的线类型、宽度和颜色。

(四)添加文本

使用文本按钮,可以注释地图和布局,并可以通过"文本样式"对话框选择文本的字体和进行文本字体的设置,包括颜色大小等。

(五)图层控制

在 GIS 系统中,地图是按图层组织的,在一个地图窗口中可以同时显示多个图层,因此对图层的控制和管理是十分必要和重要的。

使用该命令可以访问图层控制对话框。使用该对话框可以改变活动窗口中地图图层的显示,决定哪些图层显示、可编辑、可选择和图层缩放,改变地图图层的顺序,从活动地图上增加或删除一个或多个图层。

(六)改变视图

使用该对话框可以设定地图窗口宽度、地图比例、地图大小和地图中心坐标。

"窗口宽度":可按指定的距离单位给出窗口的宽度。

"地图比例":可指定用于地图的地图比例。地图比例是一个数值比率,定义单位地图(纸或布局单位)表示相应的地球表面的单位。

"窗口中心":显示并允许修改地图窗口中心的 X 和 Y 坐标。

(七)标注

在日常的手工作图中,我们经常需要在图中填上数字、地名、说明等内容,而 GIS 系统中的标注,则实现了人工的填图功能。标注的原理是在有对象的图层中,利用与之关联的表中提取数据或文本,按指定的位置和方式显示在对象旁。

三、管网基本资料输入

管网基本资料输入界面如图 7-6 所示,通过分别单击"分水点"、"出水口"、"调压井"可分别输入分水点、出水口以及调压井的资料。

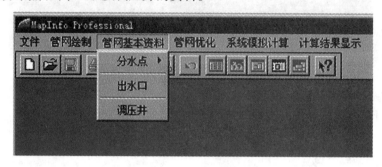

图 7-6　管网基本资料输入界面

(一)分水点资料输入

分水点资料输入界面如图 7-7 所示,在填入分水点的有关资料并按"确定"按钮后,系统自动的将添入的有关信息添加到分水点数据表中,并自动在系统界面中显示出来(见图 7-8)。

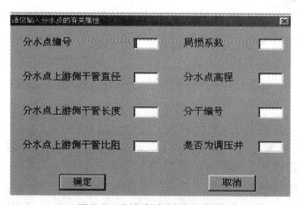

图 7-7　分水点资料输入界面

上游侧干管直径	上游侧干管长度	上游侧干管比阻	高程	分干编号	该分水点是否为调
0.5	33	0.05991	150	1	T
0.5	58	0.05991	146.593	2	F
0.5	89	0.05991	142.907	3	T
0.5	58	0.05991	141.404	4	T

图 7-8　分水点资料输入结果显示界面

(二)出水口资料输入

出水口资料输入界面如图 7-9 所示,在输入出水口的有关信息,并按“确定”按钮后,系统会自动将输入的信息添加到出水口数据表中,并自动的在系统界面中显示输入的有关信息(见图 7-10)。

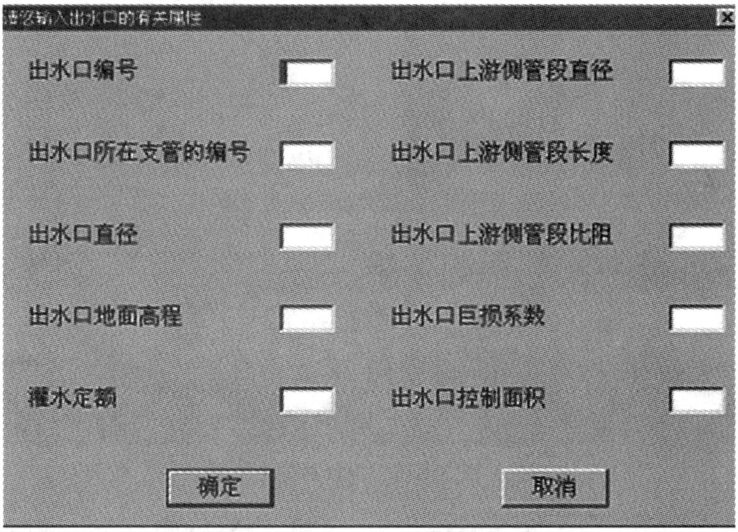

图 7-9 出水口资料输入界面

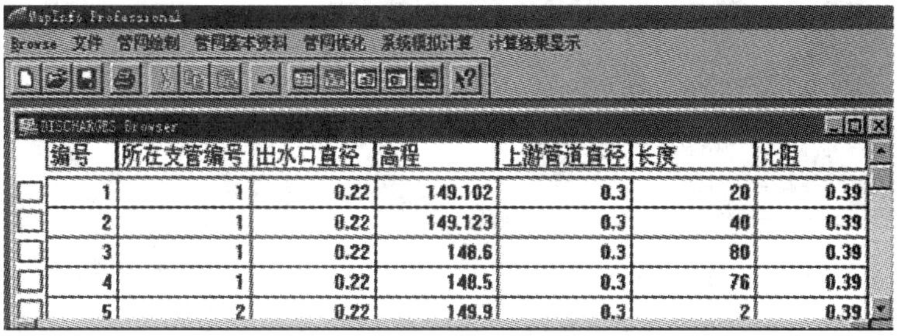

编号	所在支管编号	出水口直径	高程	上游管道直径	长度	比阻
1	1	0.22	149.102	0.3	20	0.39
2	1	0.22	149.123	0.3	40	0.39
3	1	0.22	148.6	0.3	80	0.39
4	1	0.22	148.5	0.3	76	0.39
5	2	0.22	149.9	0.3	2	0.39

图 7-10 出水口资料输入结果显示界面

(三)调压井资料输入

调压井资料输入界面如图 7-11 所示。

四、系统仿真模拟计算

系统仿真计算的主界面如图 7-12 所示,单击“流量、压力参数设定”子菜单可以设定要模拟的灌区系统的入口流量和压力(见图7-13);单击“主干分水点选择”子菜单可以选择要模拟的主干分水点(见图7-14);单击“出水口选择”可以选择要模拟出水口的编号(见图7-15)。

在设定系统入口高程,选择完主干分水点、分干分水点、出水口后,单击“模拟计算”菜单可模拟出管网出水口的压力及流量。

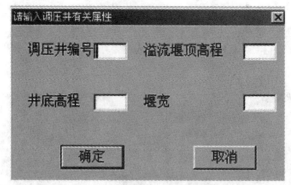

图 7-11　调压井资料输入界面

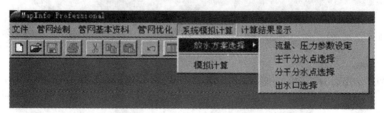

图 7-12　系统仿真计算的主界面

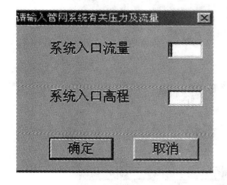

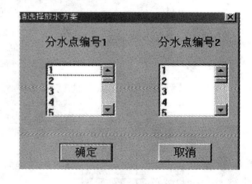

图 7-13　系统的入口流量和压力　　　　　图 7-14　主干分水点输入界面

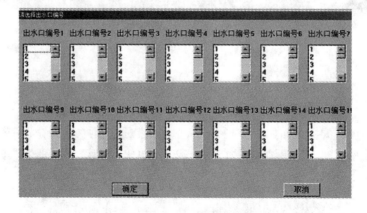

图 7-15　出水口的编号输入界面

第五节　应用实例

一、模拟计算

模拟计算以河北省石家庄市冶河灌区自压管道节水工程为例，该工程是一个二级输水系统，属于树状管网系统，由1条干管、16条支管和62个出水口组成。

由于该管网系统较复杂，且地面坡降变化比较大，所以管网系统的设计和运行管理都比较复杂。用计算机模拟管网系统的运行可以选择出较好的运行方案。

现以支管1和支管2为例介绍如何运用本软件来进行仿真模拟，并根据仿真计算的结果来确定合理的灌溉制度。

首先，根据灌溉设计时确定的灌溉制度，支管1管网运行模拟计算的结果如图7-16所示，其流量分布图如图7-17所示，单位面积上的流量分配如图7-18所示。

出水口单位面积上的流量分配图 Browser

出水口编号	出水口流量	出水口控制面积	出水口单位面积上的流量分
1	0.2	17	0.01176
2	0.14	19	0.0074
3	0.1	16	0.00625
4	0.06	18	0.003333

图7-16　支管1管网运行模拟计算的结果

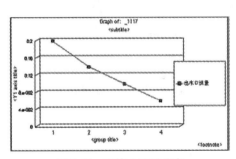

图7-17　支管1流量分布

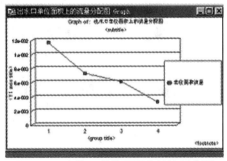

图7-18　支管1单位面积上的流量分配

根据计算结果，可以看出，支管1的流量的分配很不均匀。

同样对支管2进行模拟运算，得出的流量如图7-19所示，其流量分布和单位面积上的流量分布分别如图7-20、图7-21所示。

出水口单位面积上的流量分配图 Browser

出水口编号	出水口流量	出水口控制面积	单位面积流量
5	0.13	16	0.0081
6	0.072	15	0.0048
7	0.099	18	0.0055
8	0.054	18	0.003

图7-19　支管2进行模拟运算结果

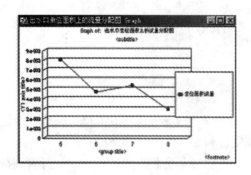
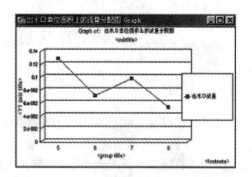

图 7-20　支管 2 流量分布　　　　　　　图 7-21　支管 2 单位面积上的流量分配

　　根据设计的灌溉制度进行灌溉,若要满足末端出水口的灌水定额,在灌溉时间相同的情况下,必然造成其他出水口的出水流量超过灌水定额,从而造成了水资源的浪费。

　　支管 2 的 6、7、8 号出水口,对管网进行出水口的流量进行模拟运算,其出水口流量如图 7-22 所示,单位面积上的流量分配如图 7-23 所示。

出水口编号	出水口流量	出水口控制面积	单位面积流量
4	0.052	18	0.0029
6	0.046	15	0.0031
7	0.054	18	0.003
8	0.048	18	0.0027

图 7-22　支管 2 流量重新分布

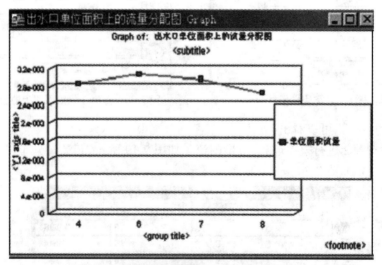

图 7-23　支管 2 单位面积上的流量重新分配

　　由此可以看出,通过模拟计算可以得出较合理的运行管理制度,从而通过加强管理措施来实现节水。

二、结果分析

模拟计算和实测结果比较如表 7-1 和图 7-24 所示,可以看出其模拟精度小于 ±10%。

表 7-1　出水口流量模拟计算和实测比较

出水口编号	计算值(m³/s)	实测值(m³/s)	模拟精度(%)
4	0.052	0.057	−8.77
6	0.046	0.047	−2.13
7	0.054	0.051	5.88
8	0.048	0.053	−9.43

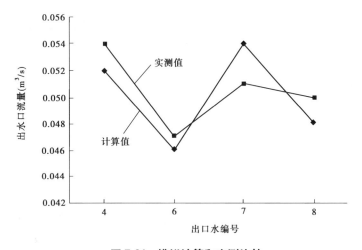

图 7-24　模拟计算和实测比较

第八章 渠灌区管道输水系统
防淤堵技术研究

管道淤堵是多泥沙河流灌区发展管道输水灌溉需要解决的关键技术问题之一,随着我国节水灌溉事业的不断发展和逐步深入,管道输水灌溉技术在渠灌区的推广应用,管道输水灌溉中的防淤堵技术愈来愈被人们所重视,其问题的解决愈加显得紧迫,为此,我们通过室内外试验研究和工程实践,运用泥沙运动力学和管道水力学原理,就浑水管道输水系统水沙运动规律和泥沙淤积机理、管道输水系统防淤堵技术等方面进行了深入细致的试验研究,取得了较大的进展,为渠灌区发展管道输水工程提供了科学依据。

第一节 管道输水系统水沙运动规律试验

一、试验系统

(一)试验系统组成

该试验系统由机电设备、仪器仪表及管道组成。主要包括输水动力系统、搅沙系统、压差计、电磁流量计、电导率仪、管道系统和贮水池等部分,系统管道长 100 m,管径 110 mm。

(二)试验设计

根据我国北方地区以多泥沙河流为水源的渠灌区运行实际,以引黄灌区和引渭灌区为研究对象进行试验研究,设计含沙量上限为 12%(重量比),分别对含沙量为 2%、4%、6%、8%、10%进行临界不淤流速试验,并就各含沙量下流量在 30~80 m³/h 之间进行管道水力学特性试验,每组试验设 3 个重复。

(三)沙样选取与分析

试验沙样选取宝鸡峡引渭干渠洪水季节淤沙为沙样进行试验,沙样容重为 2.647 8 g/cm³,其颗粒级配分析结果见表 8-1 和图 8-1。

通过泥沙颗粒分析,其特征值粒径 $d_{50} = 0.033$ mm,$d_{60} = 0.043$ mm,$d_{30} = 0.021$ mm,$d_{10} = 0.014$ mm,不均匀系数 $C_u = 3.07$,曲率系数 $C_v = 0.73$。

表 8-1 泥沙颗粒级配

粒径(mm)	0.15	0.10	0.05	0.025	0.01	0.005	d_{50}
小于某粒径重量比(%)	100	97.34	71.22	18.96	6.00	1.14	0.033

(四)浑水的容重、含沙量及其表达式

单位体积浑水的重量为浑水的容重,单位为 g/cm³。

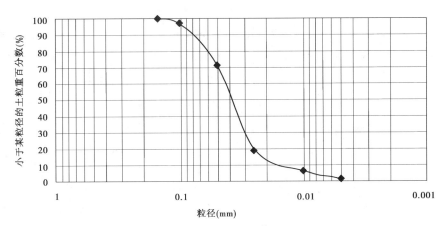

图 8-1　泥沙颗粒级配曲线

浑水中含沙的多少用含沙量来衡量。一般惯用的含沙量表示方法有下列三种：

(1)体积百分比

$$S_v = \frac{泥沙所占体积}{浑水体积} \times 100\%$$

(2)重量百分比

$$S_w = \frac{泥沙所占重量}{浑水重量} \times 100\%$$

(3)混合表达形式

$$S = \frac{泥沙所占重量}{浑水体积}$$

浑水容重 γ_m 与含沙量存在如下关系：

$$\gamma_m = \gamma + (\gamma_s - \gamma)S_v = \gamma + (1 - \frac{\gamma}{\gamma_s})S \tag{8-1}$$

其中，γ_s 及 γ 分别为泥沙和水的容重。

三种不同表达式的含沙量之间存在如下关系：

$$S = \gamma_s S_v$$

$$S_w = \frac{\gamma_s S_v}{\gamma + (\gamma_s - \gamma)S_v} = \frac{S}{\gamma + (1 - \frac{\gamma}{\gamma_s})S} \tag{8-2}$$

(五)水样物理分析

试验中不同处理的水样物理性状见表 8-2。

水容重 $\gamma = 1.01$ g/cm³，泥沙容重 $\gamma_s = 2.647\ 8$ g/cm³。

二、研究管道泥沙运动的一些基本概念和理论

(一)管内泥沙颗粒的受力情况

当管道中泥沙随水流运动时，沙粒将承受拖曳力 F_D、上举力 F_L 和重力 W 的共同作用。关于沙粒承受拖曳力和上举力的事实及理论依据早在 20 世纪 20 年代有关专家已从理论上、实验上进行了充分论证，已被研究泥沙运动规律的人们所公认，在此不再详述。

表 8-2　水样物理试验

序号	水样瓶编号	体积(cm^3)	瓶+浑水重(g)	浑水重(g)	泥沙重(g)	泥沙体积(cm^3)	重量比S_w(%)	体积比S_v(%)	混合比S(%)	浑水容重 γ_m(g/cm^3)
1	1	462.4	872.1	473.3	10.223	3.861	2.16	0.835	2.211	1.024
2	5	438.1	767.4	453.3	17.679	6.677	3.90	1.524	4.035	1.035
3	8	399.4	800.1	418.2	24.047	9.082	5.75	2.274	6.021	1.047
4	11	319.5	733.4	388.1	24.918	9.411	7.37	2.946	7.800	1.058
5	17	337.5	777.8	361.8	33.792	12.762	9.34	3.781	10.011	1.072

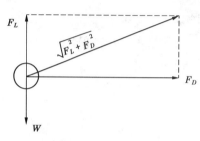

图 8-2　管内泥沙颗粒受力情况

沙粒承受的拖曳力、上举力是泥沙运动的动力，泥沙的重力是造成泥沙沉降的力，泥沙所受上述三种力的作用情况，决定了泥沙颗粒的运动形式。管内泥沙颗粒的受力情况如图 8-2 所示。

（二）泥沙颗粒的几种运动形式

泥沙颗粒按其运动形式的不同，可以分为接触质、跃移质、悬移质及层移质四个部分，其中接触质、跃移质及层移质又统称为推移质。

为了便于说明，我们假定泥沙颗粒比较粗，黏结力的作用可以忽略不计。

在铺有泥沙的水槽中作试验，试验中流速渐次加大，然后观察在不同水流条件下的泥沙运动形式。当开始放水时，因流速较小，泥沙静止不动。流速增加至一定大小后，个别突出的颗粒有时会发生急速的颤动，但并不离开原来位置。这是因为作用在泥沙颗粒上的外力，由于紊动的影响，同样存在着脉动。有时作用力会忽然加大到足以使泥沙起动，但泥沙本身的惯性却使这些沙粒并不能立刻脱离固有的位置，而等到沙粒刚要运动时，作用力又因为脉动的影响而降低至起动所需的临界值以下。这样，颗粒只是前后颤动了一阵，而并未向前移动。

流速继续增大时，泥沙颗粒就会开始发生运动。运动的形式则与沙粒在河床表面所处的相对位置有很大关系。

1. 接触质

处于床面突出位置的颗粒所受到的拖曳力比较大，当 $F_D > f(W' - F_L)$ 时，泥沙开始向前滑动，其中 W' 为泥沙在水下的重量，f 为摩擦系数。在滑动过程中，由于河床表面高低不平，往往会转化为滚动。但无论是属于哪一种形式，它们在运动中经常与河床保持接触，因此称为接触质。

2. 跃移质

位于成排沙粒前缘的颗粒一般都在 $(F_L^2 + F_D^2)^{1/2} a > W'b$ 时，围绕着与后一颗沙粒的接触点而滚动。式中的 a 及 b 分别为 F_L 与 F_D 的合力及 W' 对支点的力矩。但当颗粒滚动凸起时，一方面颗粒表面的流线曲度加大，颗粒顶部附近的流速增加，压力相应降低；另一方面,作用在颗粒底部表面上的"止点压力"(由流速水头转化的压力)的作用面积因沙粒的部分上举而扩大,总的结果将使上举力加大。这样的作用在泥沙一开始滚动时就会产生,无异于在沙粒起始运动的瞬间增加了一个冲力。受到突然冲击力作用的泥沙,就会从床面跳起。

泥沙颗粒在受上举力作用而上升离开床面以后,与速度较高的水流相遇,并被该水流挟带前进。这两种不同方向的运动相合成的结果,使沙粒沿图 8-3 中 AB 方向前进。设 AC 代表沙粒当时的速度,AD 为沙粒所在位置的水流流速,则 CD 为水流与沙粒的相对速度。沙粒与水流间的相对运动促使泥沙以加速度前进,加速度的大小设以

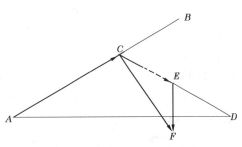

图 8-3　高程 A 处所受加速度

CE 表示,并令 EF 为泥沙所受的重力加速度,这样 CF 就代表沙粒所受到的真正加速度的方向和大小。在沙粒逐渐升高的过程中,一方面水流流速加快,另一方面沙粒的水平分速也渐次增加,这两者对沙粒与水流间相对运动的作用正好相反。当沙粒上升达到一定高度以后,沙粒水平分速的影响程度渐次超过水流流速,使沙粒与水流之间的相对运动开始减弱。在一般情况下,泥沙运动的轨迹达到最高点时,泥沙的速度已接近当地水流的速度,从这一点起,沙粒转而下降。这种跳跃前进的泥沙称为跃移质。

跳起的泥沙在落到床面时对后边的泥沙颗粒有冲击作用,作用的大小则取决于颗粒的跳跃高度与水流流速。如沙粒跃起较低,由于水流临底处流速较小,泥沙自水流中取得的动量不大,在落回床面后就不会再继续跳动。如沙粒跃起较高,自水流中取得的动量较大,则落到床面以后还可以重新跳起。如沙粒自水流中取得很大的动量,则对于床面的冲击不但使自己反弹起来,而且还使下落点附近的沙粒也同时跳起前移。

泥沙在不同液体中的跃起高度与液体的密度成反比。众所周知,在常温下,水的密度要比空气的密度大 800 多倍,因此以同一初速度自床面跃起的颗粒,在空气中的跳跃高度要比在水中大 800 多倍。这一差别所带来的影响是深远的。在风沙运动中,沙粒跳得高,获得的动能大,在落到床面时,又会溅起更多的泥沙颗粒。这种连锁反应的结果,使沙漠中泥沙在刚起动不久,就会很快达到很大的输沙强度。在水流中以跃移形式运动的泥沙虽然要比以滚动或滑动形式运动的泥沙更重要,但它们的跳跃高度一般不过几倍泥沙粒径,落到床面时的动能已不足以引起连锁反应。

处在被周围的颗粒所嵌住的泥沙,通常只有在 $F_L > W'$ 时,才会被举离开床面,以滚动或跃移的形式运动。处于后缘位置的泥沙,在运动时一般以滚动为主,在受到下落泥沙的冲击时,也有可能跳起以跃移的形式运动。

3.悬移质

流速的继续增加使紊动进一步加强,水流中充满着大小不同的漩涡,这时泥沙颗粒在自床面跃起的过程中,有可能遇到向上的漩涡,并被带入离床面更高的流区中。一般说来,不但漩涡的向上分速必须超过沙粒的沉速,而且漩涡的尺寸也一定要比沙粒大得较多,才能带走泥沙。如果两者大小相仿,则泥沙很容易掉在漩涡范围以外,漩涡对之失去

作用。如漩涡较泥沙大得较多,则前者可以较长时间地对后者发生作用,等到沙粒掉在漩涡以外时,已进入主流区。从这里可以看出,泥沙的传递主要是大尺度紊动的作用。

泥沙颗粒在进入主流区以后,即便从这一个漩涡中脱离出来,又会遇到另一个漩涡,被带至水流中另一个地区。泥沙颗粒在水流中运动的轨迹很不规则,完全看其当时所在位置的漩涡的情况而定。如果碰巧一个漩涡把它带到河床附近时,则它也有可能重新落到河床。这种悬浮在水中,并在水流方向与水流以同样速度前进的泥沙称为悬移质,由于泥沙的悬浮需要从紊流中取出一部分能量,这样,一方面紊动的作用造成了泥沙的悬移,而另一方面悬移质的存在又反转来削弱紊动的强度。

泥沙的悬浮是大尺度紊动的作用的另一重要意义在于:自床面颗粒附近直接产生的漩涡,在床面地区因受空间的限制,尺寸不可能很大,这样的漩涡对悬浮泥沙来说是无效的。只有当漩涡在上升离开河床一定距离,并得到成长以后,自床面跃起而进入这样的漩涡的泥沙,才能为漩涡所带走。亦即按照上述物理图形,床面的泥沙是经过以跃移质为媒介,然后转化成为悬移质的。

但是,也不能排斥另一种可能性。如果一个较大的漩涡(这样的较大漩涡可能是自床面产生的漩涡成长后形成的,也可能是来自水流内部其他地区的)在紊流猝发过程中扫过床面时,就能从河床上直接带起泥沙。在一般情况下,由于水体中漩涡总的运动方向是以上升为主的,扫过床面的较大漩涡在同一个时刻只在一部分地区才会发生,而且这样的漩涡在以低速带的形式从床面上升时,所挟带的泥沙大部分仍是以推移形式在床面附近运动的。因此,以跃移为过渡而进入悬浮的泥沙应该是悬移质中的主要部分。在同样的水流条件下,颗粒愈细,直接自床面进入悬浮状态的概率也相应增大。

4.层移质

如前所述,泥沙颗粒承受水流拖曳的作用,其既由松散的粒状材料组成,并不是一个密实体,则水流拖曳力的作用同样并不仅限于河床表面,而是可以深入床面以下各层的泥沙。当流速较小时,考虑到水流脉动的影响,床面一部分颗粒已以滑动、滚动、跃移的形式运动,另一部分颗粒则由于其自重以及粒间离散力所增加的额外荷重(两者加在一起)所产生的摩擦力已足以抗衡水流拖曳力,而依然在原来的位置静止不动。水流拖曳力增大以后,表层的泥沙已不能保持静止,而且第二层的泥沙也开始进入运动。随着水流的不断加强,运动不断向深层发展。这时泥沙只能成层地移动或滚动,速度由上而下渐次递减(称为层移质)。显然,层移质在作剪切运动时,各层之间的泥沙颗粒会同时感受到与运动方向垂直的离散力的作用,使它们之间的距离比静止的沙层之间的距离为大,亦即层移质的运动将侵占一部分原来属于主流区的空间。

目前泥沙运动的形式多以吉尔伯特(G.K.Gilbert)的试验为基础。在他的试验中,高流速的组次不多,而且这时水流因含沙量的增大而显得十分浑浊,也不容易分辨泥沙运动的细节,因此没有提到层移质的存在。有关科技人员在水槽中以无色塑料颗粒作为泥沙进行试验,才发现这种现象。拜格诺曾对层移质运动作过详细的试验研究与理论分析。

根据管道输水系统的实际运行情况,为了防止因泥沙沉积而淤堵管道,浑水管道输水系统中泥沙颗粒的运动形式主要为悬移质运动。因此,实验研究中将主要以悬移质运动为对象进行研究探讨。

(三)定床与动床上的泥沙运动

当河床由松散可动的泥沙颗粒组成时,只要河床中有足够的泥沙补给,水流有足够的强度和机会可以自河床中取得泥沙的补给,则在经过一定距离以后,水流必然挟带泥沙直至饱和为止,不存在泥沙过饱和的问题。水流通过固定的周界时,情况就不是如此。这时水流所挟带的泥沙或全部来自上游河段(天然河渠),或就是人为地加到水流中去的泥沙(如浑水管道输水试验)。如果这一部分沙量没有达到水流的挟沙能力,水流也不可能从河床中取得补给。这样,随着上游来沙量或人为地加入的沙量的多寡,就会出现泥沙的不饱和现象。

前面说过,在运动的泥沙中,只有推移质部分可以通过粒间离散力的作用,加大床面沙粒的稳定性。在动床的条件下,悬移质运动一般不可能离开推移质运动而单独存在。在紊动未充分削弱以前,随着流速的增加,悬移质和推移质的输沙强度都会有所增加。尽管前者的增长速度可能大于后者,使悬移质在一定水流范围内属于主导地位,但永远都不可能出现推移质不复存在,全部泥沙均以悬移形式运动的情况。因为如果推移质及与之伴随而生的离散力均不存在,则维持河床表层稳定的只有靠表层泥沙的自重。这样,当水流强度相当大,床面剪切力超过表层泥沙颗粒的摩擦力时,表层泥沙就会被剥去,从而暴露了下面的第二层床沙。但由于被剥去的表层泥沙按假定全部进入悬移运动,无助于加强新暴露的第二层床沙的稳定性,而第二层床沙靠它本身的自重又仍然无以抗衡水流的作用力,因此亦将继之为水流冲去。按此推理下去,床沙势必将层层被剥离,这与实际情况自然是不符的。相反,如果河床是固定不可动的,则河床的稳定性并不依赖于因推移运动而产生的额外荷重。这时随着流速的加大和紊动的加强,就可以把全部泥沙都悬浮起来。当狂风把沙土刮过马路时,就可以看到这种只有悬移运动、没有推移运动的情景。

当推移运动较强时,靠近边壁的水体中存在着颗粒剪切力与粒间离散力,与之相应地有一定的流速分布及含沙量分布。如果边壁具有定床性质,推移运动遭到削弱或甚至不再存在,则水流结构必然会有相应的改变。拜格诺在进行轻质塑料沙的动床水槽试验时发现,如果泥沙供应不及时,一部分河床上的泥沙被冲去,露出固定的槽底时,则当地近底处的流速迅速增加,含沙量分布曲线的重心也迅速上升,使泥沙的输移率也相应增大。

这些现象都说明,动床上的泥沙运动与定床上的泥沙运动在物理本质上不尽相同。在实验室研究浑水管道输水系统泥沙运动时,由于输水管道的存在,其边界条件简单、明确,管道中的泥沙运动可视为定床运动,而且管道中的泥沙运动有别于天然冲积河流上的泥沙运动,其试验系统与工程实际非常一致,试验研究结果直接应用到浑水管道输水系统上,真实可靠。

(四)紊流理论

1. 紊流的猝发现象

早期的流体力学研究认为,对于光滑边壁而言,在床面上存在着一层稳定的层流流层(称为近壁层流层)。如果床面的泥沙颗粒小于近壁层流层的厚度,则这些颗粒将始终受到近壁层流层的掩隐,紊动作用无法穿过层流层而直接影响床面泥沙。19世纪50年代,爱因斯坦及李焕对这种看法提出疑问,并做了有关试验。试验表明,紊流并不是像早先假设的那样混乱不堪,那种将随机流速场简单地叠加到平均运动上去的看法是不正确的。紊流中存在着时间上、空间上相关的很有条理的运动,这种运动称之为似循环过程。这一过程是由于在时间上和空间上重复发生的一些事件所造成的结果,但这些事件并非严格地在某一点周期性地发生,也不是在某一时间严格地随空间周期性地分布。通过试验观测,发现边壁附近发生两个最突出的事件是:边壁附近低速带的举升,以及高速流体向边壁的"扫荡",这种现象称之为猝发现象。紊动水流的猝发现象将影响泥沙在水流中的悬浮。

2.经典紊流理论

由于水流紊动现象的复杂性,目前还没有一套完整的理论可以全面地说明水流紊动现象的各个环节。已有的工作都是借助于一些半经验性的假定,来树立交换所产生的紊动应力与时均流速间的关系,支撑紊动水流试验研究的经典紊流理论包括:①掺混长度理论;②紊流相似假说;③紊动统计理论等。

三、管道泥沙运动规律

(一)管道中泥沙运动的基本形式

在管道输水系统中,随着流速和含沙量的加大,管道中泥沙运动的基本形式如图 8-4 所示,由于管道输水系统中其含沙量和泥沙颗粒组成的特殊性,管内流体多属于二相流,对于二相流来说,组成固相的颗粒将和明渠水流中的泥沙一样,以滚动、悬跃、悬浮和层移的形式运动。当含沙量较高,特别是含有一定数量的小于 0.01 mm 的细颗粒时,将像高含沙水流一样,即使在静止的条件下,固、液相也不会发生分选,这时水流实质上属于一相的均质浆液。这种均质浆液有可能是牛顿体,但更多的则属于非牛顿体,一般常作为宾汉体或伪塑性体来处理,此种情况多出现在管道输送中。在管道输水灌溉系统中,由于灌区引水对泥沙含量的限制,目前我国以多泥沙河流为水源的渠灌区引水沙限一般在 12% ～ 15% 以下,因此管道中的浑水为牛顿体,并属二相流。由于管道中水流流速较大,通常情况下泥沙多为悬移运动,只有当流速接近临界流速时才出现推移运动。

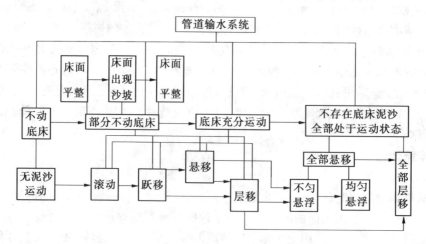

图 8-4　管道中泥沙运动的基本形式

(二)管道二相水流的流区划分

从高速管道水流开始,随着流速的减小,管道中的泥沙运动将经过下面一系列的变化:

(1)均匀悬浮。在流速很大时,强烈的紊动使泥沙在断面上的分布比较均匀,称为均匀悬浮区或似均匀悬浮区。

(2)不均匀悬浮。随着流速的减低和紊动的减弱,泥沙在断面上的分布已不复均匀,而是愈接近底部含沙浓度愈大。

(3)管底床面存在明显的推移运动。流速再次减低以后,近底的泥沙以滑动、滚动或跳跃的方式运动,属于推移质的范畴。在一定的水流及泥沙条件下,也有可能出现层移运动。

(4)开始出现泥沙的沉淀和不动的底床。流速减低到一定程度以后,一部分泥沙开始在管底沉积,形成不动的底床。在开始出现沉积时往往是很不稳定的,泥沙一会儿在管底形成一系列沙纹,一会儿又被水流冲走。但在流速进一步降低以后,这种管底的沉积物就积聚成为一种稳定的形态,水流从定床水流转变为动床水流,这里的动床水流是指底床由可活动的泥沙组成,相当于明渠水流中的冲积河床,而不是指组成底床的物质均处于运动状态。在动床面上可以出现沙波,也可以是平整的。

(5)泥沙堵塞管路。流速过分减低以后,沉积在管底的泥沙愈来愈多,终于把断面全部堵塞,流动现象终止。

(三)管道二相水流和明渠二相水流的异同

对于二相水流来说,无论是在封闭的管路还是在开敞的明渠中运动,它们的力学性质有很多共同之处,即水沙运动规律中的共性。但是,另一方面,由于边界条件的不同,它们之间也存在很大的差别,具体表现为:

(1)对于管道二相水流来说,出于管网系统运行安全和设计上的考虑,一般都不希望管底有沉积物发生。因此,一般管道输水系统中所涉及的问题是定床上的泥沙运动,而不像冲积河流那样,主要是研究动床上的泥沙运动问题。正因为如此,管路中在没有推移运动的情况下全部泥沙均可以处于悬移状态。

(2)明渠水流的动力是水体的重量沿着水流方向的分力。有了泥沙以后,一方面增加了水体的势能,另一方面又消耗了水流的一部分能量;当这两者相等时,泥沙的存在并不增加水流的负担,亦即出现所谓"自动悬浮"的现象。对于管道水流来说,产生运动的动力是压差,只要有泥沙存在,总会增加水流的负担。至于水流结构因泥沙的存在而发生的变化及由此所造成的后果,则是另一种性质的问题。

(3)管道水流是有压流,与自由水面有联系的一些现象不可能发生。例如,即使管底有沉积物时,沉积面上也不可能出现沙浪(逆行沙波)。

(4)明渠水流的尺寸一般远大于河床中泥沙的粒径(山区河流例外),而管路中管径与泥沙粒径的比值有时可以相当小,这时大尺度紊动会受到一定遏制。

(5)同样为管道水流的管道输水系统和管道输沙系统,由于运用目的和介质条件的不同,其水沙运动规律也不相同。在管道输水系统中,其运行目的是输水灌溉,而管道输沙系统是在保证系统运行安全(不淤堵管道)的前提下尽可能多地输送固体物质。而且,管道输水系统中的泥沙为天然物质,而管道输沙系统中的固体物质为经过人工加工后的均匀颗粒,当含沙量很高,特别是含有一定数量的小于0.01 mm细颗粒泥沙时,形成"一相"的均质条件。

(6)就流体的流变性质而言,管道输水系统中的流体为牛顿体,而管道输沙系统中的流体多为非牛顿体,一般近似作为宾汉体或伪塑性体。

四、浑水管道阻力损失规律研究

(一)有关管道挟沙水流阻力损失规律的一般认识

由于管道水流中泥沙的存在,将或多或少地影响水流的黏性,影响水流的紊动结构,因而势必影响水流的能量转换和能量损失。因此,浑水管道阻力损失将有别于清水管道阻力损失。前人通过管道输送试验,对含一定浓度的固体颗粒的管道水流阻力损失与流速的关系进行了大量的试验研究。图8-5为有关管道挟沙水流阻力损失规律的一般认识,其横坐标为流量除以管道面积后的平均流速,它在没有泥沙沉积时代表水沙混合物的

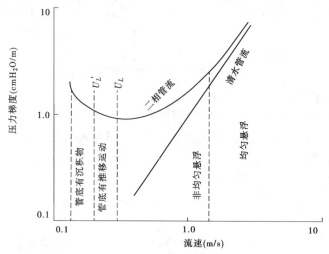

图8-5 二相管流的流速与阻力损失的关系

真正平均流速,在有泥沙沉积时,过水面积小于管道截面积,则只是一种虚拟的平均流速;纵坐标为经过单位距离的水头损失,以清水水柱表示。在图8-5中,根据泥沙的运动形式,按流速大小划分了相应的流区,各个流区的阻力变化规律是不一样的。在均匀悬浮区,两相水流的 $J_m \sim U$ 关系和清水的关系大致保持平行。进入非均匀悬浮区后,随着流速的减小,挟沙水流的阻力损失越来越大于清水的阻力损失,曲线开始向上凹,最后达到一个最低点凹点,在这一点,水头损失最小,与此相应的流速一般称为临界流速,水泵在这一流速下运行比较经济。在很多情况下,这一点往往又是床面出现推移运动的临界点。自此向左,曲线转而上升,流区也自定床进入动床。有的试验资料表明,在过了凹点以后,阻力曲线逐渐接近一条水平线。产生这一现象可以出于各种不同的原因,管底有了沉积物后,与每一个阻力损失相应的实际流速要比图上所采用的虚拟流速为大,亦即采用图8-5中的横坐标表示方法等于起了把 $J_m \sim U$ 曲线向左拉平的作用。挟沙水流有时还具有这样的自动调整作用,随着流量的减小,沉积在管底的泥沙愈多,使过水面积也不断

减小,其结果是使真正的平均流速没有改变,亦即阻力损失维持不变。当全管出现层移运动时,阻力损失也有可能在一定流速范围内大致保持为一定常值。在利用自然高差建设的管道输水系统中,由于其利用的压力水头一定,在没有调压设施的情况下,其管道内水流流速变化不大,其经过单位距离的水头损失基本恒定。

基于对管道输沙中阻力损失的上述认识,许多学者认为应根据不同的流区来分别探讨阻力损失变化规律。可能是由于管道输水中泥沙含量较低,浑水流体与管道输送固体颗粒时浆液的流变特性和泥沙沉降规律的差异,笔者在试验中发现,在浑水管道中,从均匀悬浮至管底有沉积物出现其间的区间很窄,且没有出现图8-5中显示的凹点。

以往有关挟沙管流在泥沙全部悬浮时,对其管路阻力损失比较,大致存在着三种基本类型:

(1)挟沙水流经过单位距离的管道后的水头损失(以水沙混合物液柱高度表示),与清水在同样条件下的水头损失(以清水水柱高度表示)保持相等;

(2)均以清水水柱高度表示,挟沙水流与清水水流具有同一水头损失;

(3)以水沙混合物液柱高度表示的挟沙水流水头损失小于以清水水柱高度表示的清水水流水头损失。

支持上述第一种看法者认为悬移质的存在将增大水流水头损失。支持上述第二、三种看法者认为水流挟带悬移质以后将会减少水流水头损失。

(二)不同含沙量下阻力损失与流速的关系

试验中发现,在管道输水灌溉系统中,由于水流含沙量较低,从非均匀悬浮区到泥沙开始沉积,其期间流速区间很小。在实际运用中,考虑到出口部分为垂直管段,以及其输水灌溉的特殊性,管道中应避免出现较大的推移层。因此,分析中将不分流区进行统一研究。通过试验,在不同含沙量下阻力损失与流速的关系见图8-6～图8-10。

(三)阻力损失经验公式

1953年杜兰德(Durand)对法国尼尔匹克水利试验室管道水力输送的系统资料进行了初步总结,后经多人的总结、报道,总结出著名的杜兰德公式。杜兰德发现,在没有泥沙沉积的水平管道中,对于一定粒径的泥沙来说,无量纲参数 $\dfrac{J_m - J_w}{S_v J_w}$ 与福氏数 $\dfrac{U}{\sqrt{gd}}$ 存在着函数关系,其中 J_m 为挟沙管流维持流动所需的水力

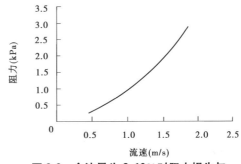

图8-6　含沙量为2.16%时阻力损失与
流速关系曲线

坡降;J_w 为清水以同一平均流速流动时所需水力坡降;s_v 为含沙浓度,以体积百分比计;U 为挟沙管流的平均流速;d 为管径。研究结果显示,影响阻力损失的是与粒径有关的某一参数,这一参数正是泥沙在自由沉降时的阻力系数 C_D,$C_D = \dfrac{24}{Re}$(Re 为雷诺数)。根据笔者的试验,$\dfrac{J_m - J_w}{S_v J_w}$ 与 $\dfrac{U}{\sqrt{gd}}$ 的关系见图8-11。

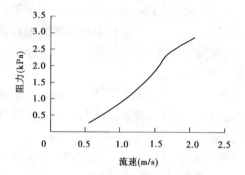

图 8-7 含沙量为 3.90% 时阻力损失与
　　　　 流速关系曲线

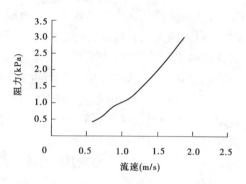

图 8-8 含沙量为 5.75% 时阻力损失与
　　　　 流速关系曲线

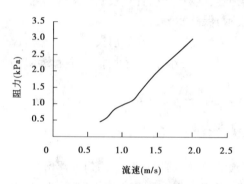

图 8-9 含沙量为 7.37% 时阻力损失与
　　　　 流速关系曲线

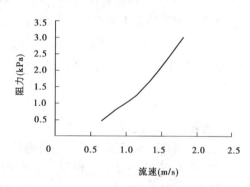

图 8-10 含沙量为 9.34% 时阻力
　　　　 损失与流速关系曲线

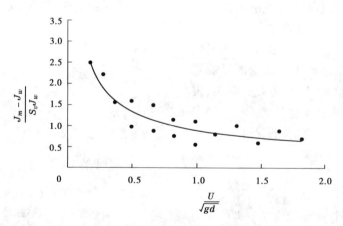

图 8-11 $\dfrac{J_m - J_w}{S_v J_w}$ 与 $\dfrac{U}{\sqrt{gd}}$ 关系曲线

由图 8-11 回归得其回归方程为：

$$\frac{J_m - J_w}{S_v J_w} = 1.471\ 1 \left[\frac{U^2}{gd} \times \frac{\sqrt{\dfrac{\rho_s - \rho}{\rho} gD}}{\omega} \right]^{-0.325\,4} \tag{8-3}$$

整理得：

$$J_m = J_w \left[1 + 1.471\,1 \left(\frac{U^2}{gd} \frac{\sqrt{\frac{\rho_s - \rho}{\rho} gD}}{\omega} \right)^{-0.325\,4} \right] \qquad (8\text{-}4)$$

式中　J_m——挟沙水管单位长度的水头损失,m;

　　　J_w——清水以同一流速下单位管长的水头损失,可根据不同管材采用相应公式计算,m;

　　　S_v——含沙量(体积百分比,%);

　　　U——管道水平均流速,m/s;

　　　d——管径,mm;

　　　g——重力加速度;

　　　ρ_s——泥沙密度,g/cm^3;

　　　ρ——水的密度,g/cm^3;

　　　D——泥沙粒径,mm,以 D_{50} 代表之;

　　　ω——泥沙自由沉降速度,m/s,$\omega = 0.544\,4\,\dfrac{\rho_s - \rho}{\rho} \dfrac{D^2}{U}$。

五、浑水管道输水系统临界不淤流速试验研究

(一)临界不淤流速(U_c)的定义

到目前为止,有关管道泥沙问题的研究大多以利用管道输送固体颗粒为对象,以防止管道输沙过程中的管道淤堵为目的而展开的。很多试验工作都是围绕着临界不淤流速进行的。管道两相流中有各种临界条件待确定,不同的临界条件具有不同的临界流速含义。

1.从均匀悬浮过渡到非均匀悬浮的临界条件

根据扩散理论,悬移质在垂线分布的均匀程度决定于参数 Z。

$$Z = \frac{\omega}{kU_*} \qquad (8\text{-}5)$$

当 $Z < 0.25$ 时,悬移质在垂线上已接近均匀分布。式中,卡门常数 $k = 0.4$;U_* 为摩阻流速;ω 为泥沙沉速。

2.泥沙开始悬浮的临界条件

当 $Z \geqslant 5$ 时,泥沙基本上以推移的形式运动,反之则开始出现悬移运动。

3.与 $J_m \sim U$ 关系曲线中最低值相应的临界流速 U_0

较多的研究者认为,$J_m \sim U$ 关系线最低点也就是相当于管道底部出现沉积物时的临界情况,从图 8-12 看,临界流速 U_0 和临界淤积流速 U_L 是有一些区别的,但差别不大。

4.临界不淤流速

在管道输水系统中,为了防止输水过程中因管床出现泥沙沉积而造成管道淤堵,提出了临界不淤流速的概念。临界不淤流速就是管底不出现沉积物的最小平均流速。那么,管道输水系统的临界不淤流速应如何界定和判定呢? 由于管道输水灌溉系统中含沙量一般较低(小于15%),管道淤堵是一个逐渐积累的过程,试验中 $J_m \sim U$ 关系曲线凹点不明

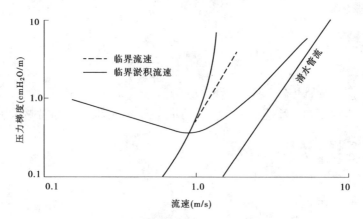

图 8-12 临界流速与临界淤积流速

显。因此,在此观点基础上利用图解法确定管道不淤流速,不适合管道输水灌溉系统的不淤流速的判断。

在管道输水系统中,由于从推移运动区到管底开始出现沉积物时的流区区间很窄,考虑到出水口垂直管段的因素和运行安全的要求,一般不希望有大量的推移质出现。因此,其临界不淤流速可近似看做由不均匀悬浮区到推移运动区临界点的流速。小于该临界流速时,泥沙以推移形式运动;大于临界流速,悬移运动开始出现。

(二)临界不淤流速的研究现状

如前所述,有关管道临界不淤流速的研究多以利用管道输送固体颗粒为对象展开的试验研究,确定管道临界不淤流速和输沙能力的经验公式很多,但差别较大,详见表8-3。

表 8-3　管道临界不淤流速的经验公式

作　者	公　式	备　注
Durand	$U_c = F_L [2gd(s-1)]^{1/2}$, $F_L = f(S_v, D)$	U_c 为临界不淤流速; $S_v = 2\% \sim 15\%$
Zaudi Govatos	$\dfrac{U^2 \sqrt{C_D}}{S_v gd(s-1)} = 40$	U 为从跳跃到两相流过渡的上限流速
Badcock shaw	$\dfrac{U^2 \sqrt{C_D}}{S_v gd(s-1)} = 10$	U 为划分两相流与动床流型的流速
Spells	$U_c^{1.225} = 0.025 gd \left(\dfrac{D\rho_m^{0.775}}{\mu_m} \right)(s-1)$	$s = \dfrac{\rho_s - \rho}{\rho}$
Shooh	$U_c = \dfrac{2.43 S_v^{1/3} [2gd(s-1)]^{1/3}}{C_D^{1/4}}$	
Yufin	$U_c = 9.8 d^{1/3} \omega^{1/4} \left(\dfrac{\rho_m}{\rho} - 0.4 \right)$	$S_v = 0 \sim 30\%$; $d = 122 \sim 457$ mm; $D = 0.25 \sim 7.36$ mm
Wasp	$U_c = F_L [2gd(s-1)]^{1/2} \left(\dfrac{D}{d} \right)^{1/6}$, $F_L = f(S_v)$	

作者	公式	备注
Turian，Yuan T.F.	$U_c = 2.41 S_v^{0.226\,8} f_0^{-0.223\,4} C_D^{-0.384} gd(s-1)^{1/2}$	
蒋素绮	$U_c = 0.293 \sqrt{2gd}\, e^{-\left[\frac{2}{\sqrt{2}s_p}(s_p-10)^2\right]} + \sqrt{2gd}(s-1)^{1/6}$	s_p 为固液比的 100 倍
王绍周	$U_c = 3.72 d^{0.312}\left[\left(\frac{\gamma_w - \gamma_0}{\gamma_w}\right)\left(\frac{\gamma_s - \gamma_w}{\gamma_s - \gamma_0}\right)^n \omega_p\right]^{0.25} \cdot \left(\frac{\omega_{95}}{\omega_p}\right)^{0.2}$	$n = 5.5\left(1 - 0.015\lg\frac{\omega_p D}{v_0}\right)$
刘德忠	$U_c = 9.5 \sqrt[3]{gd(s-1)\omega}\, S_v^{1/6}$	
B·C·克诺罗兹	$U_c = 0.2\left(1 + 3.43\sqrt{S_w \cdot D_k^{0.75}}\right)$	S_w 为含沙量重量百分比（%）
武汉水利水电学院	$P = 0.000\,108 \gamma_s \dfrac{U^3}{g \cdot R \cdot \omega}$	P 为挟沙能力；U 为流速；ω 为沉速；γ_s 为泥沙密度；R 为水力半径

(三)临界不淤流速的判断方法

基于临界不淤流速的概念、物理含义及水沙运动规律的研究基础,其判断方法概括为三种。

1.利用 $J_m \sim U$ 关系曲线判断临界不淤流速

根据浑水阻力损失试验资料,以单位距离的水头损失,即压力梯度 J_m(清水水柱)为纵坐标,以断面平均流速 U 为横坐标,绘制浑水 $J_m \sim U$ 关系曲线,见图 8-12。以往的研究和很多文献中认为,$J_m \sim U$ 关系曲线的最低点也就是相当于管底开始出现沉积物的临界情况,此点的流速即为临界不淤流速。

2.利用电导率仪判断临界不淤流速

就液体而言,由于介质的不同,其电导率也不同。浑水在管道中流动时,当管内高速水流由大到小变化时,泥沙颗粒从均匀悬浮到不均匀悬浮,管壁床面存在明显的推移运动,以至开始出现泥沙的沉积和不动底床,其泥沙在不同流区的变化势必产生管底层电导率的变化。随着底层水流含沙量的增加,其电导率随之增大,当泥沙开始沉积后,电导率接近于最大,以后趋于平缓,此时的流速即为临界不淤流速。

3.目测

在测试管道末端安置透明管,如有机玻璃管,通过肉眼观察判断临界状态点。当管底床面开始出现泥沙的沉积和不动底床时,此时的流速即为临界不淤流速。

(四)临界不淤流速试验

1.临界不淤流速的影响因素

1)含沙量对临界不淤流速的影响

管道临界不淤流速试验结合管路阻力损失同时展开,流速由大到小进行观测。其试验结果见表 8-4。临界不淤流速与含沙量的关系见图 8-13。

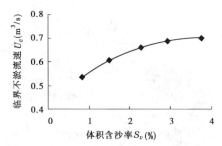

图 8-13　含沙率与临界不淤流速关系曲线

试验表明,含沙量对临界不淤流速有明显的影响,当含沙量较低时,临界不淤流速随含沙量的加大而增大;但当含沙量加大到 5.75%(重量比)时,临界不淤流速因含沙量的加大而增大的趋势趋于平缓。含沙量对临界不淤流速的影响规律见表 8-4。

2)粒径对临界不淤流速的影响

在渠灌区,由于渠首一般均采取一定的拦沙措施(如拦河坎),且对引水含沙量有一定的限制,其泥沙粒径一般不超过 1 mm,含沙量多小于 12%,在此条件下,泥沙粒径对临界不淤流速也有一定的影响,试验观测表明,当泥沙颗粒开始沉积时,颗粒由大到小先后沉积,同样含沙量条件下,临界不淤流速随颗径的加大而增大。

表 8-4　临界不淤流速试验结果

体积含沙率 S_v(%)	0.835	1.524	2.274	2.946	3.781
临界不淤流速 U_c(m³/s)	0.533	0.601	0.665	0.681	0.697

2.临界不淤流速的经验公式

根据试验资料,参考舒克和杜兰德公式,通过回归分析,得浑水管道临界不淤流速经验公式为:

$$U_c = 0.279\,9\,S_v^{0.184\,7}\omega^{1/2}\sqrt[4]{gd\frac{\rho_s - \rho}{\rho}} \tag{8-6}$$

式中　U_c——临界不淤流速,m/s;

g——重力加速度;

S_v——含沙量(体积百分比,%);

d——管径,mm;

ρ_s——泥沙密度,g/cm³;

ω——泥沙自由沉降速度,m/s;

ρ——水的密度,g/cm³。

第二节　管道淤堵机理及管道系统防淤堵技术

一、管道淤堵机理

管道淤堵与管材问题是制约管道输水技术在渠灌区特别是浑水渠灌区推广应用的主要因素,根据浑水管道水沙运动规律和渠灌区管道输水灌溉工程实践分析研究,其淤堵机理及成因总结如下。

(一)有机漂浮物堵塞

目前,在我国大中型灌区,由于输水渠道绝大多数采用明渠输水,渠水中存在或多或少的有机漂浮物,如柴、草、垃圾等。在管网系统规划设计中如未采用综合防护技术措施,在长期运行中,势必造成局部堵塞,致使整个系统瘫痪。

(二)泥沙淤积堵塞

泥沙淤积堵塞可分为动水淤堵和静水淤堵两种类型。

1. 动水淤堵

渠灌区管道输水系统多利用自然地形产生的水位差采用自压灌溉,其不同于井灌区由机泵提供动力的加压管道输水系统。在加压系统中,因水泵的特性,当管道断面产生部分淤积后,过水断面变小,流量减小,此时水泵扬程增大,形成压力补偿,使流速加大,这将避免管道的淤积堵塞。在渠灌区,当管内流速小于管道不淤流速时,管底开始出现泥沙的沉淀,流速减低到一定程度以后,一部分泥沙开始在管底沉积,形成不动的底床。在开始出现沉积时往往是很不稳定的,泥沙一会儿在管底形成一系列沙纹,一会儿又被水流冲走。但在流速进一步降低以后,这种管底的沉积物就积聚成为一种稳定的形态,水流从定床水流转变为动床水流。这里的动床水流是指底床由可活动的泥沙组成,相当于明渠水流中的冲积河床,而不是指组成底床的物质均处于运动状态。在动床面上可以出现沙波,也可以是平整的。流速过分减低以后,沉积在管底的泥沙愈来愈多,由于渠灌区管网系统中水位差相对固定,无压力补偿作用,流速变化很小,日积月累,由量变到质变,最终导致网管系统因淤积而堵塞。当断面全部被堵塞时,流动现象终止。

动水淤堵成因:

(1)因管径选择不当,管内流速小于临界不淤流速;

(2)渠水泥沙含量超限;

(3)泥沙含量较大,管路调节不能解决,而未采用泥沙处理工程技术措施。

2. 静水淤堵

泥沙在静水中的沉积机理较为简单,造成静水淤堵的成因大致为:

(1)由于地形条件,输水管道有时会出现较长的倒虹吸管,在坡度较大且较长的管段,管网停运后,泥沙将形成集中淤积,若末端设排水设施,将造成静水淤堵;

(2)在较大系统的管网中,由于种植结构的原因,局部作物灌水次数悬殊,而在管网设计时分水设施设置不当,长此以往,将会导致部分支管的淤堵。

二、管道系统防淤堵技术

根据管道输水系统水沙运行规律和淤堵机理的研究和工程实践分析,管道系统防淤堵技术应从技术措施和工程措施两个方面着手解决。

(一)技术措施

(1)当地形条件、水文条件满足管道输水防淤条件时,根据设计含沙量上限及泥沙组成,确定合适的临界不淤流速,临界不淤流速确定可参照式(8-6)计算;选择合理管径,通过管路调节使管内流速不小于临界不淤流速。

(2)设置合理的排水排沙设施。

(3)选择、配置合理的分水装置。

(4)制定合理的防淤堵运行管理制度。

(二)工程措施

(1)渠道与管道之间应布设衔接建筑物,衔接建筑物应包括衔接段、进水池、调压井、拦污排污装置等,必要时应设拦沙坎。

(2)当泥沙含量较大,自然落差较小,通过管路调节不能满足防淤条件时,应利用地形条件,设泥沙处理建筑物,如沉沙池等。

第三节　田间工程试验

根据管道输水灌溉的特点及管道输水水沙运动规律和泥沙淤积原理,针对目前我国浑水渠灌区管道输水系统存在的淤堵问题,在调研和分析总结多泥沙浑水灌区管道输水灌溉淤积堵塞问题的基础上,提出了具有分水、拦污、调压功能的渠灌区管道输水灌溉分水设施,并结合国家节水灌溉示范工程,在宝鸡峡灌区进行了渠灌区管道输水系统防淤堵及渠管衔接技术田间试验示范。

一、试区概况

试区位于咸阳市秦都区双照镇龙泉南村,属宝鸡峡灌区,从宝鸡峡塬上东干渠东三支渠引水,由于原斗分渠衬砌率低,田间工程设施差且老化损坏严重,加之地处宝鸡峡灌区下游,渠水灌溉保证率低,因此近年来利用渠水灌溉水量逐年减少,开采地下水量逐年增加,地下水位连续下降。根据这一情况,结合农业生产结构调整,实施渠井双灌低压管道输水灌溉面积 55.6 hm², 实行两水并用、科学调节、统一管理,合理开发地下水资源和引用宝鸡峡渠水相结合,发展节水灌溉。

宝鸡峡渠水悬移质泥沙平均粒径为 0.025 2~0.054 5mm,最大含沙量为 12%(重量比),泥沙密实容重为 2.7 g/cm³。1999 年在东三支渠引水口取淤沙进行颗粒分析,分析结果见表 8-5。

表 8-5　渠水泥沙颗粒级配

粒径(mm)	0.15	0.10	0.05	0.025	0.01	0.005	D_{50}
小于粒径沙重百分数(%)	100	96.72	77.45	37.27	12.17	5.25	0.031

二、管道临界不淤流速的确定

管道临界不淤流速指含泥沙水流中的泥沙开始出现沉积时管道中水流的平均流速。它与管径、泥沙含量、泥沙粒径等有关。渠水最大含沙量为 12%(重量比),泥沙容重为 2.7 g/cm³,泥沙粒径小于 0.4 mm。管道临界不淤流速,即:

$$U_c = 0.279\,9 S_v^{0.184\,7} \omega^{1/2} \sqrt[4]{gd\frac{\rho_s - \rho}{\rho}} \tag{8-7}$$

式中　U_c——临界不淤流速,m/s;

　　　g——重力加速度;

S_v——含沙量(体积百分比,%);

d——管径,mm;

ρ_s——泥沙密度,g/cm³;

ω——泥沙自由沉降速度,m/s;

ρ——水的密度,g/cm³。

通过计算,当设计流量为 63 m³/h 时(0.017 5 m³/s),临界不淤流速为 0.764 m/s。因此,管道干支管选用 Φ140 mmUPVC 塑料管,壁厚 2.8 mm,通过设计流量 63 m³/h 时,实际流速为 1.23 m/s,大于临界不淤流速,同时保证试区最不利条件下的出水口压力为 0.05 MPa。

三、渠灌区多功能分水调节设施

多功能分水调节设施包括进水池、拦污栅、分水口、调节池、进水管、排水管及溢流管。进水池位于调节池前,中间设有拦污栅,防止渠水中的杂草和污物进入管网,同时便于清理杂物。分水口位于进水池和调节池之间,如两条进水管流量相等时,采用同等对称分水口,即采用同样高程、大小相同且对称的两个进水口,将水引入调节池;如两条进水管流量不相等时,可在分水口设置控制闸门进行分水和量水。调节池中间有一隔墙,保证了两个进水管流量相同。进水管、排水管和溢流管均位于调节池的边墙上。其结构如图 8-14 所示。

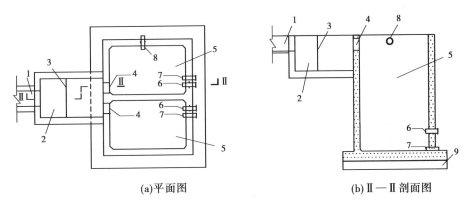

(a)平面图　　　　　　　　　　(b)Ⅱ—Ⅱ剖面图

图 8-14　多功能分水调节设施结构

1—引渠;2—进水池;3—拦污栅;4—分水口;5—调节池;6—进水管;7—排水管;8—溢流管;9—基础

多功能分水调节设施的工作原理:灌溉水通过引水渠(或引水管)进入进水池,进水池中的拦污栅将水中杂草和污物拦住,防止杂草和污物通过调节池进入管道造成管道淤堵。灌溉水经分水口、调节池和进水管进入管网,实现拦污防淤堵和分水量水的作用。当运行中出现管理不当等原因,造成调节池水位大于最高水位时,水便从溢流管流出。灌溉结束后或检修时,关闭进水管闸阀,打开排水管闸阀,便可放空调节池。

多功能分水调节设施具有以下优点:①集拦污、分水、量水和调节功能于一体,实用性强;②拦污栅位于进水池,清理杂草和污物方便;③结构简单,管理方便。

该多功能分水调节设施在陕西省咸阳市秦都区龙南节水灌溉示范项目中应用,经1年多的运行证明,具有拦污清污方便、分水量水效果好、结构简单和管理方便等优点,实用性强。

四、XN-1 型出水口及保护防冲设施

XN-1 型出水口及保护防冲设施结构见图 8-15。XN-1 型出水口采用外力止水,止水结构由伞形压盖、橡胶垫、螺杆、螺母套管组成,保护防冲设施由混凝土帽和混凝土管组成,混凝土帽上有钥匙插孔,并配有专用放水钥匙,混凝土管上有出流口。其工作原理为:当灌水时,利用专用放水钥匙通过混凝土帽的钥匙插孔插入出水口顶帽内,将螺杆逆时针旋转,伞形压盖提升离开管口,水即从管道中流出,通过混凝土管的出流口流进输水渠道或直接流入田块;当灌水结束后,将螺杆顺时针旋转,伞形压盖压紧管口达到止水作用。

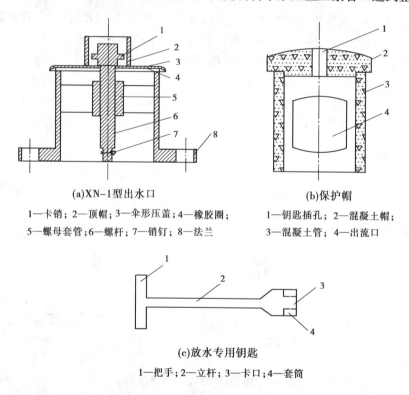

(a)XN-1型出水口

1—卡销;2—顶帽;3—伞形压盖;4—橡胶圈;
5—螺母套管;6—螺杆;7—销钉;8—法兰

(b)保护帽

1—钥匙插孔;2—混凝土帽;
3—混凝土管;4—出流口

(c)放水专用钥匙

1—把手;2—立杆;3—卡口;4—套筒

图 8-15　XN-1 型出水口及保护防冲设施

XN-1 型出水口及保护防冲设施具有以下优点:①结构简单,坚固耐用,利用法兰与固定管道连接,维修或更换方便;②螺杆采用矩形丝,螺母套管采用铜件,启闭灵活,使用寿命长;③利用伞形压盖和橡胶垫止水,密封性能好,关闭时不渗不漏;④采用伞形压盖和保护筒结合形式达到消能的目的,出水流速小,不冲刷,无需修建防冲池,保护筒又具有保护出水口的作用;⑤配有专用放水钥匙,便于专人管理。

该出水口及保护防冲设施在陕西省咸阳市秦都区龙南节水灌溉示范项目中应用,经1年多的应用证明,该设施具有消能防冲、止水效果好、启闭灵活、管理方便等优点,使用

效果很好。

五、渠井联合运用试验

(一)渠水与井水水源互补,提高了灌溉保证率

渠井双灌低压管道输水灌溉是以宝鸡峡渠水和井水为水源,两水并用,科学调节,统一管理,使群众用渠水和井水灌溉一样方便。同时,工程建成后,输水损失减少,畦长由原来的150～200 m变为现在的80～100 m,毛灌水定额由1 350 m³/hm² 降低到900 m³/hm²,节水率33%。

工程实施前试区的灌溉保证率不到50%,并且"水中旱"现象严重,有90余公顷田块因地势稍高,基本多年不能灌水,工程实施后灌溉保证率提高到75%以上,且灌溉了全部耕地,灌水周期由过去的22天降低到现在的10天。

(二)渠水与井水水价互补,降低了水价

渠水水价执行宝鸡峡灌区水价,斗口水价为0.17 元/m³,过去斗渠以下由所在村组管理,每次灌水有管理员和巡渠员,实际农民用水水价为0.23 元/m³;过去的浅井为部分群众私有,出水量小,引水渠均未衬砌,灌溉用水量大,水价也由机井所有人确定,一般为0.20 元/m³。工程实施前每次灌水费用约为300 元/hm²,旱情严重时,宝鸡峡实行调节水价,每次灌水费用高达450～600 元/hm²。

工程建成后,在秦都区水利局和双照镇政府的协助下成立了用水者协会,成员由村民选举产生,并接受村民监督。渠水、井水核定为统一水价,经核定水价为0.17 元/m³,水费收入由用水者协会统一管理,定期向村民公开收支情况。工程建成后每次灌水费用约为153 元/hm²,降低了农民用水费用。

(三)渠水与井水联合运用,可以涵养地下水源

渠水与井水统一管理,联合运用,科学调节,可以涵养地下水源,防止地下水过量开采。经2001～2002 年对地下水位的观测,试区地下水位基本稳定并略有上升(见图8-16)。由观测资料可知,1号观测井2001 年地下水位平均埋深9.26 m,2002 年地下水位平均埋深8.22 m;2号观测井2001 年地下水位平均埋深7.40 m,2002 年地下水位平均埋深7.01 m。

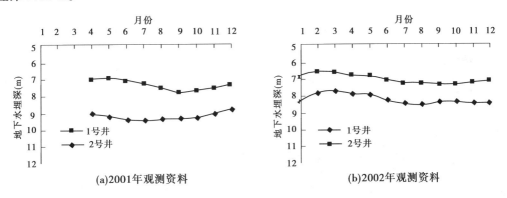

图 8-16 试区地下水位变化情况

六、经济效益分析

试区灌溉面积 $55.6\ hm^2$,主要种植小麦、玉米和果树,工程实施前粮食作物与经济作物种植比例为 7∶3,工程实施后其种植比例为 6∶4,并且发展蔬菜面积 $6\ hm^2$ 多。工程总投资 34.8 万元,每公顷投资 6 258.9 元,节水 33%,节地 2.1%,粮食增产 1 725 kg/hm^2,果树增产 5 250 kg/hm^2,并且果品商品率提高 20%。

根据以上试验资料,按照《水利建设项目经济评价规范》(SL 72—94)要求分别计算效益费用比(BCR)、年净效益(P_0)、投资回收年限(T_0)和内部收益率(IRR),计算结果见表 8-6。从计算的各项指标看,该工程经济效益是显著的。

表 8-6 经济效益分析计算

年费用 (元/hm^2)	年效益 (元/hm^2)	BCR	P_0 (元/hm^2)	T_0 (年)	IRR (%)
636.0	1 900.5	2.98	1 264.5	3.1	17.4

渠井双灌低压管道输水灌溉是渠井双渠区发展节水灌溉的工程措施之一,本节通过工程试验,在规划设计、控水、分水、拦污、水价等方面提出了一些新的思路,并进行了技术经济分析,认为渠井双灌低压管道输水灌溉可以实现两水并用、科学调节、统一管理,在水源和水价等方面具有渠井互补的优点,能够提高灌溉保证率、涵养地下水源、降低水价,同时,节水增产效益显著,对渠井双灌区发展节水灌溉具有一定的指导意义。

由于试区范围较小,试验资料有限,如何进行地表水和地下水的实时调度,以实现地下水的多年动态平衡以及渠井双灌低压管道输水灌溉大面积应用中的规划设计等问题还有待进一步的研究。

第九章 结 论

国家高技术研究发展计划(863计划)"现代渠道、管网高效输水技术及新产品"课题在科技部和专家组的指导下,由西北农林科技大学、中国灌溉排水发展中心、中国水利水电科学研究院、水利部农田灌溉研究所等单位参加,通过全体课题组成员的努力工作,针对渠道防渗新材料新技术、渠道新型抗冻胀结构形式与新材料、渠灌区渠道和管网相结合的输水新技术中存在的关键技术问题开展了深入的研究,主要结论如下。

一、渠道防渗新材料新技术

(1)在纳米微粉对混凝土抗渗抗冻性能影响的试验研究基础上,研制开发了纳米基混凝土改性剂。试验证明,掺加纳米基混凝土改性剂的砂浆(混凝土)均比同配比的普通砂浆(混凝土)抗渗性提高30%以上,抗冻性提高50%以上。

(2)在特殊土渠道防渗技术方面研究发现,特殊土的变形主要发生在从非饱和到饱和的过渡过程中,并基于非饱和土的有效应力原理和考虑黄土结构性的非饱和黄土的本构关系等特殊土最新研究理论,提出了模拟湿陷性黄土从非饱和状态到饱和状态的增湿湿陷过程进行数值模拟的方法,开发了相应的三维非线性有效应力计算程序,提出了计算膨胀土与渠道衬砌结构相互作用的初应变数值方法;提出了特殊土渠道"适应、削减和局部抵抗,分类分级,综合防治"设计原则,提出"柔性衬砌结构"、"可恢复型衬砌结构"两种新型的特殊土渠道衬砌形式。

(3)以氯化聚乙烯树脂为主体材料配以各种助剂和填料研制开发了氯化聚乙烯CPE止水管(带)。该材料为高弹性高分子化合物,与专用胶粘剂配套使用,在$-40\sim80$ ℃范围内性能良好;具有抗拉、抗撕裂强度高,延伸率大,抗渗透性、抗穿孔性强,耐腐蚀、耐酸碱、耐臭氧、耐油性、耐老化性以及阻燃性优良等特性;对地基冻胀或沉降、混凝土伸缩变形的适应能力强;且重量轻,黏结性能好,可冷施工操作,工序简单,劳动强度小,工效高,造价低。

(4)利用造纸废液(黑液)为主要原料,添加有机化合物发生共聚反应,合成新型土壤添加剂。能喷在土渠的渠床表面使其自然入渗,形成一定厚度的防渗固结层,以达到防渗的目的。新型土壤添加剂的特点是防渗效果好,原料来源容易,生产成本较低,不扰动渠床土,施工简易,综合造价低,易于实施。

(5)针对目前我国U形渠槽预制构件机只能生产0.5 m长的预制渠槽、生产效率低、渠道接缝多、防渗效果差、施工速度慢、不利于机械化施工等问题,研制了新型的能制成1 m混凝土U形槽或1 m^2 平板构件的U形渠槽预制机具。

二、渠道新型抗冻胀结构形式与新材料

(1)研究提出了一种刚柔相济、适应冻胀变形性能好、施工简单、牢固可靠、成本较低

的新型渠道防渗抗冻胀衬砌结构。其优点是预制板通过连锁结构连接成为一个整体，当基土冻胀抬高时，受顶托预制板跟着上升，但不会单独坍塌，同时防止了刚性衬砌体受冻胀力的影响使预制板遭受到破坏。

(2)研制开发了具有防渗、保温双重功能的新型卷材(SDM)，与传统材料(塑膜和聚苯乙烯泡沫板)相比，其防渗、保温效果好，运输、施工方便，工程综合造价低。还可与无纺布复合，使其具有防渗、保温和平面导水等综合功能。该材料的主要技术经济指标如下：密度，$\geqslant 30$ kg/m³；吸水性，$\leqslant 80$ g/m²；压缩强度(压缩50%)，$\geqslant 100$ kPa；尺寸稳定性($-40\sim70$ ℃)，$\pm 1.5\%$，导热系数，$\leqslant 0.04$ W/(m·K)。

(3)通过建立试验场和典型渠段，对渠道防渗防冻胀技术进行了系统研究，包括渠道冻深和冻胀量预报、削减基土冻胀的保温措施、换填措施和适应冻胀变形的渠道断面及防渗结构措施、防渗保温层厚度的计算方法等。

三、渠灌区渠道和管网相结合的输水新技术

(1)在目前国内外给水管网水力分析算法的研究基础上，运用 GIS 技术，利用 Mapbasic 开发环境，编制出了一套管网计算分析软件。它可以对管网进行计算分析，并结合地理信息，模拟管网的运行状况。该软件用户界面友好，操作方便，获取数据直观、快速、准确，为管网规划、设计、优化控制和科学管理提供了可靠的信息来源，为计算机在管网中的应用开阔了思路。

(2)通过室内外试验研究和工程实践，运用泥沙运动力学和管道水力学原理，就浑水管道输水系统水沙运动规律和泥沙淤积机理、管道输水系统防淤堵技术等方面进行了深入研究，得出了浑水管道沿程阻力损失和管道临界不淤流速计算经验公式。研制了多功能分水调节设施和 XN-1 型出水口，多功能分水调节设施结构合理，构造简单，经济实用，适用于浑水渠灌区管道输水系统，满足其防淤堵、分水、配水、拦污及调压要求，通过工程实际应用，证明其防淤堵技术实用可靠，效果良好。

通过本课题的研究，在渠道防渗抗冻胀新材料及应用、渠灌区管道输水灌溉技术方面取得了系统成果，对我国渠道防渗技术和管道输水灌溉技术的进一步发展提供了技术保证，对相关研究开发工作的开展以及本学科及相关学科发展具有重要的作用和影响，对我国渠灌区管道输水灌溉技术的发展和进一步推广应用具有重要的意义。

参 考 文 献

[1] 李安国,建功,曲强.渠道防渗工程技术.北京:中国水利水电出版社,1997

[2] 郭慧滨,李振海,等.渠道防渗工程.节水灌溉,1999,6:26~29

[3] 王慧,朱步祥,等.渠道防渗新材料——土壤固化剂及其应用.节水灌溉,2000,6:35~37

[4] 席跟战,李安国,等.我国渠道防渗工程技术的发展趋势.西北水资源与水工程,1997,4:52~56

[5] Hewit R D,Daniel D E.Hydranlic conductivity of Geosynthetic Clay Liners after Freeze – Thaw. Geotechnical and Geoenvironental Engineering, ASCE, 1997, 127(4):305~313

[6] Koerner R M.Geosynthetic Clay Liners, Part One: An overview. Geotechnical Fabrics Report, 1996, 14(4):22~25

[7] LaGatta M D,Boardman B T,Cooley B H,et al.Geosynthetic Clay Liners subjected to differential settle-ment. Geotechnical and Geoenvironental Engineering, ASCE, 1997, 123(5):402~410

[8] 周正兵,王钊.用于渠道防渗的两种新型土工复合材料.防渗技术,2001(3):1~5

[9] 何武全.我国渠道防渗工程技术的发展现状与研究方向.防渗技术.2002(1):31~33

[10] 李安国.渠道防渗工程技术.节水灌溉.1998,4:6~8

[11] 何武全,邢义川,等.渠道防渗抗冻胀新材料与新技术.节水灌溉.2003(1):4~6

[12] 中华人民共和国水利部.渠道防渗工程技术规范(SL18—2004).北京:水利电力出版社,2004

[13] 中华人民共和国水利部.渠道防渗工程抗冻胀设计规范(SL23—91).北京:水利电力出版社,1991

[14] Hamid M A,Ullah M W. Lining irrigation canals with wirenets reinforced precast semicircular concrete sections. Progressive – Agriculture(Bangladesh).1990, 1(1):53~60

[15] 韩怀强,蒋挺大.粉煤灰利用技术.北京:化学工业出版社,2002

[16] 李绍雄,刘益军.聚氨酯胶粘剂.北京:化学工业出版社,1999

[17] 张立德,等.纳米材料和纳米结构.北京:科学出版社,2002

[18] 林保玉,等.混凝土工程新材料设计与施工.北京:中国水利水电出版社,1998

[19] Чешко Л.А.Промышленное и гражданское строительство. М.,Изд.1999.125~130

[20] 陈林,汪德果.蒙自膨胀土的工程性质.岩土工程学报,1990,10(6)

[21] 朱伯芳.有限元原理与应用.北京:水利电力出版社,1979

[22] 汪国烈,明文山.湿陷性黄土的浸水、变形规律与工程对策.见:湿陷性黄土研究与工程.北京:中国建筑出版社,2001

[23] 谢壮初."适应冻胀变形、防止渠道冻胀破坏"的实践与研究.防渗技术,1991(4)

[24] 杨久俊,等.混凝土科学未来发展的思考.混凝土,2001(3)

[25] 杨静,等.21世纪的混凝土材料——环保型混凝土.水泥与混凝土制品,1999(3)

[26] 张立德,等.纳米材料和纳米结构.北京:科学出版社,2002

[27] 林保玉,等.混凝土工程新材料设计与施工.北京:中国水利水电出版社,1998

[28] 叶青.纳米复合水泥结构材料的研究与开发.新型建筑材料,2002(1)

[29] 冯乃谦.高性能混凝土.北京:中国建筑工业出版社,1996.12~50

[30] 冯广志,周福国,等.渠道防渗、衬砌技术发展中的若干问题与建议.见:中国灌区协会编.渠道防渗技术论文集.北京:中国水利水电出版社,2003

[31] 李迎九.高性能混凝土的高强机理分析及试验研究.铁道工程学报,2001,70(2):118~122

[32] 于珊泉，李忠卫．有机硅防水剂在防渗混凝土工程修补中的应用．混凝土，2001，131(4)：19～20

[33] 黄国兴，陈改新．水工混凝土建筑物修补技术及应用．北京：中国水利水电工业出版社，2002

[34] Ramana D V, Rai S N, Singh R N. Seepage losses from irrigation canal of Punjab, Pakistan. Advances in planning, design and management of irrigation systems as related to sustainable land use. Proceedings of an International Conference, Leuven(Belgium), 14～17 September 1992：535～543

[35] Ran I, Williams J. Delineating ground water recharge from leaking irrigation canal using water chemistry and isotopes. Ground-water. Westerville, Ohio：National Ground Water Association. May/June 2001, 39 (3)：408～421

[36] 蔡丽明，赵丽君．环保型混凝土的特性及开发应用．福建建材，2004，81(1)：26～28

[37] 汪一拂．国外混凝土补强材的性能与使用情况．山西建材，2000(3)：13～14

[38] 咸才军．纳米建材．北京：化学工业出版社，2003

[39] 董建伟，裴宇波，等．环保型绿化混凝土的研究与实践．吉林水利，2002(2)：1～4

[40] 苏胜昔，刘慧君，等．环保型再生砂配制混凝土技术性质研究．河北大学学报，2003，23(4)：430～433

[41] 覃丽坤．日本混凝土构筑物的腐蚀诊断及补强修补方法．施工技术，2004，33(6)：61～63

[42] 范家炎，史伏初，郑浩杰．灌区量水设备．北京：水利电力出版社，1987

[43] 王智，朱凤书，刘晓明．平底抛物线形无喉段量水槽试验研究．水利学报，1994(7)：12～23

[44] Hager W H. Mobile flume for circular channel. J. Irrig. and Drain. Engrg. ASCE, 1988, 114(3)：520～534

[45] Bos M G. Long-throated Flumes and Broad-crested Weirs. Martinus Nijhoff/Dr W. Junk Publishers, 1985

[46] Samani Z, Magallanez H. Simple flume for flow measurement in open channel. J. Irrig. and Drain. Engrg. ASCE, 2000, 126(2)：127～129

[47] Samani Z, Magallanez H. Hydraulic characteristics of circular flume. J. Irrig. and Drain. Engrg. ASCE, 1991, 117(4)：558～566

[48] 张建华，赵忠林，杨钱昌．明渠量水计量装置技术的开发应用．浙江水利科技，1996(4)：55～57

[49] 杨汉塘．平原灌区田间渠道量水计研制．水利水电科技进展，1999，19(4)：28～30

[50] 吉庆丰，沈波．灌区量水设施研究开发进展．灌溉排水，2001，20(4)：65～68

[51] 孙秋菊，李继马．长喉槽计算原理及几何设计．中国农村水利水电，2000(5)：18～20

[52] 阮新建，王长德，柳树票．明渠测流长喉槽结构优化及设计理论研究．农业工程学报，2001，17 (5)：22～26

[53] 钱宁，万兆惠．泥沙运动力学．北京：科学出版社，1983

[54] 李龙昌，王彦军，等．管道输水工程技术．北京：中国水利水电出版社，1998

[55] 何武全，邢义川．黄河上中游大型灌区推广管道输水发展节水灌溉的可行性分析．节水灌溉，2001(1)：12～14

[56] 李英能．大型灌区农业高效用水的对策．中国农村水利水电．2002(1)：45～47

[57] Durand R. Basic Relationships of the Transportation of Solids in Pipes-Experimental Research, Proc., Minnesota Intern. Hyd. Conv. 1953

[58] Gibert R. Transport Hydraulique et Refoulement des Mixtures on Conduites, Anneles des Ponts et Chaussees, 130 Armee, 1960(3～4)

[59] Shen H W, Wang J S. Incipient Motion and Limiting Deposit Conditions of Solid-Liquid Pipe Flow.

Proc. Hydrotransport, 1970

［60］ Shook C A. Pipelining Solids: The Design of Short Distance Pipelines. Proc., Symp. On Pipeline Transport of Solids, Canadian Soc. Chem. Engin., 1969

［61］ He wuquan, Zhang yingpu, Li jizhe. Irrigation by low-pressure pipelineusing combined flows from wells and canals. Water-Saving Agriculture and Sustainable Use of Water and Land Resources, Shaanxi Science and Technology Press, 2003, 10

［62］ 严熙世, 赵洪宾 . 给水管网理论与计算 . 北京: 中国建筑工业出版社, 1986

［63］ 李黎武, 许仕荣, 施周 . 基于拓扑理论确定多水源管网供水区域及绘制等压线的方法研究 . 给水排水, 2001, 27(12): 5~8

［64］ 周玉文 . 城市排水系统非恒定流模拟技术研究:［博士论文］.哈尔滨建筑大学,1998

［65］ 李家星,赵振兴.水力学.南京:河海大学出版社,2001